ハリー・ポッターとアズカバンの囚人

J・K・ローリング

松岡佑子 訳

静山社

ハリー・ポッターとアズカバンの囚人　目次

主な登場人物

ハリー・ポッター
主人公。ホグワーツ魔法魔術学校の三年生。緑の目に黒い髪、額には稲妻形の傷

ロン・ウィーズリー
ハリーの親友。大家族の末息子で、一緒にホグワーツに通う兄妹は、優等生のパーシーと、双子のフレッドとジョージ、妹のジニーがいる

ハーマイオニー・グレンジャー
ハリーの親友。マグル（人間）の子なのに、魔法学校の優等生

シリウス・ブラック
脱獄不能のアズカバンを脱走した凶悪犯

ドラコ・マルフォイ
スリザリン寮の生徒。ハリーのライバル

リーマス・ルーピン
「闇の魔術に対する防衛術」の新しい先生

シビル・トレローニー
占い学の先生

ジェームズとリリー・ポッター
ハリーが幼いころに亡くなった父親と母親

ピーター・ペティグリュー
ジェームズの友人。裏切り者のシリウスを追いつめ……

クルックシャンクス
オレンジ色でガニマタの猫。ハーマイオニーのペット

スキャバーズ
ロンのペットのネズミ。年のせいか、やせ衰えて元気がない

バックビーク
半鳥半馬の魔法生物、ヒッポグリフ。ハグリッドのペット

コーネリウス・ファッジ
魔法大臣

ダーズリー一家（バーノンおじさん、ペチュニアおばさん、ダドリー）
ハリーの親戚で育ての親とその息子。まともじゃないことを毛嫌いする

ヴォルデモート（例のあの人）
最強の闇の魔法使い。多くの魔法使いや魔女を殺した

スイング・クラブの後見人《ゴッドマザーズ》たち
ジル・プルウェットとエイン・キーリーに

Original Title: HARRY POTTER AND THE PRISONER OF AZKABAN

First published in Great Britain in 1999
by Bloomsbury Publishing Plc, 50 Bedford Square, London WC1B 3DP

This book is published in Japan by arrangement with
the author through The Blair Partnership

第1章　ふくろう便

ハリー・ポッターはいろいろな意味で、極めて普通ではない男の子だった。まず、一年中で一番嫌いなのが夏休み。第二に、宿題をしたくてしかたがないのに、真夜中にこっそりやらざるをえなかった。その上、ハリー・ポッターは、たまたま魔法使いだった。

真夜中近く、ハリーはベッドに腹ばいになって、頭から毛布をテントのようにすっぽりかぶり、片手に懐中電灯を持ち、大きな革表紙の本（バチルダ・バグショット著『魔法史』）を枕に立てかけていた。ちょうどいま、鷲《わし》羽根ペンのペン先でページを上から下へとたどり、宿題のレポートを書くのに役立ちそうな所を、眉根を寄せて探しているところだった。「十四世紀における魔女の火あぶりの刑は無意味だった——意見を述べよ」という宿題だ。

それらしい文章が見つかり、羽根ペンの動きが止まった。ハリーは鼻にのっている丸いめがねを押し上げ、懐中電灯を本に近づけてその段落を読んだ。

非魔法界の人々（通常マグルと呼ばれる）は中世において特に魔法を恐れていたが、本物を見分けることが得手ではなかった。ごく稀《まれ》に本物の魔女や魔法使いを捕まえることはあっても、火刑はなんの効果もなかった。魔女または魔法使いは、初歩的な「炎凍結術」をほどこし、そのあと、やわらかくくすぐるような炎の感触を楽しみつつ、苦痛で叫んでいるふりをした。特に、「変わり者のウェンデリン」は焼かれるのが楽しくて、いろいろ姿を変え、自らすすんで四十七回も捕まった。

ハリーは羽根ペンを口にくわえ、枕の下からインク瓶と羊皮紙をひと巻取り出した。ゆっくりと、充分に注意しながらハリーはインク瓶のふたを開け、羽根ペンを浸して書きはじめたが、ときどきペンを休めては耳をそばだてた。もし、ダーズリー家の誰かがトイレに立ったときに羽根ペンでカリカリ書く音を聞きつけたら、おそらく、夏休みの残りの期間を、階段下の物置に閉じ込められっぱなしで過ごすことになるだろう。

プリベット通り四番地のダーズリー一家こそ、ハリーがこれまで一度も楽しい夏休みを過ごせなかった原因だ。

バーノンおじさん、ペチュニアおばさんと息子のダドリーは、ハリーの唯一の親戚だった。一家はマグルで、魔法に対してまさに中世そのものの態度をとった。ハリーの亡くなった両親は魔女と魔法使いだったが、ダーズリー家の屋根の下ではけっして二人の名前を口にすることはなかった。

何年もの間、ペチュニアおばさんもバーノンおじさんも、ハリーを極力しいたげておけば、ハリーから魔法を押し出すことができるかもしれないと望み続けてきた。それが思いどおりにはならなかったのが、二人のしゃくの種だった。ハリーがこの二年間をほとんどホグワーツ魔法魔術学校で過ごしたなどと、誰かにかぎつけられたらどうしようと、二人はいまや戦々恐々だった。しかし最近では、ダーズリー一家は、せいぜいハリーの呪文集や杖《つえ》、鍋、箒《ほうき》を、夏休みの初日に鍵をかけてしまい込むとか、ハリーが近所の人と話をするのを禁ずるくらいしか手がなかった。

ホグワーツの先生たちが休暇中の宿題をどっさり出していたので、呪文集を取り上げられてしまったのはハリーにとって大問題だった。レポートの宿題の中でも特に意地悪なのが、「縮み薬」に関するものので、ハリーの一番の苦手、スネイプ先生の宿題だった。レポートを書かなかったら、ハリーを一か月処罰する口実ができたと大喜びすることだろう。

しかしハリーは、休みに入ってから最初の週にやってきたチャンスを逃さなかった。バーノンおじさんもペチュニアおばさんもダドリーもみんな庭に出て、おじさんの新しい社用車を（同じ通りの住人がみな気づくよう、大声で）誉めそやしていたそのすきに、ハリーはこっそり一階に下り、階段下の物置の鍵をこじ開け、教科書を数冊ひっつかみ、自分の寝室に隠したのだ。シーツにインクのしみさえ残さなければ、ダーズリー一家にハリーが夜な夜な魔法を勉強しているとは知られずにすむ。

ハリーはおじ、おばとのいざこざを、いまはぜひともさけたかった。二人とはすでに険悪なムードになっていたからだ。休暇が始まってから一週間目に、魔法使いからの電話がハリーにかかってきたという、たったそれだけの理由で。

ロン・ウィーズリーはホグワーツでのハリーの親友の一人で、家族は全員魔法使いという家柄だった。つまり、ロンはハリーの知らないことをたくさん知っていたが、電話というものは使ったことがない。その電話をバーノンおじさんが受けたのがなんとも不運だった。

「もしもし、バーノン・ダーズリーだが」

ハリーはその時たまたま同じ部屋にいたが、ロンの答える声が聞こえてきたとき、身も凍る思いがした。

「もし、もし？　聞こえますか？　僕――ハリー――ポッター――と――話したい――の――ですけど！」

ロンがあまりの大声で叫ぶので、バーノンおじさんは飛び上がり、受話器を耳から三十センチも離して持ち、怒りと驚きの入りまじった表情で受話器を見つめた。

「誰だ！」

おじさんは受話器の方向に向かってどなった。

「君は誰かね？」

「ロン――ウィーズリーです！」

ロンも大声を返した。まるで二人はサッカーの競技場の端と端に立って話し合っているようだった。

「僕―ハリー―の―学校―の―友達―です」

バーノンおじさんの小さな目がハリーのほうにぐるりと回った。ハリーはその場に根が生えたように突っ立っていた。

「ここにはハリー・ポッターなどおらん！」

どなりながら、受話器が爆発するのを恐れるかのように、おじさんはいまや腕を伸ばしきって受話器を持っていた。

「なんの学校のことやら、わしにはわからん！　二度と連絡せんでくれ！　わしの家族のそばに寄るな！」

おじさんは毒グモを放り投げるかのように、受話器を電話に投げ戻した。

そのあとのやりとりは最悪中の最悪だった。

「よくもこの番号をあんな輩《やから》に――おまえと同類の輩に教えたな！」

バーノンおじさんはハリーにつばをまき散らしながらどなった。

ロンはハリーをトラブルに巻き込んだと悟ったらしい。それから一度も電話をかけてこなかった。

ホグワーツ校でのもう一人の親友、ハーマイオニー・グレンジャーもまったく連絡してこなかった。

たぶんロンがハーマイオニーに、電話をかけるなと警告したのだろう。だとしたら残念だ。ハーマイオニーはハリーの学年で一番の秀才だったが、両親はマグルで、電話の使い方はよく知っていたし、おそらくホグワーツ校の生徒だなんて電話で言ったりしないだけの分別は持っているはずだ。

そんなわけで、ハリーはもう五週間も魔法界の友達からはなんの連絡もなく、今年の夏も去年と同じくらいみじめなものになりつつあった。

一つだけ去年よりましなのは、ペットのふくろうのヘドウィグのことだ。友達に手紙を出すのにふくろうを使わないと誓い、夜だけヘドウィグを自由にしてやれた。バーノンおじさんが折れたのは、かごに閉じ込めっぱなしにするとヘドウィグが大騒ぎをしたからだ。

「変わり者のウェンデリン」について書き終えたハリーは、また耳をすました。暗い家の静寂を破るのは、遠くに聞こえる、巨大ないとこダドリーの、ブーブーといういびきだけだった。もうだいぶ遅い時間にちがいない。ハリーはつかれて目がむずがゆくなった。宿題は明日の夜仕上げよう……。

インク瓶のふたを閉め、ベッドの下から古い枕カバーを引っ張り出して、懐中電灯や『魔法史』、それに宿題、羽根ペン、インクをその中に入れ、ベッドから出て、ベッド下の床板のゆるんだ場所にその袋を隠した。それから立ち上がり、伸びをして、ベッドの脇机に置いてある夜光時計で時間を確かめた。

午前一時だった。ハリーの胃袋が奇妙にざわついた。気がつかないうちに、十三歳になってからもう一時間もたっていたのだ。

ハリーが普通でない理由がもう一つある。誕生日が待ち遠しくないのだ。ハリーは一度も誕生祝いのカードをもらったことがなかった。ダーズリー一家はこの二年間、完全にハリーの誕生日を無視したし、三年目の今年も覚えているはずがない。

暗い部屋を横切り、ヘドウィグのいない大きな鳥かごの脇を通り、ハリーは開け放した窓辺へと歩いた。窓辺に寄りかかると、長いこと毛布の下に隠れていた顔に、夜風がさわやかだった。

ヘドウィグはふた晩も帰っていない。ハリーは心配してはいなかった——以前にもこのくらい帰らなかったことがある——でも、ヘドウィグに早く帰ってきてほしかった。この家で、ハリーの姿を見てもヒクヒクけいれんしない生き物はヘドウィグだけだった。

ハリーはいまだに年齢の割に小柄でやせてはいたが、この一年で五、六センチ背が伸びていた。真っ黒な髪だけは、相も変わらず、どうやっても頑固にくしゃくしゃしていた。めがねの奥には明るい緑の目があり、額には細い稲妻形の傷が、髪を透かしてはっきり見えた。

ハリーはいろいろと普通ではなかったが、この傷は特に尋常ではなかった。十年間、ダーズリー夫妻は、この傷はハリーの両親が自動車事故で死んだときの置きみやげだと偽り続けてきた。

実は母のリリーも父のジェームズ・ポッターも、車の衝突事故で死んだのではなかった。殺されたのだ。過去百年間でもっとも恐れられた闇の魔法使い、ヴォルデモート卿《きょう》の手にかかって。ハリーもそのとき襲われたが、額に傷を受けただけでその手を逃れた。ヴォルデモートの呪いは、ハリーを殺すどころか、呪った本人に跳ね返り、瀕死《ひんし》のヴォルデモートは逃げ去った……。

しかし、ハリーはホグワーツに入学したことで、再びヴォルデモートと真正面から対決することになった。暗い窓辺にたたずんで、ヴォルデモートと最後に対決したときのことを思い出すと、ハリーは、よくぞ十三歳の誕生日を迎えられたものだ、それだけで幸運だ、と思わざるをえなかった。

ハリーはヘドウィグを探して星空に目を走らせた。くちばしに死んだネズミをくわえ、誉めてもらいたくてハリーの所にスイーッと舞い降りてきはしないか。

家々の屋根をなにげなしに見つめていたハリーは、しばらくしてから何か変なものが見えるのに気づいた。

金色の月を背に、シルエットが浮かび、それが刻々と大きくなる。大きな、奇妙に傾いた生き物だった。羽ばたきながらハリーのほうへやってくる。

ハリーはじっとたたずんだまま、その生き物が一段、また一段と沈むように降りてくるのを見つめていた。窓の掛け金に手をかけ、ピシャリと閉めるべきかどうか、一瞬、ためらった。その時、その怪しげな生き物がプリベット通りの街灯の上をスイーッと飛び、その正体がわかったハリーは、脇に飛びのいた。

窓からふくろうが三羽舞い降りてきた。そのうち一羽はあとの二羽に両脇から支えられ、気を失っているようだった。

三羽のふくろうはハリーのベッドに**パサリ**と軟着陸し、真ん中の大きな灰色のふくろうは、こてんとひっくり返って動かなくなった。大きな包みがその両足にくくりつけられている。

ハリーはすぐに気づいた――気絶しているふくろうの名前はエロール。ウィーズリー家のふくろうだ。ハリーは急いでベッドに駆け寄り、エロールの足に結びつけてあるひもを解いて包みを取りはずし、それからエロールをヘドウィグのかごに運び込んだ。エロールは片目だけをぼんやり開けて、感謝するように弱々しくホーと鳴き、水をゴクリ、ゴクリと飲みはじめた。

ハリーはほかのふくろうの所に戻った。一羽は大きな雪のように白い雌で、ハリーのふくろう、ヘドウィグだ。これも何か包みを運んできていて、とても得意そうだった。ハリーが荷を解いてやると、ヘドウィグはくちばしで愛情込めてハリーを甘がみし、部屋のむこうに飛んでいってエロールのそばに収まった。

もう一羽は、きりっとした森ふくろうだ。ハリーの知らないふくろうだったが、どこから来たかはすぐにわかった。三つ目の包みと一緒に、ホグワーツの校章のついた手紙を運んできたからだ。郵便物をはずしてやると、そのふくろうはもったいぶって羽毛を逆立て、羽をぐっと伸ばして、窓から夜空へと飛び去った。

ハリーはベッドに座ってエロールの包みをつかみ、茶色の包み紙を破り取った。中から金色の紙に包まれたプレゼントと、生まれて初めての誕生祝いカードが出てきた。かすかに震える指で、ハリーは封筒を開けた。紙片が二枚、はらりと落ちた――手紙と、新聞の切り抜きだった。

まぎれもなく、魔法界の「日刊予言者新聞」の切り抜きだった。なにしろ、モノクロ写真の人物がみな動いている。ハリーは切り抜きを拾い上げ、しわを伸ばして読みはじめた。

魔法省官僚、グランプリ大当たり

魔法省マグル製品不正使用取締局長、アーサー・ウィーズリー氏が、今年の「日刊予言者新聞・ガリオンくじグランプリ」を当てた。

喜びのウィーズリー氏は記者に対し、「この金貨は夏休みにエジプトに行くのに使うつもりです。長男のビルがグリンゴッツ魔法銀行の『呪い破り』としてそこで仕事をしていますので」と語った。

ウィーズリー一家はエジプトで一か月を過ごし、ホグワーツの新学期に合わせて帰国する。ウィーズリー家の七人の子供のうち五人が現在そこに在学中である。

ハリーは動く写真をざっと眺め、ウィーズリー家全員の写真を見て顔中に笑いを広げた。九人全員が大きなピラミッドの前に立ち、ハリーに向かって思いっきり手を振っている。小柄で丸っこいウィーズリー夫人、長身ではげているウィーズリー氏、六人の息子と娘が一人、みんなが（モノクロ写真ではわからないが）燃えるような赤毛だ。真ん中に、ノッポで手足をもてあまし気味のロンがいた。肩にペットのネズミ、スキャバーズをのせ、腕を妹のジニーに回している。

ハリーは、金貨ひと山を当てるのに、ウィーズリー一家ほどふさわしい人たちはいないと思った。ウィーズリー一家はとても親切で、ひどく貧しかった。ハリーはロンの手紙を拾い上げて広げた。


ハリー、お誕生日おめでとう！

ねえ、あの電話のことはほんとうにごめん。マグルが君にひどいことをしないといいんだけど。パパに聞いたんだ。そしたら、叫んじゃいけなかったんじゃないかって言われた。

エジプトってすばらしいよ。ビルが墓地という墓地を全部案内してくれたんだけど、古代エジプトの魔法使いがかけた呪いって信じられないぐらいすごい。ママなんか、最後の墓地にはジニーを入らせなかったくらい。墓荒らししたマグルたちがミュータントになって、頭がたくさん生えてきてるのやら何やら、そんながいこつがたくさんあったよ。

パパが日刊予言者新聞のくじで七百ガリオンも当てるなんて、僕、信じられなかった！ 今度の休暇でほとんどなくなっちゃったけど、僕に新学期用の新しい杖を買ってくれるって。


ハリーはロンの古い杖がポキリと折れたあのときのことを、忘れようにも忘れられなかった。二人でホグワーツまで車を飛ばしたとき、校庭の木に衝突して折れたのだった。


新学期の始まる一週間くらい前にみんな家に戻ります。それからロンドンに行って、杖とか新しい教科書とかを買ってもらいます。その時、君に会うチャンスがあるかい？

マグルに負けずにがんばれ！

ロンドンに出てこいよな。

ロンより

追伸　パーシーは首席だよ。先週パーシーに手紙が来たんだ。

ハリーはもう一度写真に目をやった。パーシーは七年生、ホグワーツでの最終学年だったが、ことさら得意満面に写っていた。きちんととかした髪にトルコ帽を小粋にかぶり、そこに「首席」バッジをとめつけ、角縁のめがねがエジプトの太陽に輝いている。

ハリーはプレゼントの包みのほうに取りかかった。ガラスのミニチュア独楽《こま》のようなものが入っていた。その下に、ロンのメモがもう一枚あった。

ハリー――これは携帯用の「かくれん防止器」でスニーコスコープっていうんだ。うさんくさいやつが近くにいると光ってくるくる回りだすはずだ。ビルは、こんなもの魔法使いのおのぼりさん用のちゃちなみやげもので、信用できないって言うんだ。だってきのうの夕食のときもずっと光りっぱなしだったからね。だけど、フレッドとジョージがビルのスープにカブトムシを入れたのに、ビルは気づいてなかったんだ。

じゃあね――ロン

スニーコスコープをベッド脇の小机に置くと、独楽のように尖端《せんたん》でバランスをとってしっかりと立った。夜光時計の針の光が反射している。ハリーはうれしそうに、しばらくそれを眺めていたが、やがてヘドウィグの持ってきた包みを取り上げた。

中身はまたプレゼントだった。今度はハーマイオニーからの誕生祝いカードと手紙が入っていた。

ハリー、お元気？

ロンからの手紙で、あなたのおじさんへの電話のことを知りました。あなたが無事だといいんだけど。

私はいま、フランスで休暇を過ごしています。それで、これをどうやってあなたに送ったらよいかわからなかったの——税関で開けられたら困るでしょう？——そしたら、ヘドウィグがやってきたの！　きっと、あなたの誕生日に、いままでとちがって、何かプレゼントが届くようにしたかったんだわ。あなたへのプレゼントは「ふくろう通信販売」で買いました。日刊予言者新聞に広告がのっていたの（私、新聞を定期購読しています。魔法界での出来事をいつも知っておくって、とてもいいことよ）。一週間前のロンとご家族の写真を見た？　ロンったらいろんなことが勉強できて、私、ほんとにうらやましい——古代エジプトの魔法使いたちってすばらしかったのよ。

フランスにも、いくつか興味深い魔法の地方史があります。私、こちらで発見したことをつけ加えるのに、魔法史のレポートを全部書きかえてしまったの。長すぎないといいんだけど。ビンズ先生がおっしゃった長さより、羊皮紙ふた巻分長くなっちゃって。

ロンが休暇の最後の週にロンドンに行くんですって。あなたは来られる？　おじさんやおばさんが許してくださる？　あなたが来られるよう願っているわ。もし、ダメだったら、ホグワーツ特急で九月一日に会いましょうね！

友情を込めて
ハーマイオニーより

追伸　ロンから聞いたけどパーシーが首席ですって。パーシー、きっと大喜びでしょうね。ロンはあんまりうれしくないみたいだけど。

ハリーはまた笑い、ハーマイオニーの手紙を脇に置いてプレゼントを取り上げた。とても重いものだった。ハーマイオニーのことだから、きっと難しい呪文がぎっしり詰まった大きな本にちがいない――しかし、そうではなかった。包み紙を破ると、ハリーの心臓は飛び上がった。黒いなめらかな革のケースに銀文字で「箒磨きセット」と刻印されている。

「ハーマイオニー、ワーオ！」ジッパーを開けながらハリーは小声で叫んだ。

「フリートウッズ社製　高級仕上げ箒柄磨き」の大瓶一本、銀製のピカピカした「箒の尾ばさみ」一丁、長距離飛行用に箒にクリップでとめられるようになっている、小さな真鍮《しんちゅう》のコンパスが一個、それと、『自分でできる箒の手入れガイドブック』が入っていた。

ホグワーツの友達に会えないのもさびしかったが、加えて一番恋しかったのはクィディッチだった。魔法界で一番人気のスポーツ――箒に乗って競技する、非常に危険で、わくわくするスポーツだ。ハリーは、クィディッチの選手として非常に優秀で、今世紀最年少の選手としてホグワーツの寮代表選手に選ばれた。ハリーの宝物の一つが、競技用箒、ニンバス２０００だった。

ハリーは革のケースを脇に置き、最後の包みを取り上げた。茶色の包み紙に書かれたミミズののたくったような字は誰のものかすぐわかった――これはホグワーツの森番、ハグリッドからだ。一番上の包み紙を破り取ると、何やら緑色の革のようなものがちらっと見えた。ところが、ちゃんと荷を解く前に、包みが奇妙な震え方をし、得体の知れない中身が大きな音を立ててパクンとかんだ――

まるであごがあるようだ。

ハリーは身がすくんだ。ハグリッドがわざと危険なものをハリーに送ってくるはずがない。だけど、ハグリッドには前歴がある。巨大蜘蛛《ぐも》と友達だったり、凶暴な三頭犬をパブで誰かから買ったり、違法なのにこっそりドラゴンの卵を小屋に持ち込んだり……。

ハリーはこわごわ包みをつついてみた。何やらがまたパクンとかんだ。ハリーはベッド脇のスタンドに手を伸ばし、それを片手にしっかり握りしめ、高々と振り上げて、いつでも攻撃できるようにした。それからもう一つの手で残りの包み紙をつかみ、引っぺがした。

ころりと落ちたのは——本だった。スマートな緑の表紙に鮮やかな金の飾り文字で『怪物的な怪物の本』と書いてある、と思う間もなく、その本は背表紙を上にしてヒョイと立ち上がり、奇妙なカニよろしく、ベッドの上をガサガサ横ばいした。

「う、ワ」ハリーは声を殺して叫んだ。

本はベッドから転がり落ちてガツンと大きな音を立て、部屋のむこうにシャカシャカシャカと猛スピードで移動していった。ハリーはそのあとを音も立てずに追いかけた。本はハリーの机の下の暗い所に隠れている。ダーズリー一家が熟睡していることを祈りながら、ハリーは四つんばいになり、本のほうに手を伸ばした。

「あいたっ!」

本がハリーの手をかみ、パタパタ羽ばたいてハリーを飛び越し、また背表紙を上にしてシャカシャカ走った。

ハリーはあちこち引っ張り回された末、飛びかかってようやく本を押さえつけた。隣の部屋でバーノンおじさんがグーッと眠たそうな大きな寝息を立てた。

ハリーが暴れる本を両腕でがっちり締めつけ、急いでたんすの中からベルトを引っ張り出し、それを本にしっかり巻きつけてバックルをしめるまでの間ずっと、ヘドウィグとエロールがしげしげとその様子を見ていた。

「怪物の本」は怒ったように身を震わせたが、もうパタパタもパックンもできなかった。ハリーは本をベッドに投げ出し、やっとハグリッドからのカードに手を伸ばした。

よう、ハリー。誕生日おめでとう！
こいつは来学期役に立つぞ。いまはこれ以上は言わねえ。あとは会ったときにな。
マグルの連中、おまえさんをちゃんと待遇してくれとるんだろうな。
元気でな。

ハグリッド

かみつく本が役に立つなんてハグリッドが言うのは、なんだかろくなことにはならないような予感がしたが、ハグリッドのカードをロンやハーマイオニーのと並べて立てながら、ハリーの顔にますます笑いが広がった。残るはホグワーツからの手紙だけだ。

いつもより封筒が分厚いと思いながら封を切り、中から羊皮紙の一枚目を取り出して読んだ。

拝啓　ポッター殿
新学期は九月一日に始まることをお知らせいたします。ホグワーツ特急はキングズ・クロス駅、九と四分の三番線から十一時に出発します。

三年生は週末に何回かホグズミード村に行くことが許されます。同封の許可証にご両親もしくは保護者の同意署名をもらってください。

来学期の教科書リストを同封いたします。

敬具

副校長　ミネルバ・マクゴナガル

ハリーはホグズミード許可証を引っ張り出して眺めた。もう笑えなかった。週末にホグズミードに行けたらどんなに楽しいだろう。そこが端から端まで魔法の村だということを聞いてはいたが、ハリーは一度もそこに足を踏み入れたことはなかった。しかし、バーノンおじさんやペチュニアおばさんに、いったいどう言ったら署名してもらえるって言うんだ？

夜光時計を見ると、もう午前二時だった。

ホグズミードの許可証のことは目が覚めてから考えようと、ハリーはベッドに戻り、自分で作った日付表の今日の所に×印をつけた。ホグワーツに戻るまでの日数が、また一日少なくなった。それからめがねをはずし、三枚の誕生祝いカードのほうに顔を向けて横になったが、目は開けたままだった。

極めて普通ではないハリー・ポッターだったが、そのときのハリーは、みんなと同じような気持ちだった。生まれて初めて、誕生日がうれしいと思ったのだ。

第2章　マージおばさんの大失敗

翌朝、朝食に下りていくと、ダーズリー家の三人はもうキッチンのテーブルに着いて、新品のテレビを見ていた。居間にあるテレビとキッチンの冷蔵庫との間が遠くて歩くのが大変だと、文句たらたらのダドリーのために、夏休みの「お帰りなさい」プレゼントに買ってあったものだ。ダドリーは夏休みの大半をキッチンで過ごし、豚のような小さな目はテレビに釘《くぎ》づけのまま、五重あごをだぶつかせてひっきりなしに何かを食べていた。

ハリーはダドリーとバーノンおじさんの間に座った。おじさんはがっちり、でっぷりした大きな人で、首がほとんどなく、巨大な口ひげをたくわえていた。ハリーに誕生日の祝いの一つも言うどころか、ハリーがキッチンに入ってきたことさえ誰も気づいた様子がなかった。ハリーはもう慣れっこになっていて、気にもしなかった。トーストを一枚食べ、テレビをふと見ると、アナウンサーが脱獄囚のニュースを読んでいる最中だった。

「……ブラックは武器を所持しており、極めて危険ですので、どうぞご注意ください。通報用ホットラインが特設されていますので、ブラックを見かけた方はすぐにお知らせください」

「**ヤツ**が悪人だとは聞くまでもない」

バーノンおじさんは新聞を読みながら上目づかいに脱獄囚の顔を見てフンと鼻を鳴らした。

「ひと目見ればわかる。汚らしいなまけ者め！　あの髪の毛を見てみろ！」

おじさんはじろりと横目でハリーを見た。ハリーのくしゃくしゃ頭はいつもバーノンおじさんのいらいらの種だった。テレビの男は、やつれた顔にまといつくようにもつれた髪が、ぼうぼうとひじのあたりまで伸びている。それに比べれば、自分はずいぶん身だしなみがよいじゃないかとハリーは思った。

画面がアナウンサーの顔に戻った。

「農林水産省が今日発表する予定のところによれば——」

「ちょっと待った！」

バーノンおじさんはアナウンサーをはったとにらみつけて、かみつくように言った。

「その極悪人がどこから脱獄したか聞いてないぞ！　なんのためのニュースだ？　彼奴《きゃつ》はいまにもその辺に現れるかもしれんじゃないか！」

馬面でガリガリにやせているペチュニアおばさんが、あわててキッチンの窓のほうを向き、しっかりと外をうかがった。ペチュニアおばさんはホットラインに電話したくてたまらないのだとハリーにはわかっていた。何しろおばさんは世界一おせっかいで、規則に従うだけの退屈なご近所さんの粗探しをすることに、人生の大半を費やしているのだ。

「いったい連中はいつになったら**わかる**んだ！」

バーノンおじさんは赤ら顔と同じ色の巨大な拳でテーブルをたたいた。

「あいつらを始末するには絞首刑しかないんだ！」

「ほんとにそうだわ」

ペチュニアおばさんは、お隣のインゲン豆の蔓《つる》を透かすように目を凝らしながら言った。

バーノンおじさんは残りの紅茶を飲み干し、腕時計をちらっと見た。

「ペチュニア、わしはそろそろ出かけるぞ。マージの汽車は十時着だ」

二階にある「箒磨《ほうき》きセット」のことを考えていたハリーは、ガツンといやな衝撃とともに現実世界に引き戻された。

「マージおばさん?」

ハリーの口から言葉が勝手に飛び出した。

「マ、**マージおばさんが**ここに来る?」

マージおばさんはバーノンおじさんの姉だ。ハリーと血のつながりはなかったが(ハリーの母親はペチュニアの妹だった)、ずっと「おばさん」と呼ぶように言いつけられてきた。マージおばさんは、田舎にある大きな庭つきの家に住み、ブルドッグのブリーダーをしていた。大切な犬を放っておくわけにはいかないと、プリベット通りにもそれほどひんぱんに滞在するわけではなかったが、その一回一回の恐ろしさは、ありありとハリーの記憶に焼きついていた。

ダドリーの五回目の誕生日に、「動いたら負け」というゲームでダドリーを勝たせるため、マージおばさんは杖《つえ》でハリーのむこうずねをバシリとたたいてハリーを動かした。それから数年後のクリスマスに現れたときは、コンピュータ仕掛けのロボットをダドリーに、犬用ビスケットをひと箱ハリーに持ってきた。前回の訪問はハリーがホグワーツに入学する一年前だったが、マージおばさんのお気に入りのブルドッグ、リッパーの前足をうっかり踏んでしまったハリーは、犬に追いかけられて庭の木の上に追い上げられてしまった。マージおばさんは真夜中過ぎまで犬を呼び戻そうとしなかった。ダドリーはその事件を思い出すたびに、いまでも涙が出るほど笑う。

「マージは一週間ここに泊まる」バーノンおじさんが歯をむき出した。

「ついでだから言っておこう」おじさんはずんぐりした指を脅すようにハリーに突きつけた。

「マージを迎えに行く前に、はっきりさせておきたいことがいくつかある」

ダドリーがニンマリしてテレビから視線を離した。ハリーが父親に痛めつけられるのを見物するのが、ダドリーお気に入りの娯楽だった。

「第一に」

おじさんは唸《うな》るように言った。

「マージに話すときは、いいか、礼儀をわきまえた言葉を使うんだぞ」

「いいよ」ハリーは気に入らなかった。「おばさんが僕に話すときにそうするならね」

「第二に」

ハリーの答えを聞かなかったかのように、おじさんは続けた。

「マージはおまえの**異常さ**については何も知らん。何か――何か**キテレツ**なことはマージがいる間いっさい起こすな。行儀よくしろ。わかったか？」

「そうするよ。おばさんもそうするなら」ハリーは歯を食いしばったまま答えた。

「そして、第三に」

おじさんのいやしげな小さい目が、でかい赤ら顔に切れ目を入れたように細くなった。

「マージにはおまえが『セント・ブルータス更生不能非行少年院』に収容されていると言ってある」

「**なんだって？**」ハリーは叫んだ。

「おまえは口裏を合わせるんだ。いいか、小僧。さもないとひどい目にあうぞ」

おじさんは吐き捨てるように言った。

ハリーはあまりのことに血の気が引き、煮えくり返るような気持ちでおじさんを見つめ、座ったまま動けなかった。マージおばさんが一週間も泊まる――ダーズリー一家からの誕生日プレゼントの中でも最悪だ。バーノンおじさんの使い古しの靴下もひどかったけど。

「さて、ペチュニアや」

おじさんはよっこらしょと腰を上げた。

「では、わしは駅に行ってくる。ダッダー、一緒に来るか?」

「行かない」

父親のハリー脅しが終わったので、ダドリーの興味はまたテレビに戻っていた。

「ダディちゃんは、おばちゃんが来るからカッコよくしなくちゃ」

ダドリーの分厚いブロンドの髪をなでながらペチュニアおばさんが言った。

「ママがすてきな蝶《ちょう》ネクタイを買っておいたのよ」

おじさんはダドリーのでっぷりした肩をたたき、「それじゃ、あとでな」と言うと、キッチンを出ていった。

ハリーは恐怖でぼうぜんと座り込んでいたが、急にあることを思いついた。食べかけのトーストを放り出し、急いで立ち上がり、ハリーはおじさんのあとを追って玄関に走った。

バーノンおじさんは運転用の上着を引っかけているところだった。

「**おまえを**連れていく気はない」

おじさんは振り返ってハリーが見つめているのに気づき、唸るように言った。

「僕も行きたいわけじゃない」ハリーが冷たく言った。「お願いがあるんです」

おじさんはうさんくさそうにハリーを見た。

「ホグ――学校で、三年生は、ときどき町に出かけてもいいことになっているんです」

「それで?」ドアの脇の掛け金から車のキーをはずしながら、おじさんがぶっきらぼうに言った。

「許可証におじさんの署名がいるんです」ハリーは一気に言った。

「なんでわしがそんなことせにゃならん?」おじさんがせせら笑った。

「それは――」ハリーは慎重に言葉を選んだ。「マージおばさんに、僕があそこに行っているってふりをするのは、大変なことだと思うんだ。ほら、セントなんとかっていう……」

「セント・ブルータス更生不能非行少年院！」

おじさんが大声を出したが、その声に紛れもなく恐怖の色が感じ取れたので、ハリーはしめたと思った。

「それ、それなんだ」

ハリーは落ち着いておじさんのでかい赤ら顔を見上げながら言った。

「覚えるのが大変で。それらしく聞こえるようにしないといけないでしょう？　うっかり口がすべりでもしたら？」

「グウの音も出ないほどたたきのめされたいか？」

おじさんは拳を振り上げ、じりっとハリーに詰め寄った。しかしハリーはがんとしてその場を動かなかった。

「たたきのめしたって、僕が言っちゃったことを、マージおばさんは忘れてくれるかな」

ハリーが厳しく言った。

おじさんの顔が醜悪な土気色になり、拳を振り上げたまま立ちすくんだ。

「でも、許可証にサインしてくれるなら」ハリーは急いで言葉を続けた。「どこの学校に行ってることになっているか、絶対忘れないって約束するよ。それに、マグ――普通の人みたいにしてるよ、ちゃんと」

バーノンおじさんは歯をむき出し、こめかみに青筋を立てたままだったが、ハリーにはおじさんが思案しているのがわかった。

「よかろう」

やっと、おじさんがぶっきらぼうに言った。

「マージがいる間、おまえの行動を監視することにしよう。最後までおまえが守るべきことを守り、話のつじつまを合わせたなら、そのクソ許可証とやらにサインしようじゃないか」

おじさんはくるりと背を向け、玄関の戸を開け、思いっきりバシャーンと閉めたので、一番上の小さなガラスが一枚はずれ、落ちてきた。

ハリーはキッチンには戻らず、二階の自分の部屋に上がった。ほんとうのマグルらしくふるまうなら、すぐに準備を始めなければ。ハリーはしょんぼりして、プレゼントと誕生祝いカードをいやいやながら片づけ、床板のゆるんだ所に宿題と一緒に隠した。それからヘドウィグのかごの所に行った。エロールはなんとか回復したようだった。二羽とも翼に頭をうずめて眠っていた。ハリーはため息をつき、チョンとつっついて二羽とも起こした。

「ヘドウィグ」

ハリーは悲しげに言った。

「一週間だけ、どこかに行っててくれないか。エロールと一緒に行けよ。ロンが面倒を見てくれる。ロンにメモを書いて事情を説明するから。そんな目つきで僕を見ないでくれよ」

ヘドウィグの大きな琥珀《こはく》色の目が、恨みがましくハリーを見ていた。

「僕のせいじゃない。ロンやハーマイオニーと一緒にホグズミードに行けるようにするには、これしかないんだ」

十分後、(脚にロンへの手紙をくくりつけられた) ヘドウィグとエロールが窓から舞い上がり、かなたへと消えた。心底みじめな気持ちで、ハリーはからっぽのかごをたんすにしまい込んだ。

しかし、くよくよしている間はなかった。次の瞬間、ペチュニアおばさんのかん高い声が、下りてきてお客を迎える準備をしなさいと、二階に向かって叫んでいた。

「その髪をなんとかおし！」

ハリーが玄関ホールに下りたとたん、おばさんがピシャッと言った。

髪をなでつけるなんて、努力する意味がないとハリーは思った。マージおばさんはハリーにいちゃもんをつけるのが大好きなのだから、だらしなくしているほうがうれしいにちがいない。

そうこうするうちに、外の砂利道がきしむ音がした。バーノンおじさんの車が私道に入ってきたらしい。車のドアがバタンと鳴り、庭の小道を歩く足音がした。

「玄関の戸をお開け！」ペチュニアおばさんが押し殺した声でハリーに言った。

胸の奥が真っ暗になりながら、ハリーは戸を開けた。

戸口にマージおばさんが立っていた。

バーノンおじさんとそっくりで、巨大ながっちりした体に赤ら顔、それにおじさんほどたっぷりしてはいないが、口ひげまである。片手にとてつもなく大きなスーツケースをさげ、もう片方の腕に根性悪の老いたブルドッグを抱えている。

「わたしのダッダーはどこかね？」

マージおばさんのだみ声が響いた。

「わたしの甥《おい》っ子ちゃんはどこだい？」

ダドリーが玄関ホールのむこうからよたよたとやってきた。ブロンドの髪をでかい頭にペタリとなでつけ、何重にも重なったあごの下からわずかに蝶ネクタイをのぞかせている。マージおばさんは、ウッと息が止まるほどの勢いでスーツケースをハリーのみずおちあたりに押しつけ、ダドリーを片腕で抱きしめ、そのほおいっぱいに深々とキスした。

ダドリーががまんしてマージおばさんに抱きしめられているのは、充分な見返りがあるからだと、ハリーにはよくわかっていた。二人が離れたときには、まぎれもなく、ダドリーのブクッとした手に二十ポンドのピン札が握られていた。

「ペチュニア！」と叫ぶなり、ハリーをまるでコートかけのスタンドのように無視してその脇を大股に通り過ぎ、マージおばさんはペチュニアおばさんにキスした。というより、マージおばさんが、大きなあごをペチュニアおばさんのとがったほお骨にぶっつけた。

今度はバーノンおじさんが入ってきて、機嫌よく笑いながら玄関のドアを閉めた。

「マージ、お茶は？　リッパーは何がいいかね？」おじさんが聞いた。

「リッパーはわたしのお茶受け皿からお茶を飲むよ」

マージおばさんはそう言いながら、みんなと一緒に一団となってキッチンに入っていった。玄関ホールにはハリーとスーツケースだけが残された。かといってハリーは不満だったわけではない。マージおばさんと離れていられる口実なら、なんだって大歓迎だ。そこでハリーはできるだけ時間をかけて、スーツケースを二階の客用の寝室へ引っ張り上げはじめた。

ハリーがキッチンに戻ったときには、マージおばさんは紅茶とフルーツケーキをふるまわれ、リッパーは隅のほうでやかましい音を立てて皿をなめていた。紅茶とよだれが飛び散り、磨いた床にしみがつくので、ペチュニアおばさんが少し顔をしかめたのをハリーは見逃さなかった。ペチュニアおばさんは動物が大嫌いなのだ。

「マージ、ほかの犬は誰が面倒を見てるのかね？」おじさんが聞いた。

「ああ、ファブスター大佐が世話してくれてるよ」

マージおばさんの太い声が答えた。

「退役したんでね。何かやることがあるのは大佐にとって結構なことさ。だがね、年寄りのリッパーを置いてくるのはかわいそうで。わたしがそばにいないと、この子はやせおとろえるんだ」

ハリーが席に着くと、リッパーがまた唸りだした。そこで初めて、マージおばさんはハリーに気づいた。

「おんや！」おばさんが一言吠《ほ》えた。「おまえ、まだここにいたのかい？」

「はい」ハリーが答えた。

「なんだい、その『はい』の言い方は。そんな恩知らずな調子で言うもんじゃない」

マージおばさんが唸るように言った。

「バーノンとペチュニアがおまえを置いとくのは、たいそうなお情けってもんだ。わたしならお断りだね。**うちの**戸口に捨てられてたなら、おまえはまっすぐ孤児院行きだったよ」

ダーズリー一家と暮らすより孤児院に行ったほうがましだと、ハリーはよっぽど言ってやりたかったが、ホグズミード許可証のことを思い浮かべて踏みとどまった。ハリーは無理やり作り笑いをした。

「わたしに向かって、小ばかにした笑い方をするんじゃないよ！」

マージおばさんのだみ声が響いた。

「この前会ったときからさっぱり進歩がないじゃないか。学校でおまえに礼儀の一つもたたき込んでくれりゃいいものを」

おばさんは紅茶をガブリと飲み、口ひげをぬぐった。

「バーノン、この子をどこの学校にやってると言ったかね？」

「セント・ブルータス」おじさんがすばやく答えた。「更生不能のケースでは一流の施設だよ」

「そうかい。セント・ブルータスでは鞭《むち》を使うかね、え？」

テーブル越しにおばさんが吠えた。

「えーと――」とハリー。

おじさんがマージおばさんの背後からこくんとうなずいてみせた。

「はい」ハリーはそう答えた。それから、いっそのことそれらしく言ったほうがいいと思い、「しょっちゅうです」とつけ加えた。

「そうこなくちゃ」マージおばさんが言った。「ひっぱたかれて当然の子をたたかないなんて、腰ぬけ、ふぬけ、まぬけもいいとこだ。十中八九は鞭で打ちのめしゃあいい。**おまえは**しょっちゅう打たれるのかい？」

「そりゃあ」ハリーが受けた。「なーんども」

マージおばさんは顔をしかめた。

「やっぱりおまえの言いようが気に入らないね。そんなに気楽に打たれたなんて言えるようじゃ、鞭の入れ方が足りないに決まってる。ペチュニア、わたしなら手紙を書くね。この子の場合には容赦なく打つことを認めるって、はっきり言ってやるんだ」

バーノンおじさんは、ハリーが自分との取引を忘れては困ると思ったのかどうか、突然話題を変えた。

「マージ、今朝のニュースを聞いたかね？　あの脱獄犯をどう思うね、え？」

マージおばさんがどっかりと居座るようになると、ハリーは、マージおばさんがいなかったときのプリベット通り四番地の生活がなつかしいとさえ思うようになった。バーノンおじさんとペチュニアおばさんはたいていハリーを遠ざけようとしたし、ハリーにとってそれは願ってもないことだった。ところがマージおばさんは、ハリーのしつけをああだこうだと口やかましく指図するために、ハリーを四六時中自分の目の届く所に置きたがった。ハリーとダドリーを比較するのもお楽しみの一つで、ダドリーに高価なプレゼントを買い与えては、どうして僕にはプレゼントがないの？　とハリーが言うのを待っているかのように、じろりとにらむのが至上の喜びのようだった。さらに、ハリーがこんなろくでなしになったのはこれこれのせいだと、陰湿ないやみを投げつけるのだった。

「バーノン、この子ができそこないになったからといって、自分を責めちゃいけないよ」

三日目の昼食の話題だった。

「**芯からくさってりゃ**、誰が何をやったってダメさね」

ハリーは食べることに集中しようとした。それでも手は震え、顔は怒りでほてりはじめた。**許可証を忘れるな、ハリーは自分に言い聞かせた。ホグズミードのことを考えるんだ。なんにも言うな。挑発に乗っちゃダメだ**――。

おばさんはワイングラスに手を伸ばした。

「ブリーダーにとっちゃ基本原則の一つだがね、犬なら例外なしに原則どおりだ。雌犬に欠陥があれば、その仔犬《こいぬ》もどこかおかしくなるのさ――」

とたんにマージおばさんの手にしたワイングラスが爆発した。ガラスの破片が四方八方に飛び散り、マージおばさんは赤ら顔からワインを滴らせ、目をパチパチさせながらあわあわ言っていた。

「マージ！　大丈夫？」ペチュニアおばさんが金切り声を上げた。

「心配いらないよ」

ナプキンで顔をぬぐいながらおばさんがだみ声で答えた。

「強く握りすぎたんだろう。ファブスター大佐のとこでも、こないだおんなじことがあった。大騒ぎすることはないよ、ペチュニア。わたしゃ握力が強いんだ……」

それでも、ペチュニアおばさんとバーノンおじさんは、そろってハリーに疑わしげな目を向けた。ハリーは、デザートを抜かして、できるだけ急いでテーブルを離れることにした。

玄関ホールに出て、壁に寄りかかり、ハリーは深呼吸した。自制心を失って何かを爆発させたのは久しぶりだった。もう二度とこんなことを引き起こすわけにはいかない。ホグズミードの許可証がかかっているばかりではない――これ以上事を起こせば、魔法省とまずいことになってしまう。

ハリーはまだ半人前の魔法使いで、魔法界の法律により、学校の外で魔法を使うことは禁じられていた。実は、ハリーには前科もある。つい一年前の夏、ハリーは正式な警告状を受け取っている。プリベット通りで再び魔法が使われる気配を魔法省が察知した場合、ハリーはホグワーツから退校処分になるであろう、とはっきり書いてあった。

ダーズリー一家がテーブルを離れる音が聞こえたので、ハリーは出会わないよう、急いで二階へ上がった。

それから三日間、マージおばさんがハリーに難くせをつけはじめたときには、ハリーは『自分でできる箒磨きガイドブック』のことを必死で考えてやり過ごした。これはなかなかうまくいったが、そうするとハリーの目がうつろになるらしく、マージおばさんはハリーは脳みそが足りないと、はっきり口に出して言いはじめた。

やっと、ほんとうにやっとのことで、マージおばさんの滞在最終日の夜がきた。ペチュニアおばさんは豪華なディナーを料理し、バーノンおじさんはワインを数本開けた。スープに始まり、サーモン料理にいたるまで、ただの一度もハリーの欠陥が引き合いに出されることなく進んだ。レモン・メレンゲ・パイが出たとき、バーノンおじさんが、穴あけドリルを製造している自分の会社、グラニングズ社のことを、みんながうんざりするほど長々と話した。それからペチュニアおばさんがコーヒーをいれ、バーノンおじさんはブランデーを一本持ってきた。

「マージ、一杯どうだね？」

マージおばさんはワインでもうかなり出来上がっていた。巨大な顔が真っ赤だった。

「それじゃ、ほんの一口もらおうか」

マージおばさんがクスクスッと笑った。

「もう少し……、もうちょい……、よーしよし」

ダドリーは四切れ目のパイを食べていた。ペチュニアおばさんは小指をピンと伸ばしてコーヒーをすすっていた。ハリーは自分の部屋へと消え去りたくてたまらなかったが、バーノンおじさんの小さい目が怒っているのを見て、最後までつき合わなければならないのだと思い知らされた。

「フーッ」マージおばさんは舌つづみを打ち、からになったブランデーグラスをテーブルに戻した。「すばらしいごちそうだったよ、ペチュニア。普段のわたしの夕食は、たいていあり合わせをいためるだけさ。十二匹も犬を飼ってると、世話が大変でね……」

マージおばさんは思いっきりゲップをして、ツイードの服の上から盛り上がった腹をポンポンとたたいた。

「失礼。それにしても、あたしゃ、健康な体格の男の子を見るのが好きさね」

ダドリーにウィンクしながら、おばさんはしゃべり続けた。

「ダッダー、あんたはお父さんとおんなじに、ちゃんとした体格の男になるよ。ああ、バーノン、もうちょいとブランデーをもらおうかね」

「ところが、こっちはどうだい――」

マージおばさんはぐいとハリーのほうをあごで指した。ハリーは胃が縮んだ。――**ガイドブックだ**――ハリーは急いで思い浮かべた。

「こっちの子はなんだかみすぼらしい生まれそこないの顔だ。犬にもこういうのがいる。去年はファブスター大佐に一匹処分させたよ。水に沈めてね。できそこないの小さなやつだった。弱々しくて、発育不良さ」

ハリーは必死に十二ページを思い浮かべていた――**後退を拒む箒を治す呪文**――。

「こないだも言ったが、要するに血統だよ。悪い血が出てしまうのさ。いやいや、ペチュニア、あんたの家族のことを悪く言ってるわけじゃない」

ペチュニアおばさんの骨ばった手をシャベルのような手でポンポンたたきながら、マージおばさんはしゃべり続けた。

「ただあんたの妹はできそこないだったのさ。どんな立派な家系にだってそういうのがヒョッコリ出てくるもんさ。それでもって、ろくでなしとかけ落ちして、結果はどうだい。目の前にいるよ」

ハリーは自分の皿を見つめていた。奇妙な耳鳴りがした。――**柄ではなく箒の尾をしっかりつかむこと**――確かそうだった。しかし、ハリーにはその続きが思い出せなかった。マージおばさんの声が、バーノンおじさんの会社の穴あけドリルのように、グリグリとハリーにねじ込んできた。

「そのポッターとやらは」

マージおばさんは大声で言った。ブランデーの瓶を引っつかみ、手酌でドバドバとグラスに注いだ上、テーブルクロスにも注いだ。

「そいつが何をやってたのか聞いてなかったね」

おじさんとおばさんの顔が極端に緊張していた。ダドリーでさえ、パイから目を離し、ポカンと口を開けて親の顔を見つめた。

「ポッターは――働いていなかった」

ハリーのほうを中途半端に見やりながら、おじさんが答えた。

「失業者だった」

「そんなこったろうと思った！」

マージおばさんはブランデーをぐいっと飲み、そでであごをぬぐった。

「文無しの、役立たずの、ゴクつぶしのかっぱらいが――」

「ちがう」突然ハリーが言った。周りがしんとなった。ハリーは全身を震わせていた。こんなに腹が立ったのは生まれて初めてだった。

「ブランデー、もっとどうだね！」

おじさんが蒼白《そうはく》な顔で叫び、瓶に残ったブランデーを全部マージおばさんのグラスに空けた。

「おまえは」おじさんがハリーに向かって唸るように言った。「自分の部屋に行け。行くんだ――」

「いーや、待っとくれ」

マージおばさんが、しゃっくりをしながら手を上げて制止した。小さな血走った目がハリーを見すえた。

「言うじゃないか。続けてごらんよ。親が自慢ってわけかい、え？　勝手に車をぶっつけて死んじまったんだ――どうせ酔っ払い運転だったろうさ――」

「自動車事故で死んだんじゃない！」ハリーは思わず立ち上がっていた。

「自動車事故で死んだんだ。性悪のうそつき小僧め。きちんとした働き者の親戚に、おまえのようなやっかい者を押しつけていったんだ！」

マージおばさんは怒りでふくれ上がりながら叫んだ。

「おまえは礼儀知らず、恩知らず――」

マージおばさんが突然だまった。一瞬、言葉に詰まったように見えた。言葉も出ないほどの怒りでふくれ上がっているように見えた――しかし、ふくれが止まらない。巨大な赤ら顔が膨張しはじめ、小さな目は飛び出し、口は左右にぎゅうと引っ張られてしゃべるどころではない。次の瞬間、ツイードの上着のボタンがはじけ飛び、ビシッと壁を打って落ちた――マージおばさんは恐ろしくでかい風船のようにふくれ上がっていた。ツイードの上着のベルトを乗り越えて腹が突き出し、指もふくれてサラミ・ソーセージのよう……。

「**マージ！**」

おじさんとおばさんが同時に叫んだ。マージおばさんの体が椅子を離れ、天井に向かって浮き上がりはじめたのだ。いまやマージおばさんは完全な球体だった。豚のような目がついた巨大な救命ブイさながらに、両手両足を球体から不気味に突き出し、息も絶え絶えにパクパク言いながら、ふわふわ空中に舞い上がりはじめた。リッパーが転がるように部屋に入ってきて、狂ったように吠えた。

「**やめろおおおおお！**」

おじさんはマージの片足をつかまえ、引っ張り下ろそうとしたが、自分のほうが床から持ち上げられそうになった。その瞬間、リッパーが飛びかかり、おじさんの脚にガブリとかみついた。

止める間もなく、ハリーはダイニングルームを飛び出し、階段下の物置に向かった。ハリーがそばまで行くと、物置の戸が魔法のようにパッと開いた。数秒後、ハリーは重いトランクを玄関まで引っ張り出していた。それから飛ぶように二階に駆け上がり、ベッドの下にすべり込み、ゆるんだ床をこじ開け、教科書や誕生日プレゼントの詰まった枕カバーをむんずとつかんだ。ベッドの下から這《は》いずり出し、からっぽのヘドウィグの鳥かごを引っつかみ、脱兎《だっと》のごとく階段を駆け下り、トランクの所に戻った。ちょうどその時、バーノンおじさんがダイニングルームから飛び出してきた。ズボンの脚の所がずたずたで血まみれだった。

「ここに戻るんだ！」おじさんががなりたてた。**「戻ってマージを元どおりにしろ！」**

しかし、ハリーは怒りで前後の見境がなくなっていた。トランクを蹴って開け、杖を引っ張り出し、バーノンおじさんに突きつけた。

「当然の報いだ」ハリーは息を荒らげて言った。「身から出たさびだ。僕に近寄るな」

ハリーは後ろ手でドアの取っ手をまさぐった。

「僕は出て行く。もうたくさんだ」

次の瞬間ハリーは、しんと静まり返った真っ暗な通りに立っていた。重いトランクを引っ張り、わきの下にヘドウィグのかごを抱えて。

第3章　夜《ナイ》の騎士《ト》バス

トランクを引きずり、息をはずませながら、ハリーはいくつかの通りを歩き、マグノリア・クレセント通りまで来ると、低い石垣にがっくりと腰を下ろした。じっと座っていると、まだ収まらない怒りが体中を駆けめぐり、心臓が狂ったように鼓動するのが聞こえた。

しかし、暗い通りに十分ほどひとりぼっちで座っていると、別な感情がハリーを襲った。パニックだ。最悪の八方ふさがりだ。真っ暗闇のマグルの世界で、まったくどこに行く当てもなく、たった一人で取り残されている。もっと悪いことに、たったいま、ほんとうに魔法を使ってしまった。つまり、ほとんどまちがいなく、ホグワーツ校から追放される。「未成年魔法使いの制限事項令」をこれだけ真正面から破れば、いまこの場に魔法省の役人が空から現れて、大捕り物になってもおかしくない。

ハリーは身震いし、マグノリア・クレセント通りを端から端まで見回した。いったいどうなるんだろう？　逮捕されるのか、それとも魔法界のつまはじき者になるのだろうか？　ハリーはロンとハーマイオニーのことを思った。そしてますます落ち込んだ。罪人であろうとなかろうと、二人ならきっといまのハリーを助けたいと思うにちがいない。でも、いまは二人とも外国にいる。ヘドウィグもどこかへ行ってしまって、二人とは連絡の術《すべ》もない。

それに、ハリーはマグルのお金をまったく持っていなかった。トランクの奥に入れたさいふに、わずかばかり魔法界の金貨があるが、両親がのこしてくれた遺産はロンドンのグリンゴッツ魔法銀行の金庫に預けられている。このトランクを引きずって、延々ロンドンまで行くのはとても無理だ。ただし……。

ハリーはしっかり手に握ったままになっている杖《つえ》を見た。どうせもう追放されたのなら（胸の鼓動が痛いほどに速くなっていた）、もう少し魔法を使ったって同じことじゃないか。ハリーには父親がのこしてくれた「透明マント」がある――トランクに魔法をかけて羽根のように軽くし、箒《ほうき》にくくりつけ、透明マントをすっぽりかぶってロンドンまで飛んで行ったら？　そうすれば金庫に預けてある残りの遺産を取り出せる、そして……無法者としての人生を歩みだす。考えるだけでぞっとした。

しかし、いつまでも石垣に腰かけているわけにはいかない。このままではマグルの警察に見とがめられ、トランクいっぱいの呪文の教科書やら箒やらを持ってこの真夜中に何をしているのか、説明に苦労するはめになる。

ハリーはまたトランクを開け、透明マントを探すのに中身を脇にどけはじめた――が、まだ見つからないうちに、ハリーは急に身を起こし、また周りをきょろきょろと見回した。

首筋が妙にチクチクする。誰かに見つめられているような気がする。しかし、通りには人っ子一人いない。大きな四角い家々のどこからも、一条の明かりさえもれていない。

ハリーは再びトランクの上にかがみ込んだ。が、とたんにまた立ち上がった。手には杖がしっかり握られている。物音がしたわけでもない。むしろ気配を感じた。ハリーの背後の垣根とガレージの間の狭いすきまに、誰かが、何かが立っている。真っ黒な路地を、ハリーは目を凝らして見つめた。動いてくれさえすればわかるのに。野良猫なのか、それとも――何か別のものなのか。

「**ルーモス！　光よ！**」

呪文を唱えると、杖の先に灯《あか》りがともり、ハリーは目がくらみそうになった。灯りを頭上に高々と掲げると、「2番地」と書かれた小石まじりの壁が照らし出され、ガレージの戸がかすかに光った。その間にハリーがくっきりと見たものは、大きな目をぎらつかせた、得体の知れない、何か図体の大きなもの輪郭だった。

ハリーはあとずさりした。トランクにぶつかり、足をとられた。倒れる体を支えようと片腕を伸ばしたはずみに、杖が手を離れて飛び、ハリーは道路脇の排水溝にドサッと落ち込んだ。

耳をつんざくような**バーン**という音がしたかと思うと、急に目のくらむような明かりに照らされ、ハリーは目を覆ったが……。

危機一髪、ハリーは叫び声を上げて溝から歩道へと転がり戻った。次の瞬間、たったいまハリーが倒れていたちょうどその場所に、巨大なタイヤが一対、ヘッドライトとともにキキーッと停《と》まった。顔を上げると、その上に三階建ての派手な紫色のバスが見えた。どこから現れたものやら、フロントガラスの上に、金文字で「夜の騎士《ナイト》バス」と書かれている。

一瞬、ハリーは打ち所が悪くておかしくなったのかと思った。すると紫の制服を着た車掌がバスから飛び降り、闇に向かって大声で呼びかけた。

「『夜の騎士バス』がお迎えにきました。迷子の魔法使い、魔女たちの緊急お助けバスです。杖腕を差し出せば参じます。ご乗車ください。そうすれば、どこなりと、お望みの場所までお連れします。わたしはスタン・シャンパイク、車掌として、今夜――」

車掌が突然だまった。地面に座り込んだままのハリーを見つけたのだ。ハリーは落とした杖を拾い上げ、急いで立ち上がった。近寄ってよく見ると、スタン・シャンパイクはハリーとあまり年のちがわない、せいぜい十八、九歳で、大きな耳が突き出し、顔はにきびだらけだった。

「そんなとこですっころがって、いってぇ何してた?」スタンは職業口調を忘れていた。

「転んじゃって」とハリー。

「なんで転んじまった?」スタンが鼻先で笑った。

「わざと転んだわけじゃないよ」

ハリーはいらいらした。ジーンズの片ひざが破れ、体を支えようと伸ばしたほうの手から血が出ていた。突然ハリーは、なんで転んだのかを思い出した。そしてあわてて振り返り、ガレージと石垣の間の路地を見つめた。夜の騎士バスのヘッドライトがそのあたりを煌々《こうこう》と照らしていたが、もぬけの殻だった。

「いってぇ、何見てる?」スタンが聞いた。

「何か黒い大きなものがいたんだ」

ハリーはなんとなくすきまのあたりを指した。

「犬のような……でも、小山のように……」

ハリーはスタンのほうに顔を向けた。スタンは口を半開きにしていた。スタンの目がハリーの額の傷のほうに移っていくのを見て、ハリーは困ったなと思った。

「おでこ、それなんでぇ?」出し抜けにスタンが聞いた。

「なんでもない」

ハリーはあわててそう答え、傷を覆う前髪をしっかりなでつけた。魔法省がハリーを探しているかもしれないが、そうたやすく見つかるつもりはなかった。

「名めえは?」スタンがしつこく聞いた。

「ネビル・ロングボトム」ハリーは一番最初に思い浮かんだ名前を言った。

「それで——それでこのバスは」ハリーはスタンの気をそらそうと急いで言葉を続けた。「**どこにでも**行くって、君、そう言った?」

「あいよ」スタンはじまんげに言った。「お望みしでぇ、土の上ならどこでもござれだ。水ん中じゃ、なーんもできねえが。ところで」

スタンはまた疑わしげにハリーを見た。

「**確かに**このバスを呼んだな、ちげえねぇよな？　杖腕を突き出したな、ちげえねぇよな？」

「ああ」ハリーは短く答えた。「ねえ、ロンドンまでいくらかかるの？」

「十一シックル。十三出しゃあ熱いココアがつくし、十五なら湯たんぽと好きな色の歯ブラシがついてくらぁ」

ハリーはもう一度トランクの中を引っかき回し、巾着を引っ張り出して銀貨をスタンの手に押しつけた。それからヘドウィグのかごをトランクの上にバランスよくのせ、二人でトランクを持ち上げてバスに引っ張り上げた。

中には座席がなく、かわりに、カーテンのかかった窓際に、真鍮《しんちゅう》製の寝台が六個並んでいた。寝台脇の腕木にろうそくがともり、板張り壁を照らしていた。奥のほうに寝ているナイトキャップをかぶったちっちゃい魔法使いが、寝言を言いながら寝返りを打った――「ムニャ……ありがとう、いまはいらない。ムニャ……ナメクジの酢漬けを作っているところだから」

「ここがおめえさんのだ」

トランクをベッド下に押し込みながら、スタンが低い声で言った。運転席のすぐ後ろのベッドだ。運転手はひじかけ椅子に座ってハンドルを握っていた。

「こいつぁ運転手のアーニー・プラングだ。アーン、こっちはネビル・ロングボトムだ」

アーニー・プラングは分厚いめがねをかけた年配の魔法使いで、ハリーに向かってこっくり挨拶した。

ハリーは神経質にまた前髪をなでつけ、ベッドに腰かけた。

「アーン、バス出しな」

スタンがアーニーの隣のひじかけ椅子にかけながら言った。

もう一度**バーン**というものすごい音がしたかと思うと、ハリーは反動でベッドに放り出され、仰向けに倒れていた。起き上がって暗い窓から外を見ると、まったくさっきとちがった通りを転がるように走っていた。ハリーのあっけにとられた顔を、スタンはゆかいそうに眺めていた。

「おめえさんが合図する前には、おれたちゃここにいたんだ。アーン、ここぁどこだい？　ウェールズのどっかかい？」

「ああ」アーニーが答えた。

「このバスの音、どうしてマグルには聞こえないの？」ハリーが言った。

「マグル*！*」スタンは軽蔑したような声を出した。

「ちゃーんと聞いてねえのさ。ちゃーんと見てもいねえ。なーんも、ひとーっつも気づかねえ」

「スタン、マダム・マーシを起こしたほうがいいぞ。まもなくアバーガベニーに着く」アーニーが言った。

スタンはハリーのベッド脇を通り、狭い木の階段を上って姿が見えなくなった。ハリーはまだ窓の外を見ていた。だんだん心細くなってくる。アーニーのハンドルさばきはどう見てもうまいとは思えない。夜の騎士バスはしょっちゅう歩道に乗り上げた。それなのに絶対衝突しない。街灯、郵便ポスト、ごみ箱、みんなバスが近づくと飛びのいて道をあけ、通り過ぎると元の位置に戻るのだった。

スタンが戻ってきた。その後ろに旅行用マントにくるまった魔女が青い顔をしてついてきた。

「マダム・マーシ、ほれ、着いたぜ」

スタンがうれしそうに言ったとたん、アーンがブレーキを踏みつけ、ベッドというベッドは三十センチほど前につんのめった。マダム・マーシはしっかり握りしめたハンカチを口元に当て、危なっかしげな足取りでバスを降りていった。スタンがそのあとから荷物を投げ降ろし、バシャンとドアを閉めた。

もう一度**バーン**があって、バスは狭い田舎道をガンガン突き進んだ。行く手の立ち木が次々と飛びのいた。

ハリーは眠れなかった。バスがバーンバーンとしょっちゅう大きな音を立てなくても、一度に百キロも二百キロも飛びはねなくても、眠れなかっただろう。いったいどうなるんだろう、ダーズリー家ではマージおばさんを天井から下ろすことができたんだろうか、という思いが戻ってくると、胃袋がひっくり返るようだった。

スタンは「日刊予言者新聞」を広げ、歯の間から舌先をちょっと突き出して読みはじめた。一面記事に大きな写真があり、もつれた長い髪の、ほおのこけた男が、ハリーを見てゆっくりと瞬《まばた》きした。なんだか妙に見覚えのある人のような気がした。

「この人！」一瞬、ハリーは自分の悩みを忘れた。「マグルのニュースで見たよ！」

スタンリーが一面記事を見て、クスクス笑った。

「シリウス・ブラックだ」スタンがうなずきながら言った。「あたぼうよ。こいつァマグルのニュースになってらぁ。ネビル、どっか遠いとこでも行ってたか？」

ハリーがあっけにとられているのを見て、スタンはなんとなく得意げなクスクス笑いをしながら、新聞の一面をハリーに渡した。

「ネビル、もっと新聞を読まねぇといけねぇよ」

ハリーは新聞をろうそくの明かりに掲げて読みはじめた。

ブラックいまだ逃亡中

魔法省が今日発表したところによれば、アズカバンの要塞監獄の囚人中、最も凶悪といわれるシリウス・ブラックは、いまだに追跡の手を逃れ逃亡中である。

コーネリウス・ファッジ魔法大臣は、今朝、「我々はブラックの再逮捕に全力であたっている」と語り、魔法界に対して平静を保つよう呼びかけた。

ファッジ大臣は、この危機をマグルの首相に知らせたことで、国際魔法戦士連盟の一部から批判されている。

大臣は「まあ、はっきり言って、こうするしかなかった。おわかりいただけませんかな」といらつき気味である。さらに「ブラックは狂っているのですぞ。魔法使いだろうとマグルだろうと、ブラックに逆らった者は誰でも危険にさらされる。私は、マグルの首相閣下から、ブラックの正体は一言たりとも誰にも明かさないという確約をいただいております。それに、なんです――たとえ、口外したとしても、誰が信じるというのです？」と語った。

マグルには、ブラックが銃（マグルが殺し合いをするための、金属製の杖のようなもの）を持っていると伝える一方、魔法界は、ブラックがたった一度の呪いで十三人も殺した、あの十二年前のような大虐殺が起きるのではないかと恐れている。

ハリーはシリウス・ブラックの暗い影のような目をのぞき込んだ。落ちくぼんだ顔の中でただ一か所、目だけが生きているようだった。ハリーは吸血鬼に出会ったことはなかったが、「闇の魔術に対する防衛術」の授業でその絵を見たことがあった。ろうのように蒼白《そうはく》なブラックの顔はまさに吸血鬼そのものだった。

「オッソロシイ顔じゃねーか？」ハリーが読むのを見ていたスタンが言った。

「この人、**十三人**も殺したの？」

新聞をスタンに返しながらハリーが聞いた。

「**たった一つの呪文**で？」

「あいな。目撃者なんてぇのもいるし。真っ昼間だ。てーした騒ぎだったしなぁ、アーン？」

「ああ」アーンが暗い声で答えた。

スタンはくるりと後ろ向きに座り、椅子の背に手を置いた。そのほうがハリーがよく見える。

「ブラックは『例のあのしと』の一の子分だった」スタンが言った。

「え？　ヴォルデモートの？」ハリーはなにげなく言った。

スタンはにきびまで真っ青になった。アーンがいきなりハンドルを切ったので、バスをよけるのに農家が一軒まるまる飛びのいた。

「気は確かか？」スタンの声が上ずっていた。「なんであのしとの名めぇを呼んだりした？」

「ごめん」ハリーがあわてて言った。「ごめん。ぼ、僕——忘れてた——」

「忘れてたって！」

スタンが力なく言った。

「肝が冷えるぜ。まーだ心臓がドキドキしてやがら……」

「それで——それでブラックは『例のあの人』の支持者だったんだね？」

ハリーは謝りながらも答えをうながした。

「それよ」

スタンはまだ胸をなでさすっていた。

「そう、そのとおりよ。『例のあのしと』にどえらく近かったってぇ話だ……とにかく、ちいせぇ『アリー・ポッター』が『例のあのしと』にしっぺ返ししたときにゃ」——ハリーはあわててまた前髪をなでつけた――「あのしとの手下は一網打尽だった。アーン、そうだったな？　大方は『例のあのしと』がいなくなりゃおしめぇだと観念しておとなしく捕まっちまった。だーがシリウス・ブラックはちがったな。聞いた話だが、『例のあのしと』が支配するようになりゃ、ブラックは自分がナンバー・ツーになると思ってたってぇこった」

「とにかくだ、ブラックはマグルで混み合ってる道のど真ん中で追い詰められっちまって、そいでブラックが杖を取り出して、そいで道の半分ほどぶっ飛ばしっちまった。巻き添え食ったのは魔法使い一人と、ちょうどそこにいあわせたマグル十二人てぇわけよ。しでぇ話じゃねえか？　そんでもってブラックが何したと思う？」

　スタンは、芝居がかったヒソヒソ声で話を続けた。

「何したの？」

「**高笑いしやがった**。その場に突っ立って、笑ったのよ。魔法省からの応援隊が駆けつけてきたときにゃ、ヤツはやけにおとなしくしょっ引かれてった。大笑いしたまんまよ。――ったく狂ってる。なぁ、アーン？　ヤツは狂ってるなぁ？」

「アズカバンに入れられたときは狂ってなかったとしても、いまは狂ってるだろうな」

　アーンが持ち前のゆっくりした口調で言った。

「あんなとこに足を踏み入れるぐれぇなら、おれなら自爆するほうがましだ。ただし、ヤツにはいい見せしめというもんだ……あんなことしたんだし……」

「あとの隠蔽工作がてぇへんだったよなぁ、アーン？　なんせ通りがふっ飛ばされっちまって、マグルがみんな死んじまってよ。ほれ、アーン、何が起こったってことにしたんだっけ？」

「ガス爆発だ」アーニーがぶすっと言った。

「そんで、こんだぁ、ヤツが逃げた」スタンはほおのそげ落ちたブラックの顔写真をしげしげと見た。「アズカバンから逃げたなんてぇ話は聞いたことがねぇ。アーン、あるか？　どうやったか見当もつかねぇ。オッソロシイ、なぁ？　だけどよう、ほれ、あの連中、アズカバンの守衛の、あいつらにかかっちゃ、ブラックに勝ち目はねぇ。なぁ、アーン？」

アーニーが突然身震いした。

「スタン、なんかちがうこと話せ。頼むからよ。あの連中、アズカバンの看守の話で、おれは腹下しを起こしそうだよ」

スタンはしぶしぶ新聞を置いた。ハリーはバスの窓に寄りかかり、前よりもっと気分が悪くなっていた。スタンが数日後に夜の騎士バスの乗客に何を話しているか、つい想像してしまう。

「『アリー・ポッター』のこと、聞ーたか？　おばさんをふくらましちまってよ！　この夜の騎士バスに乗せたんだぜ、そうだなぁ、アーン？　逃げよーって算段だったな……」

ハリーもシリウス・ブラックと同じく、魔法界の法律を犯してしまった。マージおばさんをふくらませたのは、アズカバンに引っ張られるほど悪いことだろうか？　魔法界の監獄のことは、ハリーは何も知らなかったが、ほかの人が口にするのを耳にしたかぎりでは、十人が十人、恐ろしそうにその話をした。森番のハグリッドはつい一年前、二か月をアズカバンで過ごした。どこに連行されるか言い渡されたとき、ハグリッドが見せた恐怖の表情を、ハリーはそう簡単に忘れることができなかった。しかも、ハグリッドはハリーが知るかぎり、もっとも勇敢な人の一人なのだ。

夜の騎士バスは暗闇の中を、周りのものを蹴散らすように突き進んだ——木の茂み、道路の杭、電話ボックス、立ち木——そしてハリーは、不安とみじめさでまんじりともせず、羽根布団のベッドに横になっていた。しばらくして、ハリーがココアの代金を払ったことを思い出したスタンがやってきたが、てしまった。

バスがアングルシー島からアバディーンに突然飛んだときに、ココアをハリーの枕いっぱいにぶちまけて、一人、また一人と、魔法使いや魔女が寝巻きにガウンをはおり、スリッパで上のデッキから下りてきて、バスを降りていった。みんな降りるのがうれしそうだった。

ついにハリーが最後の乗客になった。

「ほいきた、ネビル」スタンがパンと手をたたきながら言った。「ロンドンのどのあたりだい？」

「ダイアゴン横丁」

「合点、承知。しっかりつかまってな……」

バーン！

バスはチャリング・クロス通りをバンバン飛ばしていた。ハリーは起き上がって、行く手のビルやベンチが身をよじってバスに道をゆずるのを眺めた。空が白みかけてきた。数時間はひそんでいよう。そしてグリンゴッツ銀行が開いたらすぐ行こう。それから出発だ――どこへ行くのか、それはわからないが。

アーンがブレーキを思いっきり踏みつけ、夜の騎士バスは急停車した。小さな、みすぼらしいパブ、「漏れ鍋」の前だった。その裏にダイアゴン横丁への魔法の入口がある。

「ありがとう」ハリーはアーンに礼を言った。

ハリーはバスを飛び降り、スタンがハリーのトランクとヘドウィグのかごを歩道に降ろすのを手伝った。

「それじゃ、さよなら！」ハリーが言った。

しかし、スタンは聞いてもいなかった。バスの乗り口に立ったまま、「漏れ鍋」の薄暗い入口をじろじろ見ている。

突然声がした。

「ハリー、やっと**見つけた**」

ハリーが振り返る間もなく、肩に手が置かれた。と同時に、スタンが大声を上げた。

「おったまげた。アーン、来いよ。**こっち来て**、見ろよ！」

ハリーは肩に置かれた手の主を見上げた。バケツ一杯の氷が胃袋にザザーッと流れ込んだかと思った――コーネリウス・ファッジ、まさに魔法大臣その人の手中に飛び込んでしまった。

スタンがバスから二人の脇の歩道に飛び降りた。

「大臣、ネビルのことをなーんて呼びなすった？」スタンは興奮していた。

ファッジは小柄なでっぷりとした体に細縞《ほそじま》の長いマントをまとい、寒そうに、つかれた様子で立っていた。

「ネビル？」ファッジが眉をひそめながらくり返した。「ハリー・ポッターだが」

「ちげぇねぇ！」スタンは大喜びだった。

「アーン！　アーン！　ネビルが誰か当ててみな！　このしと、アリー・ポッターだ！　したいの傷が見えるぜ！」

「そうだ」ファッジがわずらわしそうに言った。

「まあ、夜の騎士バスがハリーを拾ってくれて大いにうれしい。だが、私はもう、ハリーと二人で『漏れ鍋』に入らねば……」

ハリーの肩にかかったファッジの手に力が加わり、ハリーは否応なしにパブに入っていった。カウンターの後ろのドアから、誰かがランプを手に、腰をかがめて現れた。しわくちゃの、歯の抜けたパブの亭主、トムだ。

「大臣、捕まえなすったかね！」トムが声をかけた。

「何かお飲み物は？　ビール？　ブランデー？」

「紅茶をポットでもらおうか」

ファッジはまだハリーを放してくれない。

二人の後ろから何か引きずるような大きな音と、ハァハァ、ゼイゼイという声が聞こえ、スタンとアーンがハリーのトランクとヘドウィグのかごを運びながら、興奮してあたりを見回していた。

「なーんで本名を教えてくれねぇんだ。え？　ネビルさんよ」

スタンがハリーに向かって笑いかけた。その肩越しにアーニーのふくろうのようなめがね顔が興味津々でのぞき込んでいる。

「それと、トム、**個室**を頼む」ファッジがことさらはっきり言った。

トムはカウンターから続く廊下へとファッジをいざなった。

「じゃあね」ハリーはみじめな気持ちでスタンとアーンに挨拶した。

「じゃあな、ネビルさん！」スタンが答えた。

トムのランプを先頭に、ファッジがハリーを追い立てるように狭い通路を進み、やがて小部屋にたどり着いた。トムが指をパチンと鳴らすと、暖炉の火が一気に燃え上がった。トムはうやうやしく頭を下げたまま部屋から出ていった。

「ハリー、かけたまえ」ファッジが暖炉のそばの椅子を示した。

暖炉の温もりがあるのに、ハリーは腕に鳥肌の立つ思いで腰かけた。ファッジは細縞のマントを脱ぎ、脇にポンと放り投げ、深緑色の背広のズボンをずり上げながらハリーのむかい側に腰を下ろした。

「私はコーネリウス・ファッジ、魔法大臣だ」

ハリーはもちろん知っていた。一度見たことがある。ただ、その時は父の形見の透明マントに隠れていたので、ファッジはそのことを知るはずもない。

亭主のトムがシャツ襟の寝巻きの上にエプロンをつけ、紅茶とクランペット菓子を盆にのせて再び現れた。トムは、ファッジとハリーの間にあるテーブルに盆を置くと、ドアを閉めて部屋を出ていった。

「さて、ハリー」

ファッジは紅茶を注いだ。

「遠慮なく言うが、君のおかげで大変な騒ぎになった。あんなふうにおじさん、おばさんの所から逃げ出すとは！　私はもしものことがと……だが、君が無事で、いや、何よりだった」

ファッジはクランペットを一つ取り、バターを塗り、残りを皿ごとハリーのほうに押してよこした。

「食べなさい、ハリー。座ったまま死んでるような顔だよ。さーてと……安心したまえ。ミス・マージョリー・ダーズリーの不幸な風船事件は、我々の手で処理ずみだ。数時間前、『魔法事故リセット部隊』から二名をプリベット通りに派遣した。ミス・ダーズリーはパンクして元どおり。記憶は修正された。事故のことはまったく覚えていない。それで一件落着。実害なしだ」

ファッジはティーカップを傾け、その縁越しにハリーに笑いかけた。お気に入りの甥《おい》をじっくり眺めるおじさんという雰囲気だ。ハリーはにわかには信じられず、何かしゃべろうと口を開けてみたものの、言葉が見つからず、また口を閉じた。

「あぁ、君はおじさん、おばさんの反応が心配なんだね？　それは、ハリー、非常に怒っていたことは否定しない。しかし、君がクリスマスとイースターの休暇をホグワーツで過ごすなら、来年の夏には君をまた迎える用意があると言っている」

ハリーは詰まったのどをこじ開けた。

「僕、**いつだって**クリスマスとイースターはホグワーツに残っています。それに、プリベット通りには二度と戻りたくはありません」

「まあ、まあ、落ち着けば考えも変わるはずだ」

ファッジが困ったような声を出した。

「なんといっても、君の家族だ。それに、君たちはお互いに愛しく思っている――アー――心の**深ーい**所でだがね」

ハリーはまちがいを正す気にもならなかった。いったい自分がどうなるのかをまだ聞いていない。

「そこで、残る問題は――」

ファッジは二つ目のクランペットにバターを塗りながら言った。

「夏休みの残りの三週間を君がどこで過ごすか、だ。私はこの『漏れ鍋』に部屋を取るとよいと思うが、そして――」

「待ってください」ハリーは思わず尋ねた。「僕の処罰はどうなりますか？」

ファッジは目をしばたたいた。

「処罰？」

「僕、規則を破りました！『未成年魔法使いの制限事項令』です！」

「君、君、当省はあんなちっぽけなことで君を罰したりはせん！」

ファッジはせっかちにクランペットを振りながら叫んだ。

「あれは事故だった！　おばさんをふくらましたかどでアズカバン送りにするなんてことはない！」

これでは、ハリーがこれまで経験した魔法省の措置とはつじつまが合わない。

「去年、屋敷しもべ妖精がおじさんの家でデザートを投げつけたというだけで、僕は公式警告を受けました！」

ハリーは腑《ふ》に落ちない顔をした。

「そのとき魔法省は、僕があそこでまた魔法を使ったらホグワーツを退学させられるだろうと言いました」

ハリーの目に狂いがなければ、ファッジは突然うろたえたようだった。

「ハリー、状況は変わるものだ……我々が考慮すべきは……現状において……当然、君は退学になりたいわけではなかろう？」

「もちろん、いやです」

「それなら、何をつべこべ言うのかね？」ファッジはさらりと笑った。

「さあ、ハリー、クランペットを食べて。私はちょっと、トムに部屋の空きがあるかどうか聞いてこよう」

ファッジは大股に部屋を出ていき、ハリーはその後ろ姿をまじまじと見つめた。何かが決定的におかしい。ファッジが、ハリーのしでかしたことを罰するために待ち受けていたのでなければ、いったいなんで「漏れ鍋」でハリーを待っていたのか？　それに、よくよく考えてみれば、たかが未成年の魔法使用事件に、魔法大臣じきじきのお出ましは普通ではない。

ファッジが亭主のトムを従えて戻ってきた。

「ハリー、十一号室が空いている。快適に過ごせると思うよ。ただ一つだけ、わかってくれるとは思うが、マグルのロンドンへはふらふら出ていかないでほしい。いいかな？　ダイアゴン横丁だけにしてくれたまえ。それと、毎日、暗くなる前にここに戻ること。わかってくれるね。トムが私にかわって君を監視してるよ」

「わかりました」ハリーは考えながらゆっくり答えた。

「でも、なぜ？――」

「また行方不明になると困るよ。そうだろう？」ファッジはくったくのない笑い方をした。

「いや、いや……君がどこにいるのかわかってるほうがいいのだ……つまり……」

ファッジは大きく咳払《せきばら》いをすると、細縞のマントを取り上げた。

「さて、もう行かんと。やることが山ほどあるんでね」

「ブラックのこと、まだよい報《しら》せはないのですか？」ハリーが聞いた。

ファッジの指が、マントの銀の留め金の上をズルッとすべった。

「なんのことかね？　あぁ、耳に入ったのか――いや、ない。まだだ。しかし、時間の問題だ。アズカバンの看守はいまだかつて失敗を知らない……それに、連中がこんなに怒ったのを見たことがない」

ファッジはブルッと身震いした。

「それではお別れしよう」

ファッジが手を差し出し、ハリーがそれを握った。

ふとハリーはあることを思いついた。

「あのー、大臣？　お聞きしてもよろしいでしょうか？」

「いいとも」ファッジがほほえんだ。

「あの、ホグワーツの三年生はホグズミード訪問が許されるんです。でも僕のおじさんもおばさんも許可証にサインしてくれなかったんです。大臣がサインしてくださいませんか？」

ファッジは困ったような顔をした。

「あー」ファッジが言った。「いや、ハリー、気の毒だが、だめだ。私は君の親でも保護者でもないので――」

「でも、魔法大臣です」ハリーは熱を込めた。「大臣が許可をくだされば――」

「いや、ハリー、気の毒だが、規則は規則なんでね」ファッジはにべもなく言った。

「来年にはホグズミードに行けるかもしれないよ。実際、君は行かないほうがいいと思うが……そう……さて、私は行くとしよう。ハリー、ゆっくりしたまえ」

最後にもう一度ニッコリとハリーと握手して、ファッジは部屋を出ていった。今度はトムがニコニコしながら近寄ってきた。

「ポッター様、どうぞこちらへ。お荷物は、もうお部屋に上げてございます……」

ハリーはトムのあとについてしゃれた木の階段を上り、「11」と書いた真鍮の表示のある部屋の前に来た。トムが鍵を開け、ドアを開いてハリーをうながした。

部屋には寝心地のよさそうなベッドと、磨き上げた樫《かし》材の家具が置かれ、暖炉の火が元気よくはぜていた。洋だんすの上にちょこんと――。

「ヘドウィグ！」ハリーは驚いた。

雪のようなふくろうがくちばしをカチカチ鳴らし、ハリーの腕にはたはたと舞い降りた。

「ほんとうに賢いふくろうをお持ちですね」トムがうれしそうに笑った。

「あなた様がお着きになって五分ほどたってから到着しました。ポッター様、何かご用がございましたら、どうぞいつでもご遠慮なく」

トムはまた一礼すると出ていった。

ハリーは、ヘドウィグをなでながら、長いことぼうっとベッドに座っていた。窓の外で、空の色が見る見る変わっていった。深いビロードのような青から、鋼のような灰色、そして、ゆっくりと黄金色の光を帯びた薄紅色へと。ほんの数時間前にプリベット通りを離れたこと、学校を追放されなかったこと、あと三週間、まったくダーズリーなしで過ごせること、何もかも信じがたかった。

「ヘドウィグ、とっても変な夜だったよ」

ハリーはあくびをした。

めがねもはずさず、枕にコトンと倒れ込み、ハリーは眠りに落ちた。

第4章　漏れ鍋

初めて自由を手にしたものの、ハリーは奇妙な感覚に慣れるまで数日かかった。好きなときに起きて、食べたいものを食べるなんて、こんなことはいままでになかった。しかも、ダイアゴン横丁から出なければ、どこへでも好きな所に行ける。長い石畳の横丁は世界一魅力的な魔法グッズの店がぎっしり並んでいるし、ファッジとの約束を破ってマグルの世界へさまよい出るなど、ハリーは露ほども願いはしなかった。

毎朝「漏れ鍋」で朝食を食べながら、ほかの泊まり客を眺めるのがハリーは好きだった。一日がかりの買い物をするのに田舎から出てきた、小柄でどこか滑稽な魔女とか、『変身現代』の最近の記事について議論を戦わせている、いかにも威厳のある魔法使いとか、猛々《たけだけ》しい魔法戦士、やかましい小人、それに、ある時は、どうやら鬼婆《おにばば》だと思われる人が、分厚いウールのバラクラバ頭巾にすっぽり隠れて、生レバーを注文していた。

朝食が終わると、ハリーは裏庭に出て、杖《つえ》を取り出し、ごみ箱の上の左から三番目のれんがを軽くたたき、少し後ろに下がって待つ。すると、壁にダイアゴン横丁へのアーチ形の入口が広がる。

長い夏の一日を、ハリーはぶらぶら店をのぞいて回ったり、カフェ・テラスに並んだ鮮やかなパラソルの下で食事をしたりした。カフェで食事をしている客たちは、互いに買い物を見せ合ったり（「ご同輩、これは望月鏡だ――もうややこしい月のチャートで悩まずにすむぞ、なぁ？」）、シリウス・ブラック事件を議論したり（「私個人としては、あいつがアズカバンに連れ戻されるまでは、子供たちを一人では外に出さないね」）していた。毛布にもぐって、懐中電灯で宿題をする必要はもうない。ハリーは「フローリアン・フォーテスキュー・アイスクリーム・パーラー」のテラスに座り、明るい陽《ひ》の光を浴び、店主のフローリアン・フォーテスキュー氏にときどき手伝ってもらいながら、宿題を仕上げていた。店主は中世の魔女火あぶりにずいぶんくわしいばかりか、三十分ごとにサンデーをふるまってくれるのだった。

グリンゴッツの金庫からガリオン金貨、シックル銀貨、クヌート銅貨を引き出し、巾着をいっぱいにしたあとは、一度に全部使ってしまわないようにするのに、相当の自制心が必要だった。あと五年間ホグワーツに通うのだ、呪文の教科書を買うお金をダーズリーにせがむのがどんなにつらいことか考えろと、しょっちゅう自分自身に言い聞かせ、やっとのことで、純金の見事なゴブストーン・セットの誘惑を振り切った（ゴブストーンはビー玉に似た魔法のゲームで、失点するたびに、石がいっせいに、負けたプレーヤーの顔めがけていやなにおいのする液体を吹きかける）。それに、大きなガラスの球に入った完璧な銀河系の動く模型も、たまらない魅力だった。これがあれば、もう天文学の授業をとる必要がなくなるかもしれない。しかし、「漏れ鍋」に来てから一週間後のこと、ハリーの決意をもっとも厳しい試練にかけるものが、お気に入りの「高級クィディッチ用具店」に現れた。

店の中で、何やらのぞき込んでいる人だかりが気になって、ハリーもその中に割り込んでいった。興奮した魔法使いや魔女の中でぎゅうぎゅうもまれながらちらっと見えたのは、新しく作られた陳列台で、そこにはハリーがいままで見たどの箒《ほうき》よりすばらしい箒が飾られていた。

「まだ出たばかり……試作品だ……」四角いあごの魔法使いが仲間に説明していた。

「世界一速い箒なんだよね、父さん？」ハリーより年下の男の子が、父親の腕にぶら下がりながらからかわいい声で言った。

「アイルランド代表チームから、先日、この美人箒を七本もご注文いただきました！」

店のオーナーが見物客に向かって言った。

「このチームは、ワールド・カップの本命ですぞ！」

ハリーの前にいた大柄な魔女がどいたので、箒の脇にある説明書きを読むことができた。

炎の雷・ファイアボルト

この最先端技術を駆使したレース用箒は、ダイヤモンド級硬度の研磨仕上げによる、すっきりと流れるような形状の最高級トネリコ材の柄に、固有の登録番号が手作業で刻印されています。尾の部分はシラカンバの小枝を一本一本厳選し、研ぎ上げて空気力学的に完璧な形状に仕上げています。このため、ファイアボルトは他の追随を許さぬバランスと、針の先ほども狂わぬ精密さを備えています。わずか十秒で時速二百四十キロメートルまで加速できる上、止めるときはブレーキ力が大ブレークする呪文をインストール済みです。

お値段はお問い合わせください。


お値段はお問い合わせください……金貨何枚になるのか、ハリーは考えたくなかった。こんなに欲しいと思いつめたことは、一度もない——しかし、ニンバス2000でいままで試合に負けたことはなかった。充分によい箒をすでに持っているのに、ファイアボルトのためにグリンゴッツの金庫をからっぽにしてなんの意味がある？　ハリーは値段を聞かなかった。しかし、それからというもの、ファイアボルトをひと目見たくて、ほとんど毎日通いづめだった。

買わなければならないものもあった。薬問屋に行って魔法薬学の材料を補充したし、制服のローブの袖や裾が十センチほど短くなってしまったので、「マダム・マルキンの洋装店――普段着から式服まで」に行って新しいのを買った。一番大切なのは新しい教科書を買うことだ。新しく加わった二科目の教科書も必要だった。「魔法生物飼育学」と「占い学」だ。

本屋のショーウィンドウをのぞいて驚いた。いつもなら飾ってあるはずの、歩道用のコンクリートほど大きい金箔押しの呪文集が消え、ショーウィンドウには、大きな鉄の檻《おり》があった。その中に、百冊ほどの本が入っている。『怪物的な怪物の本』だった。すさまじいレスリングの試合のように本同士が取っ組み合い、ロックをかけ合い、戦闘的にかぶりつくというありさまで、本のページがちぎれ、そこいら中に飛び交っていた。

ハリーは教科書のリストをポケットから取り出して、初めて中身を読んだ。『怪物的な怪物の本』は魔法生物飼育学の必修本としてのっている。ハグリッドが役に立つだろうと言った意味が初めてわかった。ハリーはホッとした。もしかしたら、ハグリッドがまた何か恐ろしいペットを新しく飼って、ハリーに手伝ってほしいのかもしれないと心配していたからだ。

「フローリシュ・アンド・ブロッツ書店」に入っていくと、店長が急いで寄ってきた。

「ホグワーツかね？」店長が出し抜けに言った。「新しい教科書を？」

「ええ。欲しいのは――」

「どいて」

性急にそう言うと、店長はハリーを押しのけた。分厚い手袋をはめ、太いゴツゴツしたステッキを取り上げ、店長は怪物本の檻の入口へと進み出た。

「待ってください」ハリーがあわてて言った。

「僕、それはもう持ってます」

ていた。

「持ってる？」

店長の顔にたちまちホーッと安堵《あんど》の色が広がった。

「やれ、助かった。今朝はもう五回もかみつかれてしまって――」

ビリビリという、あたりをつんざく音がした。二冊の**怪物本**が、ほかの一冊を捕まえてバラバラにしていた。

「やめろ！　やめてくれ！」

店長は叫びながらステッキを鉄格子の間から差し込み、からんだ本をたたいて引き離した。

「もう二度と仕入れるものか！　二度と！　お手上げだ！　『透明術の透明本』を二百冊仕入れたときが最悪だと思ったのに――あんなに高い金を出して、結局どこにあるのか見つからずじまいだった……えーと、何かほかにご用は？」

「ええ」ハリーは本のリストを見ながら答えた。

「カッサンドラ・バブラツキーの『未来の霧を晴らす』をください」

「あぁ、占い学を始めるんだね？」

店長は手袋をはずしながらそう言うと、ハリーを店の奥へと案内した。そこには、占いに関する本だけを集めたコーナーがあった。小さな机にうずたかく本が積み上げられている。『予知不能を予知する――ショックから身を護《まも》る』『玉が割れる――ツキが落ちはじめたとき』などがある。

「これですね」

店長がはしごを上り、黒い背表紙の厚い本を取り出した。

「『未来の霧を晴らす』。これは基礎的な占い術のガイドブックとしていい本です――手相術、水晶玉、鳥の腸《はらわた》……」

ハリーは聞いていなかった。別な本に目が吸い寄せられたのだ。小さな机に陳列されているものの中に、その本があった。『死の前兆――最悪の事態が来ると知ったとき、あなたはどうするか』。

「あぁ、それは読まないほうがいいですよ」

ハリーが何を見つめているのかに目をとめた店員がこともなげに言った。

「死の前兆があらゆる所に見えはじめて、それだけで死ぬほど怖いですよ」

それでもハリーは、その本の表紙から目が離せなかった。目をぎらつかせた、熊ほどもある大きな黒い犬の絵だ。気味が悪いほど見覚えがある……。

店員は『未来の霧を晴らす』をハリーの手に押しつけた。

「ほかには何か？」

「はい」

ハリーは犬の目から無理に目をそらし、ぼうっとしたままで教科書リストを調べた。

「えーと――『中級変身術』と三年生用の『基本呪文集』をください」

十分後、新しい教科書を小脇に抱え、ハリーはフローリシュ・アンド・ブロッツ書店を出た。自分がどこに向かっているかの意識もなく、「漏れ鍋」へ戻る道すがら、ハリーは何度か人にぶつかった。

重い足取りで部屋への階段を上り、中に入ってベッドに教科書をバサバサと落とした。誰かが部屋の掃除をすませたらしい。窓が開けられ、陽光が部屋にそそぎ込んでいた。ハリーの背後で、部屋からは見えないマグルの通りをバスが走る音が聞こえ、階下からはダイアゴン横丁の、これもまた姿の見えない雑踏のざわめきが聞こえた。洗面台の上の鏡に自分の姿が映っている。

「あれが、死の前兆のはずがない」

鏡の自分に向かって、ハリーは挑むように語りかけた。

「マグノリア・クレセント通りであれを見たときは気が動転してたんだ。たぶん、あれは野良犬だったんだ……」

ハリーはいつものくせで、なんとか髪をなでつけようとした。

「勝ち目はないよ、坊や」

鏡がしわがれた声で言った。

矢のように日がたった。ハリーはロンやハーマイオニーの姿はないかと、行く先々で探すようになった。新学期が近づいたので、ホグワーツの生徒たちが大勢、ダイアゴン横丁にやってきた。ハリーは「高級クィディッチ用具店」で、シェーマス・フィネガンやディーン・トーマスなど、同じグリフィンドール生に出会った。二人とも、やはり、ファイアボルトを穴のあくほど見つめていた。本物のネビル・ロングボトムにも「フローリシュ・アンド・ブロッツ書店」の前で出くわしたが、特に話はしなかった。丸顔の忘れん坊のネビルは教科書のリストをしまい忘れたらしく、いかにも厳しそうなネビルの「ばあちゃん」に叱られているところだった。魔法省から逃げる途中、ネビルの名をかたったことが、このおばあさんにばれませんように、とハリーは願った。

夏休み最後の日、あしたになれば必ず、ホグワーツ特急でロンとハーマイオニーに会えるだろう――そんな思いでハリーは目覚めた。着替えをすませ、最後にもう一度ファイアボルトを見ようと外に出た。どこで昼食をとろうかと考えていると、誰かが大声でハリーの名前を呼んだ。

「ハリー！　**ハリー！**」

振り返るとそこに、二人がいた。「フローリアン・フォーテスキュー・アイスクリーム・パーラー」のテラスに、二人とも座っていた。ロンはとてつもなくそばかすだらけに見えたし、ハーマイオニーはこんがり日焼けしていた。二人ともハリーに向かってちぎれんばかりに手を振っている。

「やっと会えた！」

ハリーが座ると、ロンがニコニコしながら言った。

「僕たち『漏れ鍋』に行ったんだけど、もう出かけちゃったって言われたんだ。フローリシュ・アンド・ブロッツにも行ってみたし、マダム・マルキンのとこにも、それで――」

「僕、学校に必要なものは先週買ってしまったんだ」ハリーが説明した。

「『漏れ鍋』に泊まってるって、どうして知ってたの？」

「パパさ」ロンはくったくがない。

ウィーズリー氏は魔法省に勤めているし、当然マージおばさんの身に起こったことは全部聞いたはずだ。

「ハリー、**ほんとに**おばさんをふくらましちゃったの？」

ハーマイオニーが大まじめに聞いた。ロンが爆笑した。

「そんなつもりはなかったんだ。ただ、僕、ちょっと――キレちゃって」

「ロン、笑うようなことじゃないわ」ハーマイオニーが気色ばんだ。「むしろハリーが退学にならなかったのが驚きだわ。ほんとに」

「僕もそう思ってる」ハリーも認めた。

「退校処分どころじゃない。僕、逮捕されるかと思った」

ハリーはロンのほうを見た。

「ファッジがどうして僕のことを見逃したのか、君のパパ、ご存じないかな？」

「たぶん、君が君だからだ。ちがうか？」

まだ笑いが止まらないロンが、たいていそんなもんだとばかりに肩をすぼめた。

「有名なハリー・ポッター。いつものことさ。おばさんをふくらませたのが僕だったら、魔法省が僕に何をするか、見たくないなぁ。もっとも、まず僕を土の下から掘り起こさないといけないだろうな。だって、きっと僕、ママに殺されちゃってるよ。でも、今晩パパに直接聞いてみろよ。僕たちも『漏れ鍋』に泊まるんだ！　だから、あしたは僕たちと一緒にキングズ・クロス駅に行ける！　ハーマイオニーも一緒だ！」

ハーマイオニーもニッコリとうなずいた。

「パパとママが、今朝ここまで送ってくれたの。ホグワーツ校用のいろんなものも全部一緒にね」

「最高！」ハリーがうれしそうに言った。

「それじゃ、新しい教科書とか、もう全部買ったの？」

「これ見てくれよ」

ロンが袋から細長い箱を引っ張り出し、開けて見せた。

「ピカピカの新品の杖。三十三センチ、柳の木、一角獣《ユニコーン》のしっぽの毛が一本入ってる。それに、僕たち二人とも教科書は全部そろえた」

ロンは椅子の下の大きな袋を指した。

「**怪物本**、ありゃ、なんだい、エ？　僕たち、二冊欲しいって言ったら、店員が半べそだったぜ」

「ハーマイオニー、そんなにたくさんどうしたの？」

ハリーはハーマイオニーの隣の椅子を指差した。はちきれそうな袋が、一つどころか三つもある。

「ほら、私、あなたたちよりもたくさん新しい科目を取るでしょ？　これ、その教科書よ。数占い、魔法生物飼育学、占い学、古代ルーン文字学、マグル学——」

「なんでマグル学なんか取るんだい？」

ロンがハリーにきょろっと目配せしながら言った。

「君はマグル出身じゃないか！　パパやママはマグルじゃないか！　マグルのことはとっくに知ってるだろう！」

「だって、マグルのことを魔法的視点から勉強するのってとってもおもしろいと思うわ」

ハーマイオニーが真顔で言った。

「ハーマイオニー、これから一年、食べたり眠ったりする予定はあるの？」

ハリーが尋ねた。ロンはからかうようにクスクス笑った。ハーマイオニーは両方とも無視した。

「私、まだ十ガリオン持ってるわ」

ハーマイオニーがさいふをのぞきながら言った。

「私のお誕生日、九月なんだけど、自分で一足早くプレゼントを買いなさいって、パパとママがおこづかいをくださったの」

「すてきな**ご本は**いかが？」ロンがむじゃきに言った。

「お気の毒さま」ハーマイオニーが落ち着き払って言った。

「私、とってもふくろうが欲しいの。だって、ハリーにはヘドウィグがいるし、ロンにはエロールが
――」

「僕のじゃない」ロンが言った。「エロールは家族全員のふくろうなんだ。僕にはスキャバーズしかいない」

ロンはポケットからペットのネズミを引っ張り出した。

「こいつをよく診てもらわなきゃ。どうも、エジプトの水が合わなかったらしくて」

ロンがスキャバーズをテーブルに置いた。

スキャバーズはいつもよりやせて見えたし、ひげは見るからにダラリとしていた。

「すぐそこに『魔法動物ペットショップ』があるよ」

ハリーはダイアゴン横丁のことなら、もうなんでも知っていた。

「ロンはスキャバーズ用に何かあるかどうか探せるし、ハーマイオニーはふくろうが買える」

そこで三人はアイスクリームの代金を払い、道路を渡って「魔法動物ペットショップ」に向かった。

中は狭苦しかった。壁は一分のすきもなくびっしりとケージで覆われていた。においがプンプンする上に、ケージの中でガアガア、キャッキャッ、シューシューと騒ぐのでやかましかった。カウンターのむこうの魔女が、二叉《ふたまた》のイモリの世話を先客の魔法使いに教えているところだったので、三人はケージを眺めながら待った。

巨大な紫色のヒキガエルがひとつがい、ペロリペロリと死んだクロバエのごちそうを飲み込んでいた。大亀が一頭、窓際で宝石をちりばめた甲羅を輝かせている。オレンジ色の毒カタツムリたちは、水槽の壁面をぬめぬめとゆっくり這《は》い上っていたし、太った白ウサギはポンと大きな音を立てながら、シルクハットに変身したり、元のウサギに戻ったりをくり返していた。ありとあらゆる色の猫、ワタリガラスを集めたけたたましいケージ、大声でハミングしているプリン色の変な毛玉のようなものがいくつか入ったバスケット。カウンターには大きなケージが置かれ、毛並みもつややかなクロネズミたちが、つるつるしたしっぽを使って縄跳びのようなものに興じていた。

二叉イモリの先客がいなくなり、ロンがカウンターに行った。

「僕のネズミのことなんですが、エジプトから帰ってきてから、ちょっと元気がないんです」

ロンが魔女に説明した。

「カウンターにバンと出してごらん」

魔女はポケットからがっしりした黒縁めがねを取り出した。

ロンは内ポケットからスキャバーズを取り出し、同類のネズミのケージの隣に置いた。飛びはねていたネズミたちは遊びをやめ、よく見えるように押しあいへし合いして金網の前に集まった。

ロンの持ち物はたいていそうだったが、スキャバーズもやはりお下がりで（以前はロンの兄、パーシーのものだった）、ちょっとよれよれだった。ケージ内の毛づやのよいネズミと並べるといっそうしょぼくれて見えた。

「フム」スキャバーズをつまみ上げ、魔女が言った。「このネズミは何歳なの？」

「知らない」ロンが言った。「かなりの年。前は兄のものだったんです」

「どんな力を持ってるの？」スキャバーズを念入りに調べながら、魔女が聞いた。

「エ――」ロンがつっかえた。

実はスキャバーズはこれはと思う魔力のかけらさえ示したことがない。魔女の目がスキャバーズのぼろぼろの左耳から、指が一本欠けた前足へと移った。それからチッチッチッと大きく舌打ちした。

「ひどい目にあってきたようだね。このネズミは」

「パーシーからもらったときからこんなふうだったよ」ロンは弁解するように言った。

「こういう普通の家ネズミは、せいぜい三年の寿命なんですよ」魔女が言った。

「お客さん、もしもっと長持ちするのがよければ、たとえばこんなのが……」

魔女はクロネズミを指し示した。とたんにクロネズミたちはまた縄跳びを始めた。

「目立ちたがり屋」ロンがつぶやいた。

「別なのをお望みじゃないなら、この『ネズミ栄養ドリンク』を使ってみてください」

魔女はカウンターの下から小さな赤い瓶を取り出した。

「オーケー。いくらですか？——**あいたっ！**」

ロンは身をかがめた。何やらでかいオレンジ色のものが一番上にあったケージの上から飛び下り、ロンの頭に着地したのだ。シャーッシャーッと激しくわめきながら、それはスキャバーズめがけて突進した。

「**こらっ！　クルックシャンクス、だめっ！**」

魔女が叫んだが、スキャバーズは石けんのようにツルリと魔女の手をすり抜けたと思うと、ぶざまにベタッと床に落ち、出口めがけて遁走《とんそう》した。

「スキャバーズ！」

ロンが叫びながらあとを追って脱兎《だっと》のごとく店を飛び出し、ハリーもあとに続いた。

十分近く探して、やっとスキャバーズが見つかった。「高級クィディッチ用具店」の外にあるごみ箱の下に隠れていた。震えているスキャバーズをポケットに戻し、ロンは自分の頭をさすりながら立ち上がった。

「あれは**いったい**なんだったんだ？」

「巨大な猫か、小さな虎か、どっちかだ」ハリーが答えた。

「ハーマイオニーはどこ？」

「たぶん、ふくろうを買ってるんだろ」

雑踏の中を引き返し、二人は「魔法動物ペットショップ」に戻った。ちょうど着いたときに、中からハーマイオニーが出てきた。しかし、ふくろうを持ってはいなかった。両腕にしっかり抱きしめていたのは巨大な赤猫だった。

「君、あの怪物を**買った**のか？」ロンは口をあんぐり開けていた。

「この子、**すてき**でしょう、ね？」ハーマイオニーは得意満面だった。

見解の相違だな、とハリーは思った。赤味がかったオレンジ色の毛がたっぷりとしてふわふわだったが、どう見てもちょっとガニマタだったたし、気難しそうな顔がおかしな具合につぶれている。まるで、れんがの壁に正面衝突したみたいだ。スキャバーズが隠れて見えないので、猫はハーマイオニーの腕の中で、満足げにゴロゴロ甘え声を出していた。

「ハーマイオニー、そいつ、危うく僕の頭の皮をはぐところだったんだぞ！」

「そんなつもりはなかったのよ、ねえ、クルックシャンクス？」

「それに、スキャバーズのことはどうしてくれるんだい？」

ロンは胸ポケットの出っ張りを指差した。

「こいつは安静にしてなきゃいけないんだ。そんなのに周りをうろうろされたら安心できないだろ？」

「それで思い出したわ。ロン、あなた『ネズミ栄養ドリンク』を忘れてたわよ」

ハーマイオニーは小さな赤い瓶をロンの手にピシャリと渡した。

「それに、**取り越し苦労**はおやめなさい。クルックシャンクスは私の女子寮で寝るんだし、スキャバーズはあなたの男子寮でしょ。何が問題なの？　かわいそうなクルックシャンクス。あの魔女が言ってたわ。この雄猫、もうずいぶん長いことあの店にいたって。誰もこの子を欲しがる人がいなかったんだって」

「そりゃ不思議だね」

ロンが皮肉っぽく言った。そして、三人は「漏れ鍋」に向かって歩きはじめた。

ウィーズリー氏が「日刊予言者新聞」を読みながら、バーに座っていた。

「ハリー！」ウィーズリー氏が目を上げてハリーに笑いかけた。

「元気かね？」

「はい。元気です」ハリーが答えた。

三人は買い物をどっさり抱えてウィーズリー氏のそばに座った。

ウィーズリー氏が下に置いた新聞から、もうおなじみになったシリウス・ブラックの顔がハリーをじっと見上げていた。

「それじゃ、ブラックはまだ捕まってないんですね?」とハリーが聞いた。

「ウム」ウィーズリー氏は極めて深刻な表情を見せた。

「魔法省全員が、通常の任務を返上して、ブラック探しに努力してきたんだが、まだ吉報がない」

「僕たちが捕まえたら賞金がもらえるのかな?」ロンが聞いた。「また少しお金がもらえたらいいだろうなあ――」

「ロン、ばかなことを言うんじゃない」

よく見るとウィーズリー氏は相当緊張していた。

「十三歳の魔法使いにブラックが捕まえられるわけがない。ヤツを連れ戻すのは、アズカバンの看守なんだよ。肝に銘じておきなさい」

その時、ウィーズリー夫人がバーに入ってきた。山のような買い物を抱えている。後ろに引き連れているのは、ホグワーツの五年生に進級する双子のフレッドとジョージ、全校首席に選ばれたパーシー、ウィーズリー家の末っ子で一人娘のジニーだった。

ジニーは前からずっとハリーに夢中だったが、ハリーを見たとたん、いつもよりなおいっそうどぎまぎしたようだった。去年ホグワーツで、ハリーに命を助けられたせいかもしれない。真っ赤になって、ハリーの顔を見ることもできずに「こんにちは」と消え入るように言った。一方パーシーは、まるでハリーとは初対面でもあるかのようにまじめくさって挨拶した。

「ハリー、お目にかかれてまことにまことにうれしい」

「やあ、パーシー」ハリーは必死で笑いをこらえた。

「お変わりないでしょうね？」

握手しながらパーシーがもったいぶって聞いた。なんだか市長にでも紹介されたような感じだった。

「おかげさまで、元気です――」

「ハリー！」

フレッドがパーシーをひじで押しのけ、前に出て深々とおじぎをした。

「おなつかしきご尊顔を拝し、なんたる**光栄**――」

「ご機嫌うるわしく」

フレッドを押しのけて、今度はジョージがハリーの手を取った。

「恭悦至極に存じたてまつり」

パーシーが顔をしかめた。

「いいかげんにおやめなさい」ウィーズリー夫人が言った。

「お母上！」

フレッドが、たったいま母親に気づいたかのようにその手を取った。

「お目もじ叶い、なんたる幸せ――」

「おやめって、言ってるでしょう」

ウィーズリー夫人は空いている椅子に買い物の荷物を置いた。

「こんにちは、ハリー。わが家のすばらしいニュースを聞いたでしょう？」

パーシーの胸に光る真新しい銀バッジを指差し、ウィーズリー夫人が晴れがましさに胸を張って言った。

「わが家の二人目の首席なのよ！」

「そして最後のね」フレッドが声をひそめて言った。

「そのとおりでしょうよ」ウィーズリー夫人が急にキッとなった。「二人とも、監督生になれなかったようですものね」

「なんで僕たちが監督生なんかにならなきゃいけないんだい？」

ジョージが考えるだけで反吐《へど》が出るという顔をした。

「人生真っ暗じゃござんせんか」

ジニーがクックッと笑った。

「妹のもっといいお手本になりなさい！」ウィーズリー夫人はきっぱり言った。

「お母さん。ジニーのお手本なら、ほかの兄たちがいますよ」

パーシーが鼻高々で言った。

「僕は夕食のために着替えてきます」

パーシーがいなくなると、ジョージがため息をついてハリーに話しかけた。

「俺たち、あいつをピラミッドに閉じ込めてやろうとしたんだけど、ママに見つかっちゃってさ」

その夜の夕食は楽しかった。宿の亭主のトムが食堂のテーブルを三つつなげてくれて、ウィーズリー家の七人、ハリー、ハーマイオニーの全員がフルコースのおいしい食事を次々と平らげた。

「パパ、あした、どうやってキングズ・クロス駅に行くの？」

豪華なチョコレート・ケーキのデザートにかぶりつきながら、フレッドが聞いた。

「魔法省が車を二台用意してくれる」ウィーズリー氏が答えた。

みんないっせいにウィーズリー氏の顔を見た。

「どうして？」パーシーがいぶかしげに聞いた。

「パース、そりゃ、君のためだ」ジョージがまじめくさって言った。「それに、小さな旗が車の前につくぜ。ＨＢって書いてな――」

「――ＨＢって『首席』――じゃなかった、『石頭』の頭文字さ」

フレッドがあとを受けて言った。

パーシーとウィーズリー夫人以外は、思わずデザートの上にブーッと噴き出した。

「お父さん、どうしてお役所から車が来るんですか？」

パーシーがまったく気にしていないふうを装いながら聞いた。

「そりゃ、私たちにはもう車がないし、それに、私が勤めているので、ご厚意で……」

なにげない言い方だったが、ウィーズリー氏の耳が真っ赤になったのをハリーは見逃さなかった。何かプレッシャーがかかったときのロンと同じだ。

「大助かりだわ」

ウィーズリー夫人がきびきびと言った。

「みんな、どんなに大荷物なのかわかってるの？　マグルの地下鉄なんかに乗ったら、さぞかし見ものでしょうよ……。みんな、荷造りはすんだんでしょうね？」

「ロンは新しく買ったものをまだトランクに入れていないんです」

パーシーがいかにも苦難に耐えているような声を出した。

「僕のベッドの上に置きっぱなしなんです」

「ロン、早く行ってちゃんとしまいなさい。あしたの朝はあんまり時間がないのよ」

ウィーズリー夫人がテーブルのむこう端から呼びかけた。ロンはしかめっ面でパーシーを見た。

夕食も終わり、みんな満腹で眠くなった。明日持っていくものを確かめるため、一人、また一人と階段を上ってそれぞれの部屋に戻った。ロンとパーシーはハリーの隣部屋だった。自分のトランクを閉め、鍵をかけたその時、誰かのどなり声が壁越しに聞こえてきたので、ハリーは何事かと部屋を出た。

十二号室のドアが半開きになっていて、パーシーがどなっていた。

「**ここに**、ベッド脇の机にあったんだぞ。磨くのにはずしておいたんだから——」

「いいか、僕はさわってないぞ」ロンもどなり返した。

「どうしたんだい？」ハリーが聞いた。

「僕の首席バッジがなくなった」ハリーのほうを振り向きざま、パーシーが言った。

「スキャバーズのネズミ栄養ドリンクもないんだ」ロンはトランクの中身をポイポイ放り出して探していた。「もしかしたらバーに忘れたかな——」

「僕のバッジを見つけるまでは、どこにも行かせないぞ！」パーシーが叫んだ。

「僕、スキャバーズの薬を探してくる。もう荷造りが終わったから」

ロンにそう言って、ハリーは階段を下りた。

もうすっかり明かりの消えたバーに行く途中、廊下の中ほどまで来たとき、またしても別の二人が食堂の奥のほうで言い争っている声が聞こえてきた。それがウィーズリー夫妻の声だとはすぐにわかった。口げんかをハリーが聞いてしまったと、二人には知られたくない。どうしようとためらっていると、ふと自分の名前が聞こえてきた。ハリーは思わず立ち止まり、食堂のドアに近寄った。

「……ハリーに教えないなんてばかな話があるか」

ウィーズリー氏が熱くなっている。

「ハリーには知る権利がある。ファッジに何度もそう言ったんだが、ファッジはゆずらないんだ。ハリーを子供扱いしている。ハリーはもう十三歳なんだ。それに――」

「アーサー、ほんとのことを言ったら、あの子は怖がるだけです！」

ウィーズリー夫人が激しく言い返した。

「ハリーがあんなことを引きずったまま学校に戻るほうがいいって、あなた、本気でそうおっしゃるの？　とんでもないわ！　知らないほうがハリーは**幸せ**なのよ！」

「あの子にみじめな思いをさせたいわけじゃない。私はあの子に自分自身で警戒させたいだけなんだ」

ウィーズリー氏がやり返した。

「ハリーやロンがどんな子か、母さんも知ってるだろう。二人でふらふら出歩いて――もう『禁じられた森』にまで入り込んでいるんだよ！　今学期はハリーはそんなことをしちゃいかんのだ！　ハリーが家から逃げ出したあの夜、あの子の身に何か起こっていたかもわからんと思うと！　もし夜の騎士バスがあの子を拾っていなかったら、賭けてもいい、魔法省に発見される前にあの子は死んでいたよ」

「でも、あの子は死んで**いません**わ。無事なのよ。だからわざわざ何も――」

「モリー母さん。シリウス・ブラックは狂人だとみんなが言う。たぶんそうだろう。しかし、アズカバンから脱獄する才覚があった。しかも不可能といわれていた脱獄だ。もうひと月もたつのに、誰一人、ブラックの足跡さえ見ていない。ファッジが『日刊予言者新聞』になんと言おうと、事実、我々がブラックを捕まえる可能性は薄いのだよ。勝手に魔法をかける杖を発明すると同じぐらい難しいことだ。一つだけはっきり我々がつかんでいるのは、ヤツのねらいが――」

「でも、ハリーはホグワーツにいれば絶対安全ですわ」

「我々はアズカバンも絶対まちがいないと思っていたんだよ。ブラックがアズカバンを破って出られるなら、ホグワーツにだって破って入れる」

「でも、誰もはっきりとはわからないじゃありませんか。ブラックがハリーをねらってるなんて――」

ドスンと木をたたく音が聞こえた。ウィーズリー氏が拳でテーブルをたたいた音にちがいないとハリーは思った。

「モリー、何度言えばわかるんだね？　新聞にのっていないのは、ファッジがそれを秘密にしておきたいからなんだ。しかし、ブラックが脱走したあの夜、ファッジはアズカバンに視察に行っていたんだ。看守たちがファッジに報告したそうだ。ブラックがこのところ寝言を言うって。いつもおんなじ寝言だ。『あいつはホグワーツにいる……あいつはホグワーツにいる』。ブラックはね、モリー、狂っている。そしてハリーの死を望んでいるんだ。私の考えでは、ヤツは、ハリーを殺せば『例のあの人』の権力が戻ると思っているんだ。ハリーが『例のあの人』に引導を渡したあの夜、ブラックはすべてを失った。そして十二年間、ヤツはアズカバンの独房でそのことだけを思いつめていた……」

沈黙が流れた。ハリーは続きを聞きもらすまいと必死で、ドアにいっそうぴったりと張りついた。

「そうね、アーサー、あなたはご自分が正しいと思うことをなさらなければ。でも、アルバス・ダンブルドアのことをお忘れよ。ダンブルドアが校長をなさっているかぎり、ホグワーツではけっしてハリーを傷つけることはできないと思います。ダンブルドアはこのことをすべてご存じなんでしょう？」

「もちろん知っていらっしゃる。アズカバンの看守たちを学校の入口付近に配備してもよいかどうか、我々役所としても、校長におうかがいを立てなければならなかった。ダンブルドアはご不満ではあったが、同意した」

「ご不満？　ブラックを捕まえるために配備されるのに、どこがご不満なんですか？」

「ダンブルドアはアズカバンの看守たちがお嫌いなんだ」

ウィーズリー氏の口調は重苦しかった。

「それを言うなら、私も嫌いだ……。しかしブラックのような魔法使いが相手では、いやな連中とも手を組まなければならんこともある」

「看守たちがハリーを救ってくれるなら――」

「そうしたら、私はもう一言もあの連中の悪口は言わんよ」

ウィーズリー氏がつかれた口調で言った。

「母さん、もう遅い。そろそろ休もうか……」

ハリーは椅子の動く音を聞いた。できるだけ音を立てずに、ハリーは急いでバーに続く廊下を進み、その場から姿を隠した。食堂のドアが開き、数秒後に足音がして、ウィーズリー夫妻が階段を上るのがわかった。

ネズミ栄養ドリンクの瓶は、午後にみんなが座ったテーブルの下に落ちていた。ハリーはウィーズリー夫妻の部屋のドアが閉まる音が聞こえるまで待った。それから瓶を持って引き返し、二階に戻った。

フレッドとジョージが踊り場の暗がりにうずくまり、声を殺して、息が苦しくなるほど笑っていた。パーシーがバッジを探して、ロンとの二人部屋をあちこちひっくり返す大騒ぎを聞いているようだ。

「俺たちが持ってるのさ」フレッドがハリーにささやいた。「バッジを改善してやったよ」

バッジには「首席」ではなく「石頭」と書いてあった。

ハリーは無理に笑ってみせ、ロンにネズミ栄養ドリンクを渡すと、自分の部屋に戻って鍵をかけ、ベッドに横たわった。

シリウス・ブラックは、僕をねらっていたのか。それで謎が解けた。ファッジは僕が無事だったのを見てホッとしたから甘かったんだ。僕にダイアゴン横丁にとどまるように約束させたのは、ここなら僕を見守る魔法使いがたくさんいるからだ。あした魔法省の車二台で全員を駅まで運ぶのは、汽車に乗るまでウィーズリー一家が僕の面倒を見ることができるようにするためなんだ。

隣の部屋から壁越しにどなり声が低く聞こえてきた。なぜか、ハリーはそれほど恐ろしいと感じていなかった。シリウス・ブラックはたった一つの呪いで十三人を殺したという。ウィーズリー氏も夫人も、ほんとうのことを知ったらハリーが恐怖でうろたえるだろうと思ったにちがいない。でも、ウィーズリー夫人の言うことにハリーも同感だった。この地上で一番安全な場所は、ダンブルドアのいる所だ。ダンブルドアはヴォルデモート卿《きょう》が恐れた唯一の人物だと、みんないつもそう言っているではないか？シリウス・ブラックがヴォルデモートの右腕なら、当然同じようにダンブルドアを恐れているのではないか？

それに、みんなが取りざたしているアズカバンの看守がいる。みんなその看守たちを死ぬほど怖がっている。学校の周りにぐるりとこの看守たちが配備されるなら、ブラックが学校内に入り込む可能性はほとんどないだろう。

いや、ハリーを一番悩ませたのは、そんなことではない。ホグズミードに行ける見込みがいまやゼロになってしまったことだ。ブラックが捕まるまでは、ハリーが城という安全地帯から出ないでほしいと、みんながそう思っている。それだけじゃない。危険が去るまで、みんながハリーのことを監視するだろう。

ハリーは真っ暗な天井に向かって顔をしかめた。僕が自分で自分の面倒を見られないとでも思っているの？　ヴォルデモート卿の手を三度も逃れた僕だ。そんなにやわじゃないよ……。

マグノリア・クレセント通りの、あの獣の影が、なぜかふっとハリーの心をよぎった。

『最悪の事態が来ると知ったとき、あなたはどうするか』……。

「僕は**絶対に**殺されたりしないぞ」

ハリーは声に出して言った。

「その意気だよ、坊や」

部屋の鏡が眠そうな声を出した。

第5章　吸魂鬼《ディメンター》

翌朝、亭主のトムが、いつものように歯の抜けた口でニッコリ笑いながら、紅茶を持ってハリーを起こしにきた。ハリーは着替えをすませ、むずかるヘドウィグをなだめすかしてかごに入れた。ちょうどその時、ドアがバーンと開いて、トレーナーを頭からかぶりながら、ロンがいらいら顔で入ってきた。

「一刻も早く汽車に乗ろう。ホグワーツに行ったら、せめて、パーシーと離れられるしな。パーシーのやつ、今度は、ペネロピー・クリアウォーターの写真に僕が紅茶をこぼしたって責めるんだ」

ロンがしかめっ面をした。

「ほら、パーシーの**ガールフレンド**。鼻の頭が赤くしみになったからって、写真の額に顔を隠しちまってさ……」

「話があるんだ」

ハリーはそう切り出したが、ちょうどフレッドとジョージがのぞき込んだので話がとぎれた。二人はロンがパーシーをカンカンに怒らせたことを誉めるために顔をのぞかせたのだ。

朝食をとりにみんなで下りていくと、ウィーズリー氏が眉根を寄せながら「日刊予言者新聞」の一面記事を読んでいた。ウィーズリー夫人はハーマイオニーとジニーに、自分が娘のころ作った「愛の妙薬」のことを話していた。三人ともクスクス笑ってばかりいた。

「何を言いかけたんだい？」ロンが着きながらロンが尋ねた。

「あとで」ちょうどパーシーが鼻息も荒く入ってきたので、ハリーは小声で答えた。

旅立ちのごたごた騒ぎで、ハリーはロンやハーマイオニーに話す機会を失った。「漏れ鍋」の狭い階段を、全員のトランクを汗だくで運び出して出口近くに積み上げたり、ヘドウィグやら、パーシーのコノハズクのヘルメスが入ったかごをそのまた上にのせたりと、なんやかやでそれどころではなかったのだ。山と積まれたトランクの脇に、小さな柳編みのかごが置かれ、シャーッシャーッと激しい音を出していた。

「大丈夫よ、クルックシャンクス」

ハーマイオニーがかごの外から猫なで声で呼びかけた。

「汽車に乗ったら出してあげるからね」

「出してあげない」

ロンがピシャリと言った。

「かわいそうなスキャバーズはどうなる？　エ？」

ロンは自分の胸ポケットを指差した。ぽっこりと盛り上がっている。スキャバーズが中で丸くなって縮こまっているらしい。

外で魔法省からの車を待っていたウィーズリー氏が、食堂に首を突き出した。

「車が来たよ。ハリー、おいで」

旧型の深緑色の車が二台停車していた。その先頭の車までのわずかな距離を、ウィーズリー氏はハリーに付き添って歩いた。二台とも、エメラルド色のビロードのスーツを着込んだ、どこか秘密のにおいのする魔法使いが運転していた。

「ハリー、さあ、中へ」

ウィーズリー氏が雑踏の右から左まですばやく目を走らせながらうながした。

ハリーは後ろの座席に座った。まもなくハーマイオニーとロンが乗り込み、そして、ロンにとってはむかつくパーシーも乗り込んだ。

キングズ・クロス駅までの移動は、ハリーの夜の騎士《ナイト》バスの旅に比べれば、あっけないものだった。魔法省の車はほとんどあたりまえの車と言ってもよかった。ただ、バーノンおじさんの新しい社用車なら絶対に通り抜けられないような狭いすきまをすり抜けられることにハリーは気づいた。キングズ・クロス駅に着いたときは、まだ二十分の余裕があった。魔法省の運転手が、カートを探してきて、トランクを車から降ろし、帽子にちょっと手をやってウィーズリー氏に向かって挨拶した。走り去った車は、なぜか信号待ちをしている車の列を飛び越して、一番前につけていた。

ウィーズリー氏は駅に入るまでずっと、ハリーのひじのあたりにぴったり張りついていた。

「よし、それじゃ」

ウィーズリー氏が周りをちらちら見ながら言った。

「我々は大所帯だから、二人ずつ行こう。私が最初にハリーと一緒に通り抜けるよ」

ウィーズリー氏は、ハリーのカートを押しながら、九番線と十番線の間にある壁のほうへぶらぶらと歩きながら、ちょうど九番線に到着した長距離列車のインターシティ一二五号に、興味津々のようだった。おじさんはハリーに意味ありげに目配せをし、なにげなく壁に寄りかかった。ハリーもまねをした。

次の瞬間、ハリーたちは硬い金属の障壁を通り抜け、九と四分の三番線ホームに横ざまに倒れ込んだ。目を上げると、紅色の機関車、ホグワーツ特急が煙を吐いていた。その煙の下で、ホームいっぱいにあふれた魔女や魔法使いが、子供たちを見送り、汽車に乗せていた。

ハリーの背後に突然パーシーとジニーが現れた。息を切らしている。走って壁を通り抜けたらしい。

「あ、ペネロピーがいる！」

パーシーは髪をなでつけ、一段とほおを紅潮させた。

胸に輝くバッジを、波打つ長い髪のガールフレンドが絶対見逃さないようにと、ふんぞり返って歩くパーシーを見て、ジニーとハリーは顔を見合わせ、パーシーに見られないよう横を向いて噴き出した。

ウィーズリー家の残る全員とハーマイオニーが到着したところで、ハリーとウィーズリー氏が先に立って後尾車両のほうに歩いた。満員の車両を通り過ぎ、ほとんど誰もいない車両を見つけてそこにトランクを積み込み、ヘドウィグとクルックシャンクスを荷物棚にのせた。そしてウィーズリー夫妻に別れを告げるために、もう一度列車の外に出た。

ウィーズリー夫人は子供たち全員にキスをし、それからハーマイオニー、最後にハリーにキスをした。ハリーはどぎまぎしながらも、おばさんにことさらギュッと抱きしめられてとてもうれしかった。

「ハリー、むちゃしないでね。いいこと？」

おばさんはハリーを離したが、なぜか目がうるんでいた。それから巨大な手さげ鞄《かばん》を取り出した。

「みんなにサンドイッチを作ってきたわ。はい、ロン……いいえ、ちがいますよ。コンビーフじゃありません。……フレッド？　フレッドはどこ？　はい、あなたのですよ……」

「ハリー」

ウィーズリー氏がそっと呼んだ。

「ちょっとこっちへおいで」

おじさんはあごで柱のほうを示した。ウィーズリー夫人を囲む群れを抜け出し、ハリーはウィーズリー氏について柱の陰に入った。

「君が出発する前に、どうしても言っておかなければならないことがある――」

ウィーズリー氏の声は緊張していた。

「おじさん、いいんです。僕、もう知っています」

「知っている？　どうしてまた？」

「僕――あの――おじさんとおばさんがきのうの夜、話しているのを聞いてしまったんです。僕、聞こえてしまったんです」

それからハリーはあわててつけ加えた。

「ごめんなさい――」

「できることなら君にそんな知らせ方をしたくはなかった」

ウィーズリー氏は気づかわしげに言った。

「いいえ――これでよかったんです。ほんとうに。これで、おじさんはファッジ大臣との約束を破らずにすむし、僕は何が起こっているのかがわかったんですから」

「ハリー、きっと怖いだろうね――」

「怖くありません」

ハリーは心からそう答えた。ウィーズリー氏が信じられないという顔をしたので、「**ほんとうです**」とつけ加えた。

「僕、強がってるんじゃありません。でも、まじめに考えて、シリウス・ブラックがヴォルデモートより手ごわいなんてこと、ありえないでしょう？」

ウィーズリー氏はその名を聞いただけでひるんだが、聞かなかったふりをした。

「ハリー、君は、ファッジが考えているより、なんと言うか、ずっと肝がすわっている。そのことは私も知っていた。君が怖がっていないのは、私としてももちろんうれしい。しかしだ――」

「アーサー！」

ウィーズリー夫人が呼んだ。おばさんは羊飼いが群れを追うように、みんなを汽車に追い込んでいた。

「アーサー、何してらっしゃるの？　もう出てしまいますよ！」

「モリー母さん、ハリーはいま行くよ！」

そう言いながら、ウィーズリー氏はもう一度ハリーのほうに向きなおり、声をいっそう低くして、急《せ》き込んでこう言った。

「いいかね、約束してくれ」

「――僕がおとなしくしてくれ――」

「――僕がおとなしくして城の外に出ないってことですか？」ハリーは憂鬱だった。

「それだけじゃない」

おじさんはこれまでハリーが見たことがないような真剣な顔をしていた。

「ハリー、私に誓ってくれ。ブラックを**探したり**しないって」

「えっ？」ハリーはウィーズリー氏を見つめた。

汽笛がポーッと大きく鳴り響いた。駅員たちが汽車のドアを次々と閉めはじめた。

「ハリー、約束してくれ」ウィーズリー氏はますます急き込んだ。「どんなことがあっても――」

「僕を殺そうとしている人を、なんで僕のほうから探したりするんです？」ハリーはキョトンとして言った。

「誓ってくれ。君が何を聞こうと――」

「アーサー、早く！」ウィーズリー夫人が叫んだ。

汽車はシューッと煙を吐き、動きだした。ハリーはドアまで走った。ロンがドアをパッと開け、一歩下がってハリーを乗せた。みんなが窓から身を乗り出し、汽車がカーブして二人の姿が見えなくなるまでウィーズリー夫妻に手を振り続けた。

「君たちだけに話したいことがあるんだ」汽車がスピードを上げはじめたとき、ハリーはロンとハーマイオニーに向かってささやいた。

「ジニー、どっかに行ってて」ロンが言った。

「あら、ご挨拶ね」ジニーは機嫌をそこね、プリプリしながら離れていった。

ハリー、ロン、ハーマイオニーは誰もいないコンパートメントを探して通路を歩いた。どこもいっぱいだったが、最後尾にただ一つ空いた所があった。

客が一人いるだけだった。男が一人、窓側の席でぐっすり眠っている。三人はコンパートメントの入口で中を確かめた。ホグワーツ特急はいつも生徒のために貸し切りになっていて、食べ物をワゴンで売りにくる魔女以外は、車中で大人を見たことがなかった。

見知らぬ客は、あちこち継ぎの当たった、かなりみすぼらしいローブを着ていた。つかれはてて、病んでいるようにも見えた。まだかなり若いのに、鳶《とび》色の髪は白髪まじりだ。

「この人、誰だと思う？」

窓から一番遠い席を取り、引き戸を閉め、三人が腰を落ち着けたとき、ロンが声をひそめて聞いた。

「ルーピン先生」ハーマイオニーがすぐに答えた。

「どうして知ってるんだ？」

「鞄に書いてあるわ」

ハーマイオニーは男の頭の上にある荷物棚を指差した。くたびれた小ぶりの鞄は、きちんとつなぎ合わせたひもでぐるぐる巻きになっていた。鞄の片隅に、**R・J・ルーピン教授**と、はがれかけた文字が押してある。

「いったい何を教えるんだろ？」

ルーピン先生の青白い横顔を見て、顔をしかめながらロンが言った。

「決まってるじゃない」

ハーマイオニーが小声で言った。

「空いているのは一つしかないでしょ？　『闇の魔術に対する防衛術』よ」

ハリーも、ロンも、ハーマイオニーも、「闇の魔術に対する防衛術」の授業を二人の先生から受けたが、二人とも一年しかもたなかった。この学科は呪われているといううわさがたっていた。

「ま、この人がちゃんと教えられるならいいけどね」

ロンはダメだろうという口調だ。

「強力な呪いをかけられたら一発で参っちまうように見えないか？　ところで……」

ロンはハリーのほうを向いた。

「なんの話なんだい？」

ハリーはウィーズリー夫妻の言い合いのことや、いましがたウィーズリー氏が警告したことを全部二人に話した。聞き終わると、ロンは愕然《がくぜん》としていたし、ハーマイオニーは両手で口を覆っていた。やがてハーマイオニーは手を離し、こう言った。

「シリウス・ブラックが脱獄したのは、**あなたを**ねらうためですって？　あぁ、ハリー……ほんとに、ほんとに気をつけなきゃ。自分からわざわざトラブルに飛び込んでいったりしないでね。ね、ハリー……」

「僕、自分から飛び込んでいったりするもんか」

ハリーはじれったそうに言った。

「いつも**トラブルのほうが**飛び込んでくるんだ」

「ハリーを殺そうとしてる狂人だぜ。自分からのこのこ会いにいくバカがいるかい?」ロンは震えていた。

二人とも、ハリーが考えた以上に強い反応を示した。ロンもハーマイオニーも、ブラックのことをハリーよりずっと恐れているようだった。

「ブラックがどうやってアズカバンから逃げたのか、誰にもわからない。これまで脱獄した者は一人もいない。しかもブラックは一番厳しい監視を受けていたんだ」

ロンは落ち着かない様子で話した。

「だけど、また捕まるでしょう?」

ハーマイオニーが力を込めて言った。

「だって、マグルまで総動員してブラックを追跡してるじゃない……」

「なんの音だろう?」突然ロンが言った。

小さく口笛を吹くような音が、かすかにどこからか聞こえてくる。三人はコンパートメントを見回した。

「ハリー、君のトランクからだ」

ロンは立ち上がって荷物棚に手を伸ばし、やがてハリーのローブの間から携帯用「かくれん防止器」を引っ張り出した。ロンの手のひらの上でそれは激しく回転し、まぶしいほどに輝いていた。

「それ、**スニーコスコープ?**」

ハーマイオニーが興味津々で、もっとよく見ようと立ち上がった。

「ウン……だけど、安モンだよ」ロンが言った。「エロールの脚にハリーへの手紙をくくりつけようとしたら、メッチャ回ったもの」

「そのとき何か怪しげなことをしてなかった?」ハーマイオニーが突っ込んだ。

「してない! でも……エロールを使っちゃいけなかったんだ。じいさん、長旅には向かないしね……

だけど、ハリーにプレゼントを届けるのに、ほかにどうすりゃよかったんだい？」

「早くトランクに戻して」

スニーコスコープが耳をつんざくような音を出したので、ハリーがルーピン先生のほうをあごで指しながら注意した。

「じゃないと、この人が目を覚ますよ」

ロンはスニーコスコープをバーノンおじさんのとびきりオンボロ靴下の中に押し込んで音を殺し、その上からトランクのふたを閉めた。

「ホグズミードで調べてもらえるかもしれない」

ロンが席に座りなおしながら言った。

「『ダービシュ・アンド・バングズ』の店で、魔法の機械とかいろいろ売ってるって、フレッドとジョージが教えてくれた」

「ホグズミードのこと、よく知ってるの？」ハーマイオニーが意気込んだ。

「イギリスで唯一の、完全にマグルなしの村だって本で読んだけど――」

「ああ、そうだと思うよ」ロンはそんなことには関心がなさそうだ。

「僕、だからそこに行きたいってわけじゃないよ。『ハニーデュークス』の店に行ってみたいだけさ！」

「それって、何？」ハーマイオニーが聞いた。

「お菓子屋さ」ロンはうっとり夢見る顔になった。

「**なーんでも**あるんだ……激辛ペッパー――食べると、口から煙が出るんだ――それにイチゴムースやクリームがいっぱい詰まってる大粒のふっくらチョコボール――それから砂糖羽根ペン――授業中にこれをなめていたって、次に何を書こうか考えているみたいに見えるんだ――」

「でも、ホグズミードってとってもおもしろい所なんでしょう？」

ハーマイオニーがしつこく聞いた。

『魔法の史跡』を読むと、そこの旅籠《はたご》は一六一二年の小鬼《ゴブリン》の反乱で本部になった所だし、『叫びの屋敷』はイギリスで一番恐ろしい呪われた幽霊屋敷だって書いてあるし――」

「――それにおっきな炭酸入りキャンディ。なめてる間、地上から数センチ浮き上がるんだ」

ロンはハーマイオニーの言ったことを全然聞いてはいなかった。

ハーマイオニーはハリーのほうに向きなおった。

「ちょっと学校を離れて、ホグズミードを探検するのもすてきじゃない？」

「だろうね」ハリーは沈んだ声で言った。「見てきたら、僕に教えてくれなきゃ」

「どういうこと？」ロンが聞いた。

「僕、行けないんだ。ダーズリーおじさんが許可証にサインしなかったし、ファッジ大臣もサインしてくれないんだ」

ロンがとんでもないという顔をした。

「**許可してもらえないって？** そんな――そりゃないぜ――マクゴナガルか誰かが許可してくれるよ――」

ハリーは力なく笑った。グリフィンドールの寮監、マクゴナガル先生はとても厳しい先生だ。

「――じゃなきゃ、フレッドとジョージに聞けばいい。あの二人なら、城から抜け出す秘密の道を全部知ってる――」

「ロン！」ハーマイオニーの厳しい声が飛んだ。

「ブラックが捕まってないのに、ハリーは学校からこっそり抜け出すべきじゃないわ――」

「ああ、僕が許可してくださいってお願いしたら、マクゴナガル先生はきっとそうおっしゃるだろうな」ハリーが残念そうに言った。

「だけど、**僕たちが**ハリーと一緒にいれば、ブラックはまさか――」

ロンがハーマイオニーに向かって威勢よく言った。

「まあ、ロン、ばかなこと言わないで」ハーマイオニーは手厳しい。「ブラックは雑踏のど真ん中であんなに大勢を殺したのよ。**私たちが**ハリーのそばにいれば、ブラックが尻込みすると、本気でそう思ってるの？」

ハーマイオニーはクルックシャンクスの入ったかごのひもを解こうとしていた。

「そいつを出したらダメ！」

ロンが叫んだが、遅かった。クルックシャンクスがひらりとかごから飛び出し、伸びに続いてあくびをしたと思うと、ロンのひざに飛び乗った。ロンのポケットのふくらみがブルブル震えた。ロンは怒ってクルックシャンクスを払いのけた。

「どけよ！」

「ロン、やめて！」

ハーマイオニーが怒った。

ロンが言い返そうとしたその時、ルーピン先生がもぞもぞ動いた。三人ともぎくりとして先生を見たが、先生は頭を反対側に向けただけで、わずかに口を開けて眠り続けた。

ホグワーツ特急は順調に北へと走り、外には雲がだんだん厚く垂れ込め、車窓には一段と暗く荒々しい風景が広がっていった。コンパートメントの外側の通路では生徒が追いかけっこをして往《い》ったり来たりしていた。クルックシャンクスは空いている席に落ち着き、ペチャンコの顔をロンに向け、黄色い目をロンのシャツのポケットに向けていた。

一時になると、丸っこい魔女が食べ物を積んだカートを押して、コンパートメントのドアの前にやってきた。

「この人を起こすべきかなぁ?」

ルーピン先生のほうをあごで指し、ロンが戸惑いながら言った。

「何か食べたほうがいいみたいに見えるけど」

ハーマイオニーがそっとルーピン先生のそばに行った。

「あの——先生? もしもし——先生?」

先生は身じろぎもしない。

「大丈夫よ、嬢ちゃん」

魔女の大鍋スポンジケーキをひと山ハリーに渡しながら、魔女が言った。

「目を覚ましたときにお腹《なか》がすいてるようなら、わたしは一番前の運転士の所にいますからね」

「この人、眠ってるんだよね?」

魔女のおばさんがコンパートメントの引き戸を閉めたとき、ロンがこっそり言った。

「つまり……死んでないよね。ね?」

「ない、ない。息をしてるわ」

ハリーがよこしたケーキを取りながら、ハーマイオニーがささやいた。

ルーピン先生はつき合いのよい道連れではなかったかもしれないが、コンパートメントにいてくれたことで役に立った。昼下がりになって、車窓から見える丘陵風景がかすむほどの雨が降り出したとき、通路でまた足音がした。ドアを開けたのは、三人が一番毛嫌いしている連中だった。ドラコ・マルフォイと、その両脇を固める腰巾着のビンセント・クラッブ、グレゴリー・ゴイルだ。

ドラコ・マルフォイとハリーは、ホグワーツ行き特急での最初の旅で出会ったときからの敵同士だ。あごのとがった青白い顔にいつもせせら笑いを浮かべているマルフォイは、スリザリン寮生だった。スリザリン寮代表のクィディッチ・チームではシーカーで、ハリーのグリフィンドール寮チームでのポジションと同じだ。クラッブとゴイルは、マルフォイの命令に従うために存在するかのような二人だった。両方とも筋骨隆々の肩幅がっちり体型で、クラッブのほうが背が高く、お椀《わん》カットのヘアスタイルで太い首。ゴイルはたわしのような短く刈り込んだ髪で、ゴリラのような長い腕をぶら下げていた。

「へえ、誰かと思えば」

コンパートメントのドアを開けながら、マルフォイはいつもの気取った口調で言った。

「ポッター、ポッティーのいかれポンチと、ウィーズリー、ウィーゼルのコソコソ君じゃあないか？」

クラッブとゴイルはトロール並みのアホ笑いをした。

「ウィーズリー、君の父親がこの夏やっと小金を手にしたって聞いたよ。母親がショックで死ななかったかい？」

ロンが出し抜けに立ち上がった拍子に、クルックシャンクスのかごを床にたたき落としてしまった。ルーピン先生がいびきをかいた。

「そいつは誰だ？」

ルーピンを見つけたとたん、マルフォイが無意識に一歩引いた。

「新しい先生だ」

ハリーは、そう答えながら、もしかしたらロンを引き止めなければならないかもしれないと、自分も立ち上がっていた。

「マルフォイ、いま、なんて言ったんだ？」

マルフォイは薄青い目を細めた。先生の鼻先でけんかを吹っかけるほどばかではない。

「いくぞ」マルフォイは苦々しげにクラッブとゴイルに声をかけ、姿を消した。

ハリーとロンはまた座った。ロンは拳をさすっていた。

「今年はマルフォイにごちゃごちゃ言わせないぞ」ロンは熱くなっていた。「本気だ。僕の家族の悪口を一言でも言ってみろ。首根っこをつかまえて、こうやって――」

ロンは空を切るように乱暴な動作をした。

「ロン」ハーマイオニーがルーピン先生を指差して「シッ」と言った。

「**気をつけてよ……**」

ルーピン先生はそれでもぐっすり眠り続けていた。

汽車がさらに北へ進むと、雨も激しさを増した。窓の外は雨足がかすかに光るだけの灰色一色で、その色も墨色に変わり、やがて通路と荷物棚にポッとランプがともった。汽車はガタゴト揺れ、雨は激しく窓を打ち、風は唸《うな》りを上げた。それでもルーピン先生は眠っている。

「もう着くころだ」

ロンが身を乗り出し、ルーピン先生の体越しに、もう真っ暗になっている窓の外を見た。

ロンの言葉が終わるか終わらないうちに、汽車が速度を落としはじめた。

「調子いいぞ」

ロンは立ち上がり、そっとルーピン先生の脇をすり抜けて窓から外を見ようとした。

「腹ペコだ。宴会が待ち遠しい……」

「まだ着かないはずよ」ハーマイオニーが時計を見ながら言った。

「じゃ、なんで止まるんだ？」

汽車はますます速度を落とした。ピストンの音が弱くなり、窓を打つ雨風の音がいっそう激しく聞こえた。

一番ドアに近い所にいたハリーが立ち上がって、通路の様子をうかがった。同じ車両のどのコンパートメントからも、不思議そうな顔が突き出ていた。

汽車がガクンと停まった。どこか遠くのほうから、ドサリ、ドシンと、荷物棚からトランクが落ちる音が聞こえてきた。そして、なんの前触れもなく、明かりがいっせいに消え、あたりが急に真っ暗闇になった。

「いったい何が起こったんだ？」

ハリーの後ろでロンの声がした。

「イタッ！」ハーマイオニーがうめいた。「ロン、いまの、私の足だったのよ！」

ハリーは手探りで自分の席に戻った。

「故障しちゃったのかな？」

「さぁ……」

引っかくような音がして、ハリーの目にロンの輪郭がぼんやりと見えた。ロンは窓ガラスの曇りを丸くふき、外をのぞいていた。

「なんだかあっちで動いてる。誰か乗り込んでくるみたいだ」ロンが言った。

コンパートメントのドアが急に開き、誰かがハリーの脚の上に倒れ込んできて、ハリーは痛い思いをした。

「ごめんね！　何がどうなったかわかる？　アイタッ！　ごめんね――」

「やあ、ネビル」ハリーは闇の中を手探りでネビルのマントをつかみ、助け起こした。

「ハリー？　君なの？　どうなってるの？」

「わからない。座って――」

シャーッと大きな鳴き声、続いて痛そうなネビルの叫び声が聞こえた。ネビルがクルックシャンクスの上に座ろうとしたのだ。

「私、運転士の所に行って、何事なのか聞いてくるわ」ハーマイオニーの声だ。

ハリーはハーマイオニーが前を通り過ぎる気配を感じた。それからドアを開ける音、続いてドシンという音と、痛そうな叫び声が二人分聞こえた。

「だあれ？」

「**そっちこそ**だあれ？」

「ジニーなの？」

「ハーマイオニー？」

「何してるの？」

「ロンを探してるの――」

「入って、ここに座れよ――」

「ここじゃないよ！」ハリーがあわてて言った。「ここには僕がいるんだ！」

「アイタッ！」ネビルだ。

「静かに！」突然しわがれ声がした。

ルーピン先生がついに目を覚ましたらしい。先生のいる奥のほうで、何か動く音をハリーは聞いた。

みんながだまった。

やわらかなカチリという音のあとに、灯《あか》りが揺らめき、コンパートメントを照らした。ルーピン先生は手のひらいっぱいに炎を持っているようだった。炎が先生のつかれたような灰色の顔を照らした。目だけが油断なく、鋭く警戒していた。

「動かないで」

さっきと同じしわがれ声でそう言うと、先生は手のひらの灯りを前に突き出してゆっくりと立ち上がった。

先生がドアにたどり着く前に、ドアがゆっくりと開いた。

ルーピン先生が手にした揺らめく炎に照らし出され、入口に立っていたのは、マントを着た、天井までも届きそうな黒い影だった。顔はすっぽりと頭巾で覆われている。ハリーは上から下へとその影に目を走らせた。そして、胃が縮むようなものを見てしまった。マントから突き出ている手。灰白色に冷たく光り、穢《けが》らわしいかさぶたに覆われ、水中で腐敗した死骸のような手……。

ほんの一瞬しか見えなかった。まるでその生き物がハリーの視線に気づいたかのように、その手は黒い覆いのひだの中へ突如引っ込められた。

それから頭巾に覆われた得体の知れない何者かは、ガラガラと音を立てながらゆっくりと長く息を吸い込んだ。まるでその周囲から、空気以外の何かを吸い込もうとしているかのようだった。

ぞっとするような冷気が全員を襲った。ハリーは自分の息が胸の途中でつっかえたような気がした。寒気がハリーの皮膚の下深くもぐり込んでいった。ハリーの胸の中へ、そしてハリーの心臓そのものへと……。

ハリーの目玉がひっくり返った。何も見えない。ハリーは冷気におぼれていった。耳の中に、まるで水が流れ込むような音がした。下へ下へと引き込まれていく。唸りがだんだん大きくなる……。

すると、どこか遠くから叫び声が聞こえた。ぞっとするようなおびえた叫び、哀願の叫びだ。誰か知らないその人を、ハリーは助けたかった。腕を動かそうとしたが、どうにもならない……。濃い霧がハリーの周りに、ハリーの体の中に渦巻いている――。

「ハリー！　ハリー！　しっかりして」

誰かがハリーのほおをたたいている。

「ウ、うーん？」

ハリーは目を開けた。体の上にランプがあった。床が揺れている――ホグワーツ特急が再び動きだし、車内はまた明るくなっていた。ハリーは座席から床にすべり落ちたらしい。ロンとハーマイオニーが脇にかがみ込んでいた。その上からネビルとルーピン先生がのぞき込んでいるのが見える。とても気分が悪かった。鼻のめがねを押し上げようと手を当てると、顔に冷や汗が流れていた。

ロンとハーマイオニーがハリーを抱えて席に戻した。

「大丈夫かい？」ロンがこわごわ聞いた。

「ああ」

ハリーはドアのほうをちらっと見た。頭巾の生き物は消えていた。

「何が起こったの？　どこに行ったんだ――あいつは？　誰が叫んだの？」

「誰も叫びやしないよ」ますます心配そうにロンが答えた。

ハリーは明るくなったコンパートメントをぐるりと見た。ジニーとネビルが、二人とも真っ青な顔でハリーを見返していた。

「でも、僕、叫び声を聞いたんだ――」

パキッという大きな音で、みんな飛び上がった。ルーピン先生が巨大な板チョコを割っていた。

「さあ」

先生がハリーに特別大きいひとかけを渡しながら言った。

「食べるといい。気分がよくなるから」

ハリーは受け取ったが食べなかった。

「あれはなんだったのですか？」

ハリーがルーピン先生に聞いた。

「ディメンター、吸魂鬼《きゅうこんき》だ」

ほかのみんなにもチョコレートを配りながら、ルーピン先生が答えた。

「アズカバンの吸魂鬼の一人だ」

みないっせいに先生を見つめた。ルーピン先生はからになったチョコレートの包み紙をくしゃくしゃ丸めてポケットに入れた。

「食べなさい」先生がくり返した。「元気になる。私は運転士と話してこなければ。失礼……」

先生はハリーの脇をゆらりと通り過ぎ、通路へと消えた。

「ハリー、ほんとに大丈夫？」ハーマイオニーが心配そうにハリーをじっと見た。

「僕、わけがわからない……何があったの？」ハリーはまだ流れている額の汗をぬぐった。

「ええ──あれが──あの吸魂鬼が──あそこに立って、ぐるりっと見回したの……っていうか、そう思っただけ。だって顔が見えなかったんだもの……そしたら──あなたが──あなたが──」

「僕、君が引き付けか何か起こしたのかと思った」

ロンが言った。まだ恐ろしさが消えない顔だった。

「君、なんだか硬直して、座席から落ちて、ヒクヒクしはじめたんだ──」

「そしたら、ルーピン先生があなたをまたいで吸魂鬼のほうに歩いていって、杖《つえ》を取り出したの」

ハーマイオニーが続けた。

「そしてこう言ったわ。『シリウス・ブラックをマントの下にかくまっている者は誰もいない。去れ』って。でも、あいつは動かなかった。そしたら先生が何かブツブツ唱えて、吸魂鬼に向かって何か銀色のものが杖から飛び出して。そしたら、あいつは背を向けてスーッといなくなったの……」

「怖かったよぉ」ネビルの声がいつもより上ずっていた。「あいつが入ってきたときどんなに寒かったか、みんな感じたよね？」

「僕、妙な気持ちになった」ロンが落ち着かない様子で肩を揺すった。「もう一生楽しい気分になれないんじゃないかって……」

ジニーはハリーと同じくらい気分が悪そうで、隅のほうでひざを抱え、小声ですすりあげた。ハーマイオニーがそばに行って、なぐさめるようにジニーを抱いた。

「だけど、誰か――座席から落ちた？」ハリーが気まずそうに聞いた。

「ううん」ロンがまた心配そうにハリーを見た。「ジニーがめちゃくちゃ震えてたけど……」

ハリーにはなんだかわからなかった。ひどい流感の病み上がりのように、弱り、震えていた。しかも恥ずかしくなってきた。ほかのみんなは大丈夫だったのに、なぜ自分だけがこんなにひどいことになったのだろう？

ルーピン先生が戻ってきた。入ってくるなり、先生はちょっと立ち止まり、みんなを見回して、ふっと笑った。

「おやおや、チョコレートに毒なんか入れてないよ……」

ハリーはひと口かじった。驚いたことに、たちまち手足の先まで一気に暖かさが広がった。

「あと十分でホグワーツに着く。ハリー、大丈夫かい？」ルーピン先生が言った。

なぜ自分の名前を知っているのか、ハリーは聞かなかった。

「はい」バツが悪くて、ハリーはつぶやくように答えた。

到着まで、みんな口数が少なかった。汽車はホグズミード駅で停車し、みんなが下車するのがひと騒動だった。ふくろうがホーホー、猫はニャーニャー、ネビルのペットのヒキガエルは帽子の下でゲロゲロ鳴いた。狭いプラットホームは凍るような冷たさで、氷のような雨がたたきつけていた。

「イッチ（一）年生はこっちだ！」

なつかしい声が聞こえた。ハリー、ロン、ハーマイオニーが振り向くと、プラットホームのむこう端に、ハグリッドの巨大な姿の輪郭が見えた。びくびくの新入生を、例年のように湖を渡る旅に連れていくために、ハグリッドが手招きしている。

「三人とも元気かー？」

ハグリッドが群れの頭越しに大声で呼びかけた。三人ともハグリッドに手を振ったが、話しかける機会がなかった。周りの人波が、三人をホームからそれる方向へと押し流していた。三人ともその流れについていき、デコボコのぬかるんだ馬車道に出た。そこに、ざっと百台の馬車が生徒たちを待ち受けていた。馬車は透明の馬に引かれている、と、ハリーはそう思うしかなかった。何しろ、馬車に乗り込んで扉を閉めると、ひとりでに馬車が走り出し、ガタゴトと揺れながら隊列を組んで進んでいくのだ。

馬車はかすかにかびと藁《わら》のにおいがした。チョコレートを食べてから、気分がよくなってはいたが、ハリーはまだ体に力が入らなかった。ロンとハーマイオニーは、ハリーがまた気絶することを恐れているかのように、横目でしょっちゅうハリーを見ていた。

馬車は壮大な錬鉄の門をゆるゆると走り抜けた。門の両脇に石柱があり、そのてっぺんに羽を生やしたイノシシの像が立っている。頭巾をかぶった、そびえ立つような吸魂鬼がここにも二人、門の両脇を警護しているのをハリーは見た。またしても冷たい吐き気に襲われそうになり、ハリーはボコボコした座席のクッションに深々と寄りかかり、門を通過し終わるまで目を閉じていた。城に向かう長い上り坂で、馬車はさらに速度を上げていった。ハーマイオニーは小窓から身を乗り出し、城の尖塔《せんとう》や大小の塔がだんだん近づいてくるのを眺めていた。ついに、ひと揺れして馬車が止まった。ハーマイオニーとロンが降りた。

ハリーが降りるとき、気取った、いかにもうれしそうな声が聞こえてきた。

「ポッター、**気絶した**んだって？　ロングボトムはほんとうのことを言ってるのかな？　ほんとうに**気絶なんか**したのかい？」

マルフォイはひじでハーマイオニーを押しのけ、ハリーと城への石段との間に立ちはだかった。喜びに顔を輝かせ、薄青い目が意地悪に光っている。

「失《う》せろ、マルフォイ」

ロンは歯を食いしばっていた。

「ウィーズリー、君も気絶したのか？」マルフォイは大声で言った。「あのこわーい吸魂鬼で、ウィーズリー、君も縮み上がったのかい？」

「どうしたんだい？」

おだやかな声がした。ルーピン先生が次の馬車から降りてきたところだった。

マルフォイは横柄な目つきでルーピン先生をじろじろ見た。その目でローブの継ぎはぎや、ぼろぼろの鞄を眺め回した。

「いいえ、何も——えーと——**せんせい**」

マルフォイの声にかすかに皮肉が込められていた。クラッブとゴイルに向かってニンマリ笑い、マルフォイは二人を引き連れて城への石段を上った。

ハーマイオニーがロンの背中をつついて急がせた。生徒の群がる石段を、三人は群れにまじって上がり、正面玄関の巨大な樫《かし》の扉を通り、広々とした玄関ホールに入った。そこは松明《たいまつ》で明々と照らされ、上階に通ずる壮大な大理石の階段があった。

右のほうに大広間への扉が開いていた。ハリーは群れの流れについて中に入った。大広間の天井は魔法で今日の夜空と同じ雲の多い真っ暗な空に変えられていたが、それを一目見る間もなく、誰かに名前を呼ばれた。

「ポッター！　グレンジャー！　二人とも私《わたくし》の所においでなさい！」

二人が驚いて振り向くと、変身術の先生でグリフィンドールの寮監、マクゴナガル先生が、生徒たちの頭越しにむこうのほうから呼んでいた。厳格な顔をした先生で、髪をきっちりと髷《まげ》に結い、四角い縁のめがねの奥に鋭い目があった。人混みをかき分けて先生のほうに歩きながら、ハリーは不吉な予感がした。マクゴナガル先生はなぜか、自分が悪いことをしたにちがいないという気持ちにさせる。

「そんな心配そうな顔をしなくてよろしい――ちょっと私の事務室で話があるだけです」

先生は二人にそう言った。

「ウィーズリー、あなたはみんなと行きなさい」

マクゴナガル先生がハリーとハーマイオニーを引き連れてにぎやかな生徒の群れから離れていくのを、ロンはじっと見つめていた。二人は先生について、玄関ホールを横切り、大理石の階段を上がって廊下を歩いた。

事務室に着くと、先生は二人に座るよう合図した。小さな部屋には、心地よい暖炉の火が勢いよく燃えていた。先生は事務机のむこう側に座り、唐突に切り出した。

「ルーピン先生が前もってふくろう便をくださいました。ポッター、汽車の中で気分が悪くなったそうですね」

ハリーが答える前に、ドアを軽くノックする音がした。校医のマダム・ポンフリーが気ぜわしく入ってきた。

ハリーは顔が熱くなるのを感じた。気絶したのかなんだったのかは別にして、それだけで充分恥ずかしいのに、みんなが大騒ぎするなんて。

「僕、大丈夫です。なんにもする必要がありません」ハリーが言った。

「おや、またあなたなの？」

マダム・ポンフリーはハリーの言葉を無視し、かがみ込んでハリーの顔を近々と見つめた。

「さしずめ、また何か危険なことをしたのでしょう？」

「ポピー、吸魂鬼なのよ」マクゴナガル先生が言った。

二人は暗い表情で目を見交わした。マダム・ポンフリーは不満そうな声を出した。

「吸魂鬼を学校の周りに放つなんて」

マダム・ポンフリーはハリーの前髪をかき上げて額の熱をはかりながらつぶやいた。

「倒れるのはこの子だけではないでしょうよ。そう、この子はすっかり冷えきってます。恐ろしい連中ですよ、あいつらは。もともと繊細な者に連中がどんな影響をおよぼすことか――」

「僕、繊細じゃありません！」ハリーは反発した。

「ええ、そうじゃありませんとも」

マダム・ポンフリーは、今度はハリーの脈を取りながら、上の空で答えた。

「この子にはどんな処置が必要ですか？」マクゴナガル先生がきびきびと聞いた。「絶対安静ですか？　今夜は医務室に泊めたほうがよいのでは？」

「僕、**大丈夫です！**」

ハリーははじけるように立ち上がった。医務室に入院させられたとなればドラコ・マルフォイに何を言われるか、考えただけで苦痛だった。

「そうね、少なくともチョコレートは食べさせないと」

今度はハリーの目をのぞき込もうとしながら、マダム・ポンフリーが言った。

「もう食べました。ルーピン先生がくださいました。みんなにくださったんです」

ハリーが言った。

「そう。ほんとうに？」

マダム・ポンフリーは満足げだった。

「それじゃ、『闇の魔術に対する防衛術』の先生がやっと見つかったということね。治療法を知っている先生が」

「ポッター、ほんとうに大丈夫なのですね？」マクゴナガル先生が念を押した。

「**はい**」ハリーが答えた。

「いいでしょう。ミス・グレンジャーとちょっと時間割の話をする間、外で待っていらっしゃい。それから一緒に宴会に参りましょう」

ハリーはマダム・ポンフリーと一緒に廊下に出た。マダム・ポンフリーはまだブツブツひとり言を言いながら医務室に戻っていった。ほんの数分待っただけで、ハーマイオニーがなんだかひどくうれしそうな顔をして現れた。そのあとからマクゴナガル先生が出てきた。三人でさっき上ってきた大理石の階段を下り、大広間に戻った。

とんがり三角帽子がずらりと並んでいた。寮の長テーブルにはそれぞれの寮生が座り、テーブルの上に浮いている何千本というろうそくの灯りに照らされて、みんなの顔がチラチラ輝いていた。くしゃくしゃな白髪の小さな魔法使い、フリットウィック先生が、古めかしい帽子と三本脚の丸椅子を大広間から運び出していた。

「あー」ハーマイオニーが小声で言った。「組分けを見逃しちゃった！」

ホグワーツの新入生は「組分け帽子」をかぶって、入る寮を決めてもらう。帽子が、一番ふさわしい寮の名前（グリフィンドール、レイブンクロー、ハッフルパフ、スリザリン）を大声で発表するのだ。マクゴナガル先生は教職員テーブルの自分の席へと闊歩《かっぽ》し、ハリーとハーマイオニーは反対方向のグリフィンドールのテーブルに、できるだけ目立たないように歩いた。大広間の後ろのほうを二人が通ると、周りの生徒が振り返り、ハリーを指差す生徒も何人かいた。吸魂鬼の前で倒れたという話が、そんなに早く伝わったのだろうか？

ロンが席を取っていてくれた。ハリーとハーマイオニーはロンの両脇に座った。

「いったいなんだったの？」

ロンが小声でハリーに聞いた。

ハリーが耳打ちで説明しはじめたとき、校長先生が挨拶のために立ち上がったので、ハリーは話を中断した。

ダンブルドア校長は、相当の年齢だが、いつも偉大なエネルギーを感じさせた。長い銀髪とあごひげは一メートルあまり。半月形のめがねをかけ、鉤鼻《かぎ》が極端に折れ曲がっていた。しばしば、いまの時代のもっとも偉大な魔法使いと称されていたが、しかし、ハリーはそれだからダンブルドアを尊敬していたのではなかった。アルバス・ダンブルドアは、誰もが自然に信用せずにはいられなくなる。ハリーはダンブルドアがニッコリと生徒たちに笑いかけるのを見ながら、吸魂鬼がコンパートメントに入ってきたとき以来初めて、心から安らいだ気持ちになっていた。

「おめでとう！」

ダンブルドアのあごひげがろうそくの光でキラキラ輝いた。

「新学期おめでとう！　みなにいくつかお知らせがある。一つはとても深刻な問題じゃから、みながごちそうでボーッとなる前に片づけてしまうほうがよかろうのう……」

ダンブルドアは咳《せき》払いしてから言葉を続けた。

「ホグワーツ特急での捜査があったから、みなも知ってのとおり、わが校は、ただいまアズカバンの吸魂鬼、つまりディメンターたちを受け入れておる。魔法省の用でここに来ておるのじゃ」

ダンブルドアは言葉を切った。ハリーはウィーズリー氏が言ったことを思い出した……吸魂鬼が学校を警備することを、ダンブルドアは快く思っていない。

「吸魂鬼たちは学校への入口という入口を固めておる。あの者たちがここにいるかぎり、はっきり言うておくが、誰も許可なしで学校を離れてはならんぞ。吸魂鬼はごまかしや変装に引っかかるような代物ではない――透明マントでさえあざむくことはできんのじゃ」

ダンブルドアがさらりとつけ加えた言葉に、ハリーとロンはちらりと目を見交わした。

「言い訳やお願いを聞き入れるなぞ、吸魂鬼には生来できない相談じゃ。それじゃから、一人一人に注意しておく。あの者たちがみなに危害を加えるような口実を与えるではないぞ。監督生よ、男子、女子それぞれの新任の首席よ、頼みましたぞ。誰一人として吸魂鬼といざこざを起こすことのないよう気をつけるのじゃ」

ハリーから数席離れて座っていたパーシーが、またまた胸を張り、もったいぶって周りを見回した。

ダンブルドアは再び言葉を切り、深刻そのものの顔つきで大広間をぐるっと見渡した。誰一人身動きもせず、声を出す者もいなかった。

「楽しい話に移ろうかの」

ダンブルドアが言葉を続けた。

「今学期から、うれしいことに、新任の先生を二人、お迎えすることになった」

「まず、ルーピン先生。ありがたいことに、空席になっておる『闇の魔術に対する防衛術』の担当をお引き受けくださった」

パラパラとあまり気のない拍手が起こった。ルーピン先生と同じコンパートメントに居合わせた生徒だけが、ハリーもふくめて、大きな拍手をした。ルーピン先生は、一張羅を着込んだ先生方の間で、いっそうみすぼらしく見えた。

「スネイプを見てみろよ！」ロンがハリーの耳もとでささやいた。

魔法薬学のスネイプ先生が、教職員テーブルのむこう側からルーピン先生をにらんでいた。スネイプが「闇の魔術に対する防衛術」の席をねらっているのは周知の事実だった。それでも、ほおのこけた土気色の顔をゆがめているスネイプのいまの表情には、スネイプが大嫌いなハリーでさえドキリとするものがあった。怒りを通り越して、憎しみの表情だ。ハリーにはおなじみのあの表情、スネイプがハリーを見るときの目つきそのものだ。

「もう一人の新任の先生は」

ルーピン先生へのパッとしない拍手がやむのを待って、ダンブルドアが続けた。

「ケトルバーン先生は『魔法生物飼育学』の先生じゃったが、残念ながら前年度末をもって退職なさることになった。手足が一本でも残っているうちに余生を楽しまれたいとのことじゃ。そこで後任じゃが、うれしいことに、ほかならぬルビウス・ハグリッドが、現職の森番役に加えて教鞭《きょうべん》をとってくださることになった」

ハリー、ロン、ハーマイオニーは驚いて顔を見合わせた。そして三人ともみんなと一緒に拍手した。特にグリフィンドールからの拍手は割れんばかりだった。ハリーが身を乗り出してハグリッドを見ると、夕陽《ゆうひ》のように真っ赤な顔をして自分の巨大な手を見つめていた。うれしそうにほころんだ顔も、真っ黒なもじゃもじゃひげにうもれていた。

「そうだったのか！」ロンがテーブルをたたきながら叫んだ。「かみつく本を教科書指定するなんて、ハグリッド以外にいないよな？」

ハリー、ロン、ハーマイオニーは一番最後まで拍手し続けた。ダンブルドア校長がまた話しはじめたとき、ハグリッドがテーブルクロスで目をぬぐったのを、三人はしっかりと見た。

「さて、これで大切な話はみな終わった」ダンブルドアが宣言した。「さあ、宴じゃ！」

目の前の金の皿、金の杯に突然食べ物が、飲み物が現れた。ハリーは急に腹ペコになり、手当たりしだいガツガツ食べた。

すばらしいごちそうだった。大広間には話し声、笑い声、ナイフやフォークの触れ合う音がにぎやかに響き渡った。それでも、ハリー、ロン、ハーマイオニーは、宴会が終わってハグリッドと話をするのが待ち遠しかった。先生になるということがハグリッドにとってどんなにうれしいことなのか、三人にはよくわかっていた。ハグリッドは一人前の魔法使いではなかった。三年生のとき、無実の罪でホグワーツから退校処分を受けたのだ。ハリー、ロン、ハーマイオニーの三人が、先学期、ハグリッドの名誉を回復した。

いよいよ最後に、かぼちゃタルトが金の皿から溶けるようになくなり、ダンブルドアがみんな寝る時間だと宣言し、やっと話すチャンスがやってきた。

「おめでとう、ハグリッド！」

三人で教職員テーブルに駆け寄りながら、ハーマイオニーが黄色い声を上げた。

「みんな、おまえさんたち三人のおかげだ」

てかてかに光った顔をナプキンでぬぐい、ハグリッドは顔を上げて三人を見た。

「信じらんねぇ……偉いお方だ、ダンブルドアは……。ケトルバーン先生がもうたくさんだって言いなすってから、まーっすぐ俺の小屋に来なさった……こいつは俺がやりたくてたまんなかったことなんだ……」

感極まって、ハグリッドはナプキンに顔をうずめた。マクゴナガル先生が三人にあっちに行きなさいと合図した。

三人はグリフィンドール生にまじって大理石の階段を上り、つかれはてた足どりで何本もの廊下を通り、またまた階段を上がり、グリフィンドール塔の秘密の入口にたどり着いた。ピンクのドレスを着た「太った婦人《レディ》」の大きな肖像画が尋ねた。

「合言葉は？」

「道をあけて！　道をあけて！」

後ろのほうからパーシーが叫ぶ声がした。

「新しい合言葉は『**フォルチュナ・マジョール。たなぼた！**』」

「あーあ」

ネビル・ロングボトムが悲しげな声を出した。合言葉を覚えるのがいつもひと苦労なのだ。

肖像画の裏の穴を通り、談話室を横切り、女子寮と男子寮に別れ、それぞれの階段を上がった。ハリーは螺旋《らせん》階段を上りながら、頭の中はただただ帰ってこられてうれしいという思いでいっぱいだった。なつかしい、円形の寝室には四本柱の天蓋つきベッドが五つ置かれていた。ハリーはぐるりと見回して、やっとわが家に帰ってきたような気がした。

第6章　鉤爪と茶の葉

翌朝、ハリー、ロン、ハーマイオニーが朝食をとりに大広間に行くと、最初にドラコ・マルフォイが目に入った。どうやら、とてもおかしな話をして大勢のスリザリン生を沸かしているらしい。三人が通り過ぎるとき、マルフォイはばかばかしいしぐさで気絶するまねをした。どっと笑い声が上がった。

「知らんぷりよ」ハリーのすぐ後ろにいたハーマイオニーが言った。「無視して。相手にするだけ損……」

「あーら、ポッター！」

パグ犬のような顔をしたスリザリンの女子寮生、パンジー・パーキンソンがかん高い声で呼びかけた。

「ポッター！　吸魂鬼が来るわよ。ほら、ポッター！　うぅぅぅぅぅぅ！」

ハリーはグリフィンドールの席にドサッと座った。隣にジョージ・ウィーズリーがいた。

「三年生の新学期の時間割だ」ジョージが時間割を手渡しながら聞いた。

「ハリー、何かあったのか？」

「マルフォイのやつ」

ジョージのむこう隣に座り、スリザリンのテーブルをにらみつけながら、ロンが言った。

ジョージが目をやると、ちょうどマルフォイが、またしても恐怖で気絶するまねをしているところだった。

「あの、ろくでなし野郎」ジョージは落ち着いたものだ。

「きのうの夜はあんなに気取っちゃいられなかったようだぜ。列車の中で吸魂鬼がこっちに近づいてきたときなんか、俺たちのコンパートメントに駆け込んできたんだ。なぁ、フレッド？」

「ほとんどおもらししかかってたぜ」フレッドが軽蔑の目でマルフォイを見た。

「俺だってうれしくはなかったさ」ジョージが言った。「あいつら、恐ろしいよな。あの吸魂鬼ってやつらは」

「なんだか体の内側を凍らせるんだ。そうだろ？」フレッドだ。

「だけど、気を失ったりしなかっただろ？」ハリーが低い声で聞いた。

「忘れろよ、ハリー」

ジョージが励ますように言った。

「親父《おやじ》がいつだったかアズカバンに行かなきゃならない用があったのを、フレッド、覚えてるか？ あんなひどい所は行ったことがないって、親父が言ってたよ。帰ってきたときにゃ、すっかり弱って、震えてたな……。やつらは幸福ってものをその場から吸い取ってしまうんだ、吸魂鬼ってやつは。あそこじゃ、囚人はだいたいおかしくなっちまう」

「ま、俺たちとのクィディッチの第一戦のあとでマルフォイがどのくらい幸せでいられるか、拝見しようじゃないか」

フレッドが言った。

「グリフィンドール対スリザリン。シーズン開幕の第一戦だ。覚えてるか？」

ハリーとマルフォイがクィディッチで対戦したのはたった一度で、マルフォイの完全な負けだった。少し気をよくして、ハリーはソーセージと焼きトマトに手を伸ばした。

ハーマイオニーは新しい時間割を調べていた。

「わあ、うれしい。今日から新しい学科がもう始まるわ」幸せそうな声だ。

「ねえ、ハーマイオニー」

ロンがハーマイオニーの肩越しにのぞき込んで顔をしかめた。

「君の時間割、めちゃくちゃじゃないか。ほら――一日に十科目もあるぜ。そんなに**時間**があるわけないよ」

「なんとかなるわ。マクゴナガル先生と一緒にちゃんと決めたんだから」

「でも、ほら」ロンが笑いだした。「この日の午前中、わかるか？　九時、『占い学』。そして、その下だ。九時、『マグル学』。それから――」

まさか、とロンは身を乗り出して、よくよく時間割を見た。

「**おいおい**――その下に、『数占い学』、**九時**ときたもんだ。そりゃ、君が優秀なのは知ってるよ、ハーマイオニー。だけど、そこまで優秀な人間がいるわけないだろ。三つの授業にいっぺんにどうやって出席するんだ？」

「ばか言わないで。一度に三つのクラスに出るわけないでしょ」ハーマイオニーは口早に答えた。

「じゃ、どうなんだ――」

「ママレード取ってくれない」ハーマイオニーが言った。

「だけど――」

「ねえ、ロン、私の時間割がちょっと詰まってるからって、あなたには関係ないでしょ？」

ハーマイオニーがピシャリと言った。

「言ったでしょ。私、マクゴナガル先生と一緒に決めたの」

その時、ハグリッドが大広間に入ってきた。長いモールスキンのオーバーを着て、片方の巨大な手にイタチの死骸をぶら下げ、無意識にぐるぐる振り回している。

「元気か？」

教職員テーブルのほうに向かいながら、立ち止まってハグリッドが真顔で声をかけた。

「おまえさんたちが俺のイッチ番最初の授業だ！　昼食のすぐあとだぞ！　五時起きして、なんだかんだ準備してたんだ……うまくいきゃいいが……俺が、先生……いやはや……」

ハグリッドはいかにもうれしそうにニコーッと笑い、教職員テーブルに向かった。まだイタチをぐるぐる振り回している。

「なんの準備をしてたんだろ？」ロンの声はちょっぴり心配そうだった。

生徒がおのおの最初の授業に向かいはじめ、大広間がだんだんからになってきた。ロンが自分の時間割を調べた。

「僕たちも行ったほうがいい。ほら、占い学は北塔のてっぺんでやるんだ。着くのに十分はかかる……」

あわてて朝食をすませ、フレッドとジョージにまたあとでと言って、三人は来たときと同じように大広間を横切った。スリザリンのテーブルを通り過ぎるとき、マルフォイがまたもや気絶するまねをした。どっと笑う声が、ハリーが玄関ホールに入るまで追いかけてきた。

城の中を通って北塔へ向かう道のりは遠かった。ホグワーツで二年を過ごしても、城の隅々までを知り尽くしてはいない。しかも、北塔には入ったことがなかった。

「どっか――絶対――近――道が――ある――はず――だ」

七つ目の長い階段を上り、見たこともない踊り場にたどり着いたとき、ロンがあえぎながら言った。

あたりには何もなく、石壁にぽつんと、だだっ広い草地の大きな絵が一枚かかっていた。

「こっちだと思うわ」右のほうの人気《ひとけ》のない通路をのぞいて、ハーマイオニーが言った。

「そんなはずない」とロン。「そっちは南だ。ほら、窓から湖がちょっぴり見える……」

ハリーは絵を見物していた。太った灰色葦毛《あしげ》の馬がのんびりと草地に現れ、無頓着に草をはみはじめた。ホグワーツの絵は、中身が動いたり、額を抜け出して互いに訪問したりする。ハリーはもう慣れっこになってはいたが、絵を見物するのはやはり楽しかった。まもなくずんぐりした小さい騎士が、鎧兜《よろいかぶと》をガチャつかせ、仔馬《こうま》を追いかけながら絵の中に現れた。鎧のひざの所に草がついているところからして、いましがた落馬した様子だ。

「やあやあ！」ハリー、ロン、ハーマイオニーを見つけて騎士が叫んだ。

「わが領地に侵入せし、ふとどきな輩《やから》は何者ぞ！　もしや、わが落馬をあざけりにきたるか？　抜け、汝《なんじ》が刃《やいば》を。いざ、犬ども！」

小さな騎士が鞘《さや》を払い、剣を抜き、怒りに飛びはねながら荒々しく剣を振り回すのを、三人は驚いて見つめた。何しろ剣が長すぎて、一段と激しく振った拍子にバランスを失い、騎士は顔から先に草地につんのめった。

「大丈夫ですか？」ハリーは絵に近づいた。

「下がれ、下賤《げせん》のホラ吹きめ！　下がりおろう、悪党め！」

騎士は再び剣を握り、剣にすがって立ち上がろうとしたが、刃が深々と草地に突き刺さってしまった。騎士が金剛力で引いても、二度と再び抜くことはできなかった。ついに、騎士は草地にドッカリ座り込み、兜の前面を押し上げて汗まみれの顔をぬぐった。

「あの」騎士が疲労困憊《こんぱい》しているのに乗じて、ハリーが声をかけた。「僕たち、北塔を探してるんです。道をご存じありませんか？」

「探求であったか！」

騎士の怒りはとたんに消え去ったようだ。鎧をガチャつかせて立ち上がると、騎士はひと声叫んだ。

「わが朋輩《ほうばい》よ、我に続け。探せよ、さらば見つからん。さもなくば突撃し、勇猛果敢に果てるのみ！」

剣を引っ張り抜こうと、もう一度むだなあがきをしたあと、太った仔馬にまたがろうとしてこれも失敗し、騎士はまたひと声叫んだ。

「されば、徒歩《かち》あるのみ。紳士、淑女諸君！　進め！　進め！」

騎士はガチャガチャ派手な音をさせて走り、額縁の左側に飛び込み、見えなくなった。

三人は騎士を追って、鎧の音を頼りに廊下を急いだ。ときどき、騎士が前方の絵の中を走り抜けるのが見えた。

「各々方ご油断召さるな。最悪の時はいまだいたらず！」

騎士が叫んだ。フープスカート姿の婦人たちを描いた前方の絵の中で、驚きあきれるご婦人方の真ん前に騎士の姿が現れた。その絵は狭い螺旋《らせん》階段の壁にかかっていた。

ハリー、ロン、ハーマイオニーは息を切らしながら急な螺旋階段を上った。高く上るほどめまいがひどくなった。その時、上のほうで人声がした。やっと教室にたどり着いたのだ。

「さらばじゃ！」

何やら怪しげな僧侶たちの絵に首を突っ込みながら、騎士が叫んだ。

「さらば、わが戦友よ！　もしまた汝らが、高貴な魂、鋼鉄の筋肉を必要とすることあらば、カドガン卿《きょう》を呼ぶがよい！」

「そりゃ、お呼びしますとも」

騎士がいなくなってからロンがつぶやいた。

「誰か変なのが必要になったらね」

最後の数段を上りきると、小さな踊り場に出た。ほかの生徒たちも大方そこに集まっていた。踊り場からの出口はどこにもなかった。ロンがハリーをつついて天井を指差した。そこに丸い跳ね扉があり、真鍮《しんちゅう》の表札がついている。

「シビル・トレローニー、占い学教授」ハリーが読み上げた。

「どうやってあそこに行くのかなあ？」

その声に答えるかのように、跳ね扉がパッと開き、銀色のはしごがハリーのすぐ足元に下りてきた。みんなシーンとなった。

「お先にどうぞ」

ロンがニヤッと笑った。そこでハリーがまず登ることにした。

ハリーが行き着いたのはこれまで見たことがない奇妙な教室だった。むしろ、とても教室には見えない。どこかの屋根裏部屋と昔風の紅茶専門店をかけ合わせたような所だ。小さな丸テーブルがざっと二十卓以上、所狭しと並べられ、それぞれのテーブルの周りには繻子《しゅす》張りのひじかけ椅子やふかふかした丸クッションが置かれていた。ランプはほとんどが暗赤色のスカーフで覆われていた。深紅のほの暗い灯《あか》りが部屋を満たし、窓という窓のカーテンは閉めきられている。ランプはほとんどが暗赤色のスカーフで覆われていた。息苦しいほどの暑さだ。暖炉の上にはいろいろなものがごちゃごちゃ置かれ、大きな銅のやかんが火にかけられ、その火から、気分が悪くなるほどの濃厚な香りが漂っていた。丸い壁面いっぱいに棚があり、ほこりをかぶった羽根、ろうそくの燃えさし、何組ものぼろぼろのトランプ、数えきれないほどの銀色の水晶玉、ずらりと並んだ紅茶カップなどが、雑然と詰め込まれていた。

ロンがハリーのすぐそばに現れ、ほかの生徒たちも二人の周りに集まった。みんな声をひそめて話している。

「先生はどこだい？」ロンが言った。

暗がりの中から、突然声がした。霧のかなたから聞こえるようなか細い声だ。

「ようこそ」声が言った。「この現世《うつしよ》で、とうとうみなさまにお目にかかれてうれしゅうございますわ」

大きな、キラキラした昆虫。ハリーはとっさにそう思った。トレローニー先生は暖炉の灯りの中に進み出た。みんなの目に映ったのは、ひょろりとやせた女性だ。大きなめがねをかけて、そのレンズが先生の目を実物より数倍も大きく見せていた。スパンコールで飾った透きとおるショールをゆったりとまとい、折れそうな首から鎖やビーズ玉を何本もぶら下げ、腕や手は腕輪や指輪で地肌が見えない。

「おかけなさい、あたくしの子供たちよ。さあ」

先生の言葉で、おずおずとひじかけ椅子に這《は》い上がる生徒もあれば、丸クッションに身をうずめる者もいた。ハリー、ロン、ハーマイオニーは同じ丸テーブルの周りに腰かけた。

「『占い学』にようこそ」

トレローニー先生自身は、暖炉の前の、背もたれの高いゆったりしたひじかけ椅子に座った。

「あたくしがトレローニー教授です。たぶん、あたくしの姿を見たことがないでしょうね。学校の俗世の騒がしさの中にしばしば降りて参りますと、あたくしの『心眼』が曇ってしまいますの」

この思いもかけない宣告に、誰一人返す言葉もなかった。トレローニー先生はたおやかにショールをかけなおし、話を続けた。

「みなさまがお選びになったのは、『占い学』。魔法の学問の中でも一番難しいものですわ。初めにお断りしておきましょう。『眼力』の備わっていない方には、あたくしがお教えできることはほとんどありませんのよ。この学問では、書物は、あるところまでしか教えてくれませんの……」

この言葉で、ハリーとロンがニヤッとして、同時にハーマイオニーをちらっと見た。書物がこの学科にあまり役に立たないと聞いて、ハーマイオニーはひどく驚いていた。

「いかに優れた魔法使いや魔女たりとも、派手な音やにおいに優れ、雲隠れ術に長《た》けていても、未来の神秘の帳《とばり》を見透かすことはできません」

巨大な目でキラリ、キラリと生徒たちの不安そうな顔を一人一人見ながら、トレローニー先生は話を続けた。

「限られた者だけに与えられる、『天分』とも言えましょう。あなた、そこの男の子」

先生に突然話しかけられて、ネビルは丸クッションから転げ落ちそうになった。

「あなたのおばあさまはお元気？」

「元気だと思います」

ネビルは不安にかられたようだった。

「あたくしがあなたの立場だったら、そんなに自信ありげな言い方はできませんことよ」

暖炉の火が先生の長いエメラルドのイヤリングを輝かせた。ネビルがゴクリとつばを飲んだ。トレローニー先生はおだやかに続けた。

「一年間、占いの基本的な方法をお勉強いたしましょう。今学期はお茶の葉を読むことに専念いたします。来学期は手相学に進みましょう。ところで、あなた」

先生は急にパーバティ・パチルを見すえた。

「赤毛の男子にお気をつけあそばせ」

パーバティは目を丸くして、すぐ後ろに座っていたロンを見つめ、椅子を引いて少しロンから離れた。

「夏の学期には」トレローニー先生はかまわず続けた。「水晶玉に進みましょう――ただし、炎の呪いを乗りきれたらでございますよ。つまり、不幸なことに、二月にこのクラスは質《たち》の悪い流感で中断されることになり、あたくし自身も声が出なくなりますの。イースターのころ、クラスの誰かと永久にお別れすることになりますわ」

この予告で張りつめた沈黙が流れた。トレローニー先生は気にかける様子もない。

「あなた、よろしいかしら」

先生の一番近くにいたラベンダー・ブラウンが、座っていた椅子の中で身を縮めた。

「一番大きな銀のティーポットを取っていただけないこと？」

ラベンダーはホッとした様子で立ち上がり、棚から巨大なポットを取ってきて、トレローニー先生のテーブルに置いた。

「まあ、ありがとう。ところで、あなたの恐れていることですけれど、十月十六日の金曜日に起こりますよ」

ラベンダーが震えた。

「それでは、みなさま、二人ずつ組になってくださいな。棚から紅茶のカップを取って、あたくしの所へいらっしゃい。紅茶をついでさしあげましょう。それからお座りになって、お飲みなさい。最後に滓《おり》が残るところまでお飲みなさい。左手でカップを持ち、滓をカップの内側に沿って三度回しましょう。それからカップを受け皿の上に伏せてください。最後の一滴が切れるのを待ってご自分のカップを相手に渡し、読んでもらいます。『未来の霧を晴らす』の五ページと六ページを見て、葉の模様を読みましょう。あたくしはみなさまの間を移動して、お助けしたり、お教えしたりいたしますわ。あぁ、それから、あなた――」

ちょうど立ち上がりかけていたネビルの腕を押さえ、先生が言った。

「一個目のカップを割ってしまったら、次のはブルーの模様の入ったのにしてくださる？　あたくし、ピンクのが気に入ってますのよ」

まさにそのとおり、ネビルが棚に近寄ったとたん、カチャンと陶磁器の割れる音がした。トレローニー先生がほうきとちり取りを持ってすうっとネビルのそばにやってきた。

「ブルーのにしてね。よろしいかしら……ありがとう……」

ハリーとロンのカップにお茶がつがれ、二人ともテーブルに戻り、やけどするようなお茶を急いで飲んだ。トレローニー先生に言われたとおり、滓の入ったカップを回し、水気を切り、それから二人で交換した。

「よしと」

二人で五ページと六ページを開けながら、ロンが言った。

「僕のカップに何が見える？」

「ふやけた茶色いものがいっぱい」

ハリーが答えた。部屋に漂う濃厚な香料のにおいで、ハリーは眠くなり、頭がぼうっとなっていた。

「子供たちよ、心を広げるのです。そして自分の目で俗世を見透かすのです！」

トレローニー先生が薄暗がりの中で声を張り上げた。ハリーは集中しようとがんばった。

「よーし。なんだかゆがんだ十字架があるよ……」

ハリーは『未来の霧を晴らす』を参照しながら言った。

「ということは、『試練と苦難』が君を待ち受ける——気の毒に——でも、太陽らしきものがあるよ。ちょっと待って……これは『大いなる幸福』だ……それじゃ、君は苦しむけどとっても幸せ……」

「君、はっきり言うけど、心眼の検査をしてもらう必要ありだね」

ロンの言葉で噴き出しそうになるのを、二人は必死で押し殺した。トレローニー先生がこっちのほうをじっと見たからだ。

「じゃ、僕の番だ……」

ロンがまじめに額にしわをよせ、ハリーのカップをじっと見た。

「ちょっと山高帽みたいな形になってる」ロンの予言だ。「魔法省で働くことになるかも……」

ロンはカップを逆さまにした。

「だけど、こう見るとむしろどんぐりに近いな……これはなんだろなぁ？」

ロンは『未来の霧を晴らす』をずっとたどった。

「たなぼた、予期せぬ大金。すげえ、少し貸してくれ。それからこっちにも何かあるぞ」

ロンはまたカップを回した。

「なんか動物みたい。ウン、これが頭なら……カバかな……いや、羊かも……」

ハリーが思わず噴き出したので、トレローニー先生がくるりと振り向いた。

「あたくしが見てみましょうね」

とがめるようにロンにそう言うと、先生はすうっとやってきて、ハリーのカップをロンからすばやく取り上げた。

トレローニー先生はカップを時計と反対回りに回しながらじっと中を見た。みんながシーンとなって見つめた。

「隼《はやぶさ》……まあ、あなたは恐ろしい敵をお持ちね」

「でも、誰でも**そんなこと**知ってるわ」

ハーマイオニーが聞こえよがしにささやいた。トレローニー先生がキッとハーマイオニーをにらんだ。

「だって、そうなんですもの。ハリーと『例のあの人』のことはみんな知ってるわ」

ハリーもロンも驚きと称賛の入りまじった目でハーマイオニーを見た。ハーマイオニーが先生に対してこんな口のきき方をするのを、二人は見たことがなかった。トレローニー先生はあえて反論しなかった。大きな目を再びハリーのカップに戻し、またカップを回しはじめた。

「棍棒《こんぼう》……攻撃。おや、まあ、これは幸せなカップではありませんわね……」

「僕、それは山高帽だと思ったけど」ロンがおずおずと言った。

「どくろ……行く手に危険が。まあ、あなた……」

みんながその場に立ちすくみ、じっとトレローニー先生を見つめる中で、先生は最後にもう一度カップを回した。そしてハッと息をのみ、悲鳴を上げた。

またしてもカチャンと陶磁器の割れる音がした。ネビルが二個目のカップを割ったのだ。トレローニー先生は空いていたひじかけ椅子に身を沈め、ピカピカ飾りたてた手を胸に当て、目を閉じていた。

「おお――かわいそうな子――いいえ――言わないほうがよろしいわ――ええ――お聞きにならないでちょうだい……」

「先生、どういうことですか?」

ディーン・トーマスがすぐさま聞いた。みんな立ち上がり、そろそろとハリーとロンのテーブルの周りに集まり、ハリーのカップをよく見ようと、トレローニー先生の座っている椅子に接近した。

「まあ、あなた」

トレローニー先生の巨大な目がドラマチックに見開かれた。

「あなたにはグリムが取り憑《つ》いています」

「何がですって?」ハリーが聞いた。

ハリーだけが知らないわけではないと、察しはついた。ディーン・トーマスはハリーに向かって肩をすくめて見せたし、ラベンダー・ブラウンはわけがわからないという表情だった。しかし、ほかのほとんどの生徒は恐怖のあまりパッと手で口を覆った。

「グリム、あなた、死神犬ですよ！」

トレローニー先生はハリーに通じなかったのがショックだったらしい。

「墓場にとりつく巨大な亡霊犬です！　かわいそうな子。これは不吉な予兆――大凶の前兆――**死**の予告です！」

ハリーは胃にグラッときた。フローリシュ・アンド・ブロッツ書店にあった『死の前兆』の表紙の犬――マグノリア・クレセント通りの暗がりにいた犬……ラベンダー・ブラウンも今度は口を両手で押さえた。みんながハリーを見た。いや、一人だけはちがった。ハーマイオニーだけは、立ち上がってトレローニー先生の椅子の後ろに回った。

「**私には**死神犬には見えないわ」ハーマイオニーは容赦なく言った。

トレローニー先生は嫌悪感をつのらせてハーマイオニーをじろりと品定めした。

「こんなことを言ってごめんあそばせ。あなたにはほとんどオーラが感じられませんのよ。未来の響きへの感受性というものがほとんどございませんわ」

シェーマス・フィネガンは首を左右に傾けていた。

「こうやって見ると死神犬らしく見えるよ」シェーマスはほとんど両目を閉じていた。

「でもこっちから見るとむしろロバに見えるな」今度は左に首を傾けていた。

「僕が死ぬか死なないか、さっさと決めたらいいだろう！」

自分でも驚きながらハリーはそう言った。もう誰もハリーをまっすぐ見ようとはしなかった。

「今日の授業はここまでにいたしましょう」

トレローニー先生が一段と霧のかなたのような声で言った。

「そう……どうぞお片づけなさってね……」

みんな押しだまってカップをトレローニー先生に返し、教科書をまとめ、鞄《かばん》を閉めた。ロンまでがハリーの目をさけていた。

「またお会いするときまで」トレローニー先生が消え入るような声で言った。

「みなさまが幸運でありますよう。ああ、あなた――」先生はネビルを指差した。「あなたは次の授業に遅れるでしょう。ですから授業についていけるよう、特によくお勉強なさいね」

ハリー、ロン、ハーマイオニーは無言でトレローニー先生のはしごを下り、曲がりくねった階段を下り、マクゴナガル先生の変身術の教室に向かった。マクゴナガル先生の教室を探し当てるのにずいぶん時間がかかり、占い学の教室を早く出たわりには、ぎりぎりだった。

ハリーは教室の一番後ろの席を選んだが、それでもまぶしいスポットライトにさらされているような気がした。クラス中が、まるでハリーがいつ何時ばったり死ぬかわからないと言わんばかりに、ハリーをちらりちらりと盗み見ていた。マクゴナガル先生が「動物もどき《アニメーガス》（自由に動物に変身できる魔法使い）」について話しているのもほとんど耳に入らなかった。先生がみんなの目の前で、目の周りにめがねと同じ形のしまがあるトラ猫に変身したのを見てもいなかった。

「まったく、今日はみなさんどうしたんですか？」

マクゴナガル先生は**ポン**という軽い音とともに元の姿に戻るなり、クラス中を見回した。

「別にかまいませんが、私《わたくし》の変身がクラスの拍手を浴びなかったのはこれが初めてです」

みんながいっせいにハリーのほうを振り向いたが、誰もしゃべらない。するとハーマイオニーが手を挙げた。

「先生、私たち、占い学の最初のクラスを受けてきたばかりなんです。お茶の葉を読んで、それで――」

「ああ、そういうことですか」マクゴナガル先生は顔をしかめた。

「ミス・グレンジャー、それ以上は言わなくて結構です。今年はいったい誰が死ぬことになったのですか？」

みんないっせいに先生を見つめた。

「僕です」しばらくしてハリーが答えた。

「わかりました」マクゴナガル先生はキラリと光る目でハリーをしっかりと見た。

「では、ポッター、教えておきましょう。シビル・トレローニーは本校に着任してからというもの、一年に一人の生徒の死を予言してきました。いまだに誰一人として死んではいません。死の前兆を予言するのは、新しいクラスを迎えるときのあの方のお気に入りの流儀です。私は同僚の先生の悪口はけっして言いません。それでなければ――」

マクゴナガル先生はここで一瞬言葉を切った。みんなは先生の鼻の穴が大きくふくらむのを見た。それから先生は少し落ち着きを取り戻して話を続けた。

「占い学というのは魔法の中でも一番不正確な分野の一つです。私があの分野に関しては忍耐強くないということを、みなさんに隠すつもりはありません。真の予言者はめったにいません。そしてトレローニー先生は……」

マクゴナガル先生は再び言葉を切り、ごくあたりまえの調子で言葉を続けた。

「ポッター、私の見るところ、あなたは健康そのものです。ですから、今日の宿題を免除したりいたしませんからそのつもりで。ただし、もしあなたが死んだら、提出しなくても結構です」

ハーマイオニーが噴き出した。ハリーはちょっぴり気分が軽くなった。トレローニー先生の教室の、赤いほの暗い灯りとぼうっとなりそうな香水から離れてみれば、紅茶の葉の塊ごときに恐れをなすのはかえっておかしいように思えた。しかし、みんながそう思ったわけではない。ロンはまだ心配そうだったし、ラベンダーは「でも、ネビルのカップはどうなの？」とささやいた。

変身術の授業が終わり、三人はどやどやと昼食に向かう生徒たちにまじって大広間に移動した。

「ロン、元気出して」

ハーマイオニーがシチューの大皿をロンのほうに押しながら言った。

「マクゴナガル先生のおっしゃったこと、聞いたでしょう」

ロンはシチューを自分の小皿に取り分け、フォークを手にしたが、口をつけなかった。

「ハリー」ロンが低い深刻な声で呼びかけた。「君、どこかで大きな黒い犬を見かけたり**しなかったよね？**」

「うん、見たよ」ハリーが答えた。「ダーズリーのとこから逃げたあの夜、見たよ」

ロンが取り落としたフォークがカタカタと音を立てた。

「たぶん野良犬よ」ハーマイオニーは落ち着きはらっていた。

ロンは確かか、とでも言いたげな目つきでロンがハーマイオニーを見た。

「ハーマイオニー、ハリーが死神犬を見たなら、それは――それはよくないよ。僕の――僕のビリウスおじさんがあれを見たんだ。そしたら――そしたら二十四時間後に死んじゃった！」

「偶然よ」ハーマイオニーはかぼちゃジュースをつぎながら、さらりと言ってのけた。

「君、自分の言っていることがわかってるのか！」ロンは熱くなりはじめた。

「死神犬と聞けば、たいがいの魔法使いは震え上がってお先真っ暗なんだぜ！」

「そういうことなのよ」ハーマイオニーは余裕しゃくしゃくだ。

「つまり、死神犬を見ると怖くて死んじゃうのよ。死神犬は不吉な予兆じゃなくて、死の原因だわ！　ハリーはまだ生きてて、ここにいるわ。だってハリーはばかじゃないもの。あれを見ても、そうね、つまり『それじゃもう死んだも同然だ』なんてばかなことを考えなかったからよ！」

ロンは言い返そうと口をパクパクさせたが、言葉が出なかった。ハーマイオニーは鞄を開け、新しい学科、「数占い学」の教科書を取り出し、ジュースの入った水差しに立てかけた。

「占い学って、とってもいいかげんだと思うわ」

読みたいページを探しながらハーマイオニーが言った。

「言わせていただくなら、あてずっぽうが多すぎる」

「あのカップの中の死神犬は、全然いいかげんなんかじゃなかった！」ロンはカッカしていた。

「ハリーに『羊だ』なんて言ったときは、そんなに自信がおありになるようには見えませんでしたけどね」ハーマイオニーは冷静だ。

「トレローニー先生は君にまともなオーラがないって言った！　君ったら、たった一つでも、自分がクズに見えることが気に入らないんだ！」

これはハーマイオニーの弱みを突いた。ハーマイオニーは数占いの教科書でテーブルをバーンとたたいた。あまりの勢いに、肉やらニンジンやらがそこら中に飛び散った。

「占い学で優秀だってことが、お茶の葉の塊に死の予兆を読むふりをすることなんだったら、私、この学科といつまでおつき合いできるか自信がないわ！　あの授業は数占いのクラスに比べたら、まったくのクズよ！」

ハーマイオニーは鞄を引っつかみ、つんけんしながら去っていった。

ロンはその後ろ姿にしかめっ面をした。

「あいつ、いったい何言ってんだよ！」

ロンがハリーに話しかけた。

「あいつ、まだ一度も数占いの授業に出てないんだぜ」

昼食のあと、城の外に出られるのがハリーにはうれしかった。きのうの雨は上がっていた。空は澄みきった薄ネズミ色だった。しっとりとしてやわらかにはずむ草地を踏みしめ、三人は「魔法生物飼育学」の最初の授業に向かっていた。

ロンとハーマイオニーは互いに口をきかない。ハリーもだまって二人の脇を歩き、禁じられた森の端にあるハグリッドの小屋をめざして、芝生を下っていった。いやというほど見慣れた三人の背中が前を歩いているのを見つけたとき、ハリーは初めてスリザリンとの合同授業になるのだと気がついた。マルフォイがクラッブとゴイルに生き生きと話しかけ、二人がゲラゲラ笑っていた。何を話しているのかは、聞かなくてもわかる、とハリーは思った。

ハグリッドが小屋の外で生徒を待っていた。モールスキンのオーバーを着込み、足元にボアハウンド犬のファングを従え、早く始めたくてうずうずしている様子で立っていた。

「さあ、急げ。早く来いや！」

生徒が近づくとハグリッドが声をかけた。

「今日はみんなにいいもんがあるぞ！　すごい授業だぞ！　みんな来たか？　よーし。ついてこいや！」

ほんの一瞬、ハリーはハグリッドがみんなを「森」に連れていくのでは、とぎくりとした。ハリーは、もう一生分くらいのいやな思いを、あの森で経験した。ハグリッドは森の縁に沿ってどんどん歩き、五分後にみんなを放牧場のような所に連れてきた。そこには何もいなかった。

「みんな、ここの柵の周りに集まれ！」ハグリッドが号令をかけた。

「そーだ――ちゃんと見えるようにしろよ。さーて、イッチ（一）番先にやるこたぁ、教科書を開くこった――」

「どうやって？」ドラコ・マルフォイの冷たい気取った声だ。

「あぁ？」ハグリッドだ。

「どうやって教科書を開けばいいんです？」マルフォイがくり返した。

マルフォイは『怪物的な怪物の本』を取り出したが、ひもでぐるぐる巻きに縛ってあった。ほかの生徒も本を取り出した。ハリーのようにベルトで縛っている生徒もあれば、きっちりした袋に押し込んだり、大きなクリップではさんでいる生徒もいた。

「だ、だーれも教科書をまだ開けなんだのか？」ハグリッドはがっくりきたようだった。

クラス全員がこっくりした。

「おまえさんたち、**なぜりゃーよ**かったんだ」ハグリッドは、あたりまえのことなのに、とでも言いたげだった。

ハグリッドはハーマイオニーの教科書を取り上げ、本を縛りつけていたスペロテープをビリリとはがした。本はかみつこうとしたが、ハグリッドの巨大な親指で背表紙をひとなでされると、ブルッと震えてパタンと開き、ハグリッドの手の中でおとなしくなった。

「ああ、僕たちって、みんな、なんておろかだったんだろう！」マルフォイが鼻先で笑った。

「**なぜりゃーよ**かったんだ！　どうして思いつかなかったのかねぇ！」

「お……俺はこいつらがゆかいなやつらだと思ったんだが」

ハグリッドが自信なさそうにハーマイオニーに言った。

「ああ、恐ろしくゆかいですよ！」マルフォイが言った。

「僕たちの手をかみ切ろうとする本を持たせるなんて、まったくユーモアたっぷりだ！」

「だまれ、マルフォイ」

ハリーが静かに言った。ハグリッドはうなだれていた。ハリーはハグリッドの最初の授業をなんとか成功させてやりたかった。

「えーと、そんじゃ」ハグリッドは何を言うつもりだったか忘れてしまったらしい。

「そんで……えーと、教科書はある、と。そいで……えーと……こんだぁ、魔法生物が必要だ。ウン。そんじゃ、俺が連れてくる。待っとれよ……」

ハグリッドは大股で森へと入り、姿が見えなくなった。

「まったく、この学校はどうなってるんだろうねぇ」マルフォイが声を張り上げた。

「あのウドの大木が教えるなんて、父上に申し上げたら、卒倒なさるだろうなぁ――」

「だまれ、マルフォイ」ハリーがくり返し言った。

「ポッター、気をつけろ。吸魂鬼がおまえのすぐ後ろに――」

「オォォォォォォー！」

ラベンダー・ブラウンが放牧場のむこう側を指差して、かん高い声を出した。

ハリーが見たこともないような奇妙キテレツな生き物が十数頭、早足でこっちへ向かってくる。胴体、後ろ脚、しっぽは馬で、前脚と羽、そして頭部は巨大な鳥のように見える。鋼色の残忍なくちばしと、大きくギラギラしたオレンジ色の目が、鷲《わし》そっくりだ。前脚の鉤爪《かぎづめ》は十五、六センチもあろうか、見るからに殺傷力がありそうだ。それぞれ分厚い革の首輪をつけ、それをつなぐ長い鎖の端をハグリッドの大きな手が全部まとめて握っていた。ハグリッドは怪獣の後ろから駆け足で放牧場に入ってきた。

「ドウ、ドウ！」

ハグリッドが大きくかけ声をかけ、鎖を振るって生き物を生徒たちの立っている柵のほうへ追いやった。ハグリッドが生徒の所へやってきて、怪獣を柵につないだときは、みんながじわじわとあとずさりした。

「ヒッポグリフだ！」

みんなに手を振りながら、ハグリッドがうれしそうに大声を出した。

「美しかろう、え？」

ハリーにはハグリッドの言うことがわかるような気がした。半鳥半馬の生き物を見た最初のショックを乗り越えさえすれば、ヒッポグリフの輝くような毛並みが羽から毛へとなめらかに変わっていくさまは、見ごたえがあった。それぞれ色がちがい、嵐の空のような灰色、赤銅色、褐色に白い差し毛のピンク色、つやつやした栗毛、漆黒など、とりどりだ。

「そんじゃ」ハグリッドは両手をもみながら、みんなにうれしそうに笑いかけた。

「もうちっと、こっちゃこいや……」

誰も行きたがらない。ハリー、ロン、ハーマイオニーだけは、こわごわ柵に近づいた。

「まんず、イッチ（一）番先にヒッポグリフについて知らなければなんねえことは、こいつらは誇り高い。すぐ怒るぞ、ヒッポグリフは。絶対、侮辱してはなんねえ。そんなことをしてみろ、それがおまえさんたちの最後の仕業になるかもしんねえぞ」

マルフォイ、クラッブ、ゴイルは、聞いてもいなかった。何やらヒソヒソ話している。どうやったらうまく授業をぶち壊しにできるかたくらんでいるのではと、ハリーはいやな予感がした。

「必ず、ヒッポグリフのほうが先に動くのを待つんだぞ」ハグリッドの話は続く。

「それが礼儀ってもんだろう。な？　こいつのそばまで歩いてゆく。そんでもっておじぎする。そんで、待つんだ。こいつがおじぎを返したら、触ってもいいっちゅうこった。もしおじぎを返さなんだら、すばやく離れろ。こいつの鉤爪は痛いからな」

「よーし――誰が一番乗りだ？」

答えるかわりに、ほとんどの生徒がますますあとずさりした。ハリー、ロン、ハーマイオニーでさえ、うまくいかないのではと思った。ヒッポグリフは猛々しい首を振りたて、たくましい羽をばたつかせていた。つながれているのが気に入らない様子だ。

「誰もおらんのか？」ハグリッドがすがるような目をした。

「僕、やるよ」ハリーが名乗り出た。

すぐ後ろで、あっと息をのむ音がして、ラベンダーとパーバティがささやいた。

「あぁぁー、ダメよ、ハリー。お茶の葉を忘れたの！」

ハリーは二人を無視して、放牧場の柵を乗り越えた。

「えらいぞ、ハリー！」ハグリッドが大声を出した。

「よーし、そんじゃ――バックビークとやってみよう」

ハグリッドは鎖を一本ほどき、灰色のヒッポグリフを群れから引き離し、革の首輪をはずした。放牧場の柵のむこうでは、クラス全員が息を止めているかのようだった。マルフォイは意地悪く目を細めていた。

「さあ、落ち着け、ハリー」ハグリッドが静かに言った。

「目をそらすなよ。なるべく瞬《まばた》きするな――ヒッポグリフは目をしょぼしょぼさせるやつを信用せんからな……」

たちまち目がうるんできたが、ハリーは瞬きしなかった。バックビークは、巨大な鋭いくちばしをハリーのほうに向け、猛々《たけだけ》しいオレンジ色の目の片方だけでハリーをにらんでいた。

「そーだ」ハグリッドが声をかけた。「ハリー、それでええ……それ、おじぎだ……」

ハリーは首根っこをバックビークの前にさらすのは気が進まなかったが、言われたとおりにした。軽くおじぎし、また目を上げた。

ヒッポグリフはまだ気位高くハリーを見すえていた。動かない。

「あー」ハグリッドの声が心配そうだった。「よーし——下がって、ハリー。ゆっくりだ——」

しかし、その時だ。驚いたことに、突然ヒッポグリフが、うろこに覆われた前脚を折り、どう見てもおじぎだと思われる格好をしたのだ。

「やったぞ、ハリー！」ハグリッドが狂喜した。「よーし——さわってもええぞ！　くちばしをなでてやれ、ほれ！」

下がってもいいと言われたほうがいいごほうびなのに、と思いながらも、ハリーはゆっくりとヒッポグリフに近寄り、手を伸ばした。何度かくちばしをなでると、ヒッポグリフはそれを楽しむかのようにとろりと目を閉じた。

クラス全員が拍手した。マルフォイ、クラッブ、ゴイルだけは、ひどくがっかりしたようだった。

「よーし、そんじゃ、ハリー、こいつはおまえさんを背中に乗せてくれると思うぞ」

これは計画外だった。箒《ほうき》ならお手のものだが、ヒッポグリフがまったく同じなのかどうか自信がない。

「そっから、上れ。翼のつけ根んとっからだ。羽根を引っこ抜かねえよう気をつけろ。いやがるからな……」

ハリーはバックビークの翼のつけ根に足をかけ、背中に飛び乗った。バックビークが立ち上がった。いったいどこにつかまったらいいのかわからない。目の前は一面羽根で覆われている。

「そーれ行け！」ハグリッドがヒッポグリフの尻をパシンとたたいた。

なんの前触れもなしに、四メートルもの翼がハリーの左右で開き、羽ばたいた。ヒッポグリフが飛翔する前に、かろうじて首の周りにしがみつく間があった。箒とは大ちがいだ。どちらが好きか、ハリーにははっきりわかる。ヒッポグリフの翼はハリーの両脇で羽ばたき、快適とは言えなかったし、両脚が翼に引っかかり、いまにも振り落とされるのではとヒヤヒヤだ。つややかな羽毛で指がすべり、かといって、もっとギュッとつかむことなどとてもできない。ニンバス２０００のあのなめらかな動きとはちがう。尻が翼に合わせて上下するヒッポグリフの背中の上で、いまやハリーは前にゆらゆら、後ろにぐらぐらするばかりだ。

ハリーを乗せ、バックビークは放牧場の上空を一周すると、地上をめざした。ハリーはこの瞬間を恐れていたのだ。バックビークのなめらかな首が下を向いたとき、ハリーはのけぞるようにした。くちばしの上をすべり落ちるのではないかと思った。やがて、前後バラバラな四肢が、ドサッと着地する衝撃が伝わってきた。ハリーはやっとのことで踏みとどまり、再び上体をまっすぐにした。

「よーくできた、ハリー！」

ハグリッドは大声を出し、マルフォイ、クラッブ、ゴイル以外の全員が歓声を上げた。

「よーしと。ほかにやってみたいもんはおるか？」

ハリーの成功に励まされ、ほかの生徒もこわごわ放牧場に入ってきた。ハグリッドは一頭ずつヒッポグリフを解き放ち、やがて放牧場のあちこちで、みんながおずおずとおじぎを始めた。ネビルのヒッポグリフはひざを折ろうとしなかったので、ネビルは何度もあわてて逃げた。ロンとハーマイオニーは、ハリーが見ているところで栗毛のヒッポグリフで練習した。

マルフォイ、クラッブ、ゴイルは、ハリーのあとにバックビークに向かった。バックビークがおじぎしたので、マルフォイは尊大な態度でそのくちばしをなでていた。

「簡単じゃあないか」

もったいぶって、わざとハリーに聞こえるようにマルフォイが言った。

「ポッターにできるんだ、簡単にちがいないと思ったよ……おまえ、全然危険なんかじゃないなぁ？」

マルフォイはヒッポグリフに話しかけた。

「そうだろう？　醜いデカブツの野獣君」

一瞬、鋼色の鉤爪が光った。マルフォイがヒーッと悲鳴を上げ、次の瞬間ハグリッドがバックビークに首輪をつけようと格闘していた。バックビークはマルフォイを襲おうともがき、マルフォイのほうはローブが見る見る血に染まり、草の上で身を丸めていた。

「死んじゃう！」

マルフォイがわめいた。クラス中がパニックにおちいっていた。

「僕、死んじゃう。見てよ！　あいつ、僕を殺した！」

「死にゃせん！」ハグリッドは蒼白《そうはく》になっていた。

「誰か、手伝ってくれ——この子をこっから連れ出さにゃー」

ハグリッドがマルフォイを軽々と抱え上げ、ハーマイオニーが走っていってゲートを開けた。マルフォイの腕に深々と長い裂け目があるのをハリーは見た。血が草地に点々と飛び散った。ハグリッドはマルフォイを抱え、城に向かって坂を駆け上がっていった。

魔法生物飼育学の生徒たちは大ショックを受けてそのあとをついていった。スリザリン生は全員ハグリッドを罵倒していた。

「すぐクビにすべきよ！」パンジー・パーキンソンが泣きながら言った。

「マルフォイが悪いんだ！」ディーン・トーマスがきっぱり言った。

クラッブとゴイルが脅すように力こぶを作って腕を曲げ伸ばしした。

石段を上り、全員ががらんとした玄関ホールに入った。

「大丈夫かどうか、私、見てくる！」

パンジーはそう言うと、みんなが見守る中、大理石の階段を駆け上がっていった。スリザリン生はハグリッドのことをまだブツブツ言いながら、地下牢《ろう》にある自分たちの寮の談話室に向かっていった。ハリー、ロン、ハーマイオニーはグリフィンドール塔に向かって階段を上った。

「マルフォイは大丈夫かしら？」ハーマイオニーが心配そうに言った。

「そりゃ、大丈夫さ。マダム・ポンフリーは切り傷なんかあっという間に治せるよ」

ハリーはもっとひどい傷を、校医に魔法で治してもらったことがある。

「だけど、ハグリッドの最初の授業であんなことが起こったのは、まずいよな？」ロンも心配そうだった。「マルフォイのやつ、やっぱり引っかき回してくれたよな……」

夕食のとき、ハグリッドの顔が見たくて三人は真っ先に大広間に行った。ハグリッドはいなかった。

「ハグリッドをクビにしたり**しない**わよね？」

ハーマイオニーはステーキ・キドニー・パイのごちそうにも手をつけず、不安そうに言った。

「そんなことしないといいけど」ロンも何も食べていなかった。

ハリーはスリザリンのテーブルを見ていた。クラッブとゴイルもまじって、大勢が固まって何事かさかんに話していた。マルフォイがどんなふうにけがをしたか、都合のいい話をでっちあげているにちがいない、とハリーは思った。

「まあね、休み明けの初日としちゃあ、なかなか波乱に富んだ一日だったと言えなくもないよな」ロンは落ち込んでいた。

夕食のあと、混み合ったグリフィンドールの談話室で、マクゴナガル先生の宿題を始めたものの、三人ともしばしば中断しては、塔の窓からちらちらと外を見るのだった。

「ハグリッドの小屋に灯りが見える」突然ハリーが言った。

ロンが腕時計を見た。

「急げば、ハグリッドに会いにいけるかもしれない。まだ時間も早いし……」

「それはどうかしら」

ハーマイオニーがゆっくりそう言いながら、ちらりと自分を見たのにハリーは気づいた。

「僕、**校内**を歩くのは許されてるんだ」ハリーはむきになった。「シリウス・ブラックはここではまだ吸魂鬼を出し抜いてないだろ?」

そこで三人は宿題を片づけ、肖像画の抜け穴から外に出た。はたして外出していいものかどうか完全に自信があったわけではないので、正面玄関まで誰にも会わなかったのはうれしかった。

まだ湿り気を帯びたままの芝生が、たそがれの中でほとんど真っ黒に見えた。ハグリッドの小屋にたどり着き、ドアをノックすると、中から「入ってくれ」とうめくような声がした。

ハグリッドはシャツ姿で、洗い込まれた白木のテーブルの前に座っていた。ボアハウンド犬のファングがハグリッドのひざに頭をのせている。一目見ただけでハグリッドが相当深酒していたことがわかる。

バケツほどもある錫《すず》製のジョッキを前に、ハグリッドは焦点の合わない目つきで三人を見た。

「こいつぁ新記録だ」

三人が誰かわかったらしく、ハグリッドがどんよりと言った。

「一日しかもたねえ先生なんざ、これまでいなかったろう」

「ハグリッド、まさか、クビになったんじゃ！」ハーマイオニーが息をのんだ。

「まーだだ」ハグリッドはしょげきって、何が入っているやら、大ジョッキをぐいっと傾けた。

「だけんど、時間の問題だわ、な、マルフォイのことで……」

「あいつ、どんな具合？」

三人とも腰かけながら、ロンが聞いた。

「たいしたことないんだろ？」

「マダム・ポンフリーができるだけの手当てをした」

ハグリッドがぼんやりと答えた。

「だけんど、マルフォイはまだうずくと言っとる……包帯ぐるぐる巻きで……うめいとる……」

「ふりしてるだけだ」ハリーが即座に言った。

「マダム・ポンフリーならなんでも治せる。去年なんか、僕の片腕の骨を再生させたんだよ。マルフォイは汚い手を使って、けがを最大限に利用しようとしてるんだ」

「学校の理事たちに知らせがいった、当然な」ハグリッドはしおれきっている。

「俺が初めっから飛ばしすぎたって、理事たちが言うとる。ヒッポグリフはもっとあとにすべきだった……レタス食い虫《フロバーワーム》か何かっから始めていりゃ……イッチ（一）番の授業にはあいつが最高だと思ったんだがな……みんな俺が悪い……」

「ハグリッド、悪いのは**マルフォイ**のほうよ！」ハーマイオニーが真剣に言った。

「僕たちが証人だ」ハリーが言った。

「侮辱したりするとヒッポグリフが攻撃するって、ハグリッドはそう言った。聞いてなかったマルフォイが悪いんだ。ダンブルドアに何が起こったのかちゃんと話すよ」

「そうだよ。ハグリッド、心配しないで。僕たちがついてる」ロンが言った。

ハグリッドの真っ黒なコガネムシのような目の目尻のしわから、涙がポロポロこぼれ落ちた。ハリーとロンをぐいっと引き寄せ、ハグリッドは二人を骨も砕けるほど抱きしめた。

「ハグリッド、もう充分飲んだと思うわ」ハーマイオニーは厳しくそう言うと、テーブルからジョッキを取り上げ、中身を捨てに外に出た。

「あぁ、あの子の言うとおりだな」ハグリッドはハリーとロンを放した。二人とも胸をさすり、よろよろと離れた。ハグリッドはよいしょと立ち上がり、ふらふらとハーマイオニーのあとから外に出た。水のはねる大きな音が聞こえてきた。

「ハグリッドは何をしてるの？」ハーマイオニーがからのジョッキを持って戻ってきたので、ハリーが心配そうに聞いた。

「水の入った樽《たる》に頭を突っ込んでたわ」ハーマイオニーがジョッキを元に戻した。

長い髪とひげをびしょぬれにして、目をぬぐいながら、ハグリッドが戻ってきた。

「さっぱりした」ハグリッドは犬のように頭をブルブルッと振るい、三人もびしょぬれになった。

「なあ、会いにきてくれて、ありがとうよ。ほんとに俺――」

ハグリッドは急に立ち止まり、まるでハリーがいるのに初めて気づいたようにじっと見つめた。

「**おまえさん、いったい何しちょる。えっ？**」

ハグリッドがあまりに急に大声を出したので、三人とも三十センチも飛び上がった。

「**ハリー、暗くなってからうろうろしちゃいかん！　おまえさんたち！　二人とも！　ハ**

リーを出しちゃいかん！」

ハグリッドはのっしのっしとハリーに近づき、腕をつかまえ、ドアまで引っ張っていった。

「来るんだ！」

ハグリッドは怒ったように言った。

「俺が学校まで送っていく。もう二度と、暗くなってから歩いて俺に会いにきたりするんじゃねえ。俺にはそんな価値はねえ！」

第7章　洋だんすのまね妖怪

マルフォイは木曜日の昼近くまで現れず、スリザリンとグリフィンドール合同の魔法薬学の授業が半分ほど終わったころに姿を見せた。包帯を巻いた右腕を吊《つ》り、ふんぞり返って地下牢《ろう》教室に入ってくるさまは、ハリーに言わせれば、まるで恐ろしい戦いに生き残った英雄気取りだ。

「ドラコ、どう？」

パンジー・パーキンソンが取ってつけたような笑顔で言った。

「ひどく痛むの？」

「ああ」

マルフォイは勇敢にたえているようなしかめっ面をした。しかし、パンジーがむこうを向いたとたん、マルフォイがクラッブとゴイルにウィンクしたのをハリーは見逃さなかった。

「座りたまえ、さあ」スネイプ先生は気楽に言った。

ハリーとロンは腹立たしげに顔を見合わせた。遅れて入ってきたのが**自分たち**だったら、「座りたまえ」なんて言うどころか、厳罰を科したにちがいない。スネイプのクラスでは、マルフォイはいつも、何をしてもおとがめなしだった。スネイプはスリザリンの寮監で、たいていほかの生徒より自分の寮生をひいきした。

今日は新しい薬の「縮み薬」を作っていたが、マルフォイはハリーとロンのすぐ隣に自分の鍋をすえた。三人とも同じテーブルで材料を準備することになった。

「先生」マルフォイが呼んだ。「先生、僕、雛菊《ひなぎく》の根を刻むのを手伝ってもらわないと、こんな腕なので――」

「ウィーズリー、マルフォイの根を切ってやりたまえ」

スネイプはこっちを見もせずに言った。ロンが赤れんが色になった。

「おまえの腕はどこも悪くないんだ」ロンが歯を食いしばってマルフォイに言った。

マルフォイはテーブルのむこうでニヤリとした。

「ウィーズリー、スネイプ先生がおっしゃったことが聞こえただろう。根を刻めよ」

ロンはナイフをつかみ、マルフォイの分の根を引き寄せ、めった切りにした。根は大小不ぞろいに切れた。

「せんせーい」マルフォイが気取った声を出した。「ウィーズリーが僕の根をめった切りにしました」

スネイプがテーブルにやってきて、鉤鼻《かぎ》の上からじろりと根を見すえた。それからロンに向かって、油っこい黒い長髪の下からニタリといやな笑い方をした。

「ウィーズリー、君の根とマルフォイのとを取り替えたまえ」

「先生、そんな――!」

ロンは十五分もかけて、慎重に自分の根をきっちり同じにそろえて刻んだばかりだった。

「**いますぐだ**」

スネイプは独特の危険極まりない声で言った。

ロンは見事に切りそろえた根をテーブルのむこう側のマルフォイへぐいと押しやり、再びナイフをつかんだ。

「先生、それから、僕、この『萎《しな》び無花果《いちじく》』の皮をむいてもらわないと」

マルフォイの声は底意地の悪い笑いをたっぷりふくんでいた。

「ポッター、マルフォイの無花果をむいてあげたまえ」

スネイプはいつものように、ハリーのためだけにとっておきの、憎しみのこもった視線を投げつけた。

ハリーはマルフォイの萎び無花果を取り上げ、ロンは自分が使うはめになっためった切りの根を、なんとかしようとしていた。ハリーはできるだけ急いで無花果の皮をむき、一言も言わずにテーブルのむこうのマルフォイに投げ返した。マルフォイはいままでよりいっそうニンマリしていた。

「君たち、ご友人のハグリッドを近ごろ見かけたかい？」マルフォイが低い声で聞いた。

「君の知ったこっちゃない」ロンが目も合わさずに、ぶっきらぼうに言った。

「気の毒に、先生でいられるのも、もう長いことじゃあないだろうな」マルフォイの口調は悲しむふりが見え見えだ。「父上は僕のけがのことを快く思っていらっしゃらないし――」

「いい気になるなよ、マルフォイ。じゃないとほんとうにけがさせてやる」ロンが言った。

「――父上は学校の理事会に訴えた。**それに**、魔法省にも。父上は力があるんだ。わかってるよねぇ。それに、こんなに長引く傷だし――」

マルフォイはわざと大きなため息をついてみせた。

「僕の腕、はたして元どおりになるんだろうか？」

「そうか、それで君はそんなふりをしているんだな」

ハリーは怒りで手が震え、手元が狂って、死んだイモムシの頭を切り落としてしまった。

「ハグリッドを辞めさせようとして！」

「そうだねぇ」

マルフォイは声を落とし、ヒソヒソささやいた。

「ポッター、**それもある**。でも、ほかにもいろいろといいことがあってね。ウィーズリー、僕のイモムシを輪切りにしろ」

数個先の鍋で、ネビルが問題を起こしていた。魔法薬の授業ではネビルはいつも支離滅裂だった。ネビルにとって、これが最悪の学科だ。恐怖のスネイプ先生の前では、普段の十倍もへまをやった。明るい黄緑色になるはずだった水薬が、なんと――。

「オレンジ色か、ロングボトム」

スネイプが薬をひしゃくで大鍋からすくい上げ、それを上からタラタラと垂らし入れて、みんなに見えるようにした。

「オレンジ色。君、教えていただきたいものだが、君の分厚い頭蓋骨を突き抜けて入っていくものがあるのかね？　我輩ははっきり言ったはずだ。ネズミの脾臓《ひぞう》は一つでいいと。聞こえなかったのか？　ヒルの汁はほんの少しでいいと、明確に申し上げたつもりだが？　ロングボトム、いったい我輩はどうすれば君に理解していただけるのかな？」

ネビルは赤くなって小刻みに震えている。いまにも涙をこぼしそうだった。

「先生、お願いです」

ハーマイオニーだ。

「先生、私に手伝わせてください。ネビルにちゃんと直させます――」

「でしゃばるよう頼んだ覚えはないがね、ミス・グレンジャー」

スネイプは冷たく言い放ち、ハーマイオニーはネビルと同じくらい赤くなった。

「ロングボトム、このクラスの最後に、この薬を君のヒキガエルに数滴飲ませて、どうなるか見てみることにする。そうすれば、たぶん君もまともにやろうという気になるだろう」

スネイプは、恐怖で息もできないネビルを残し、その場を去った。

「助けてよ！」ネビルがハーマイオニーにうめくように頼んだ。

「おい、ハリー」

シェーマス・フィネガンがハリーの真鍮《しんちゅう》の台秤《だいばかり》を借りようと身を乗り出した。

「聞いたか？　今朝の『日刊予言者新聞』のこと──シリウス・ブラックが目撃されたって書いてあったよ」

「どこで？」

ハリーとロンが急《せ》き込んで聞いた。テーブルのむこうでは、マルフォイが目を上げて耳をそばだてた。

「ここからあまり遠くない」

シェーマスは興奮気味だ。

「マグルの女性が目撃したんだ。もち、その人はほんとのことはわかってない。マグルはブラックが普通の犯罪者だと思ってるだろ？　だからその人、捜査ホットラインに電話したんだ。魔法省が現場に着いたときにはもぬけの殻さ」

「ここからあまり遠くない、か……」

ロンがいわくありげな目でハリーを見た。ハリーが振り返ると、マルフォイがじいっと見つめていた。

「マルフォイ、なんだ？　ほかに皮をむくものでもあるのか？」

マルフォイの目はギラギラと意地悪く光り、ハリーを見すえたままだった。テーブルのむこうから、マルフォイが身を乗り出した。

「ポッター、一人でブラックを捕まえようって思ってるのか？」

「そうだ、そのとおりだ」ハリーは無造作に答えた。

マルフォイの薄い唇がゆがみ、意地悪そうにほくそ笑んだ。

「言うまでもないけど——」落ち着きはらってマルフォイが言った。「僕だったら、もうすでに何かやってるだろうなぁ。いい子ぶって学校にじっとしてたりしない。ブラックを探しに出かけるだろうなぁ」

「マルフォイ、いったい何を言いだすんだ？」ロンが乱暴に言った。

「ポッター、**知らないのか？**」

マルフォイは薄青い目を細めて、ささやくように言った。

「何を？」

マルフォイはあざけるように低く笑った。

「君はたぶん危ないことはしたくないんだろうなぁ。吸魂鬼に任せておきたいんだろう？　僕だったら、復讐してやりたい。僕なら、自分でブラックを追い詰める」

「**いったいなんのことだ？**」

ハリーは怒った。しかし、その時、スネイプの声がした。

「材料はもう全部加えたはずだ。この薬は服用する前に煮込まねばならぬ。ぐつぐつ煮えている間、後片づけをしておけ。あとでロングボトムの薬を試すことにする……」

ネビルが汗だくで自分の鍋を必死にかき回しているのを見て、クラッブとゴイルがあけすけに笑った。ハーマイオニーがスネイプに気づかれないよう、唇を動かさないようにしてネビルに指示を与えていた。ハリーとロンは残っている材料を片づけ、隅のほうにある石の盥《たらい》の所まで行って手とひしゃくを洗った。

「マルフォイは何を言ってたんだろう？」

怪獣像《ガーゴイル》の口から吐き出される氷のように冷たい水で手を洗いながら、ハリーが低い声でロンに話しかけた。

「なんで僕がブラックに復讐しなくちゃならないんだ？　僕になんにも手を出してないのに――まだ」

「でっち上げさ」ロンは強烈に言い放った。「君に、何かバカなことをさせようとして……」

まもなくクラスが終わるというとき、スネイプが、大鍋のそばで縮こまっているネビルのほうへ大股で近づいた。

「諸君、ここに集まりたまえ」

スネイプが暗い目をギラギラさせた。

「ロングボトムのヒキガエルがどうなるか、よく見たまえ。なんとか『縮み薬』が出来上がっていれば、ヒキガエルはおたまじゃくしになる。もし、作り方をまちがえていれば――我輩はそうにちがいないと思うが――ヒキガエルは毒にやられるはずだ」

グリフィンドール生はこわごわ見守り、スリザリン生は嬉々《きき》として見物しているように見えた。スネイプがヒキガエルのトレバーを左手でつまみ上げ、小さいスプーンをネビルの鍋に突っ込み、いまは緑色に変わっている水薬を二、三滴、トレバーののどに流し込んだ。

一瞬あたりがシーンとなった。トレバーはゴクリと飲んだ。と、**ポン**と軽い音がして、おたまじゃくしのトレバーがスネイプの手の中でくねくねしていた。

グリフィンドール生は拍手喝采した。スネイプはおもしろくないという顔でローブのポケットから小瓶を取り出し、二、三滴トレバーに落とした。するとトレバーは突然元のカエルの姿に戻った。

「グリフィンドール、五点減点」

スネイプの言葉でみんなの顔から笑いが吹き飛んだ。

「手伝うなと言ったはずだ、ミス・グレンジャー。授業終了」

ハリー、ロン、ハーマイオニーは玄関ホールへの階段を上った。ハリーはマルフォイの言ったことをまだ考えていたが、ロンはスネイプのことで煮えくり返っていた。

「水薬がちゃんとできたからって五点減点か！　ハーマイオニー、どうしてうそつかなかったんだ？　ネビルが自分でやりましたって、言えばよかったのに！」

ハーマイオニーは答えない。ロンが振り返った。

「どこに行っちゃったんだ？」

ハリーも振り返った。二人は階段の一番上にいた。クラスのほかの生徒たちが二人を追い越して大広間での昼食に向かっていた。

「すぐ後ろにいたのに」ロンが顔をしかめた。

マルフォイがクラッブとゴイルを両脇に従えてそばを通り過ぎた。通りすがりにハリーに向かってほくそ笑んだ。

「あ、あそこにいた」ハリーが言った。

ハーマイオニーが少し息をはずませて階段を上ってきた。片手に鞄《かばん》を抱え、もう一方の手で何かをローブの前に押し込んでいる。

「どうやったんだい？」ロンが聞いた。

「何を？」二人に追いついたハーマイオニーが聞き返した。

「君、ついさっきは僕らのすぐ後ろにいたのに、次の瞬間、階段の一番下に戻ってた」

「え？」ハーマイオニーはちょっと混乱したようだった。

「ああ――私、忘れ物を取りに戻ったの。アッ、あーあ……」

ハーマイオニーの鞄の縫い目が破れていた。ハリーは当然だと思った。鞄の中に大きな重い本が、少なくとも一ダースはぎゅうぎゅう詰めになっているのが見えた。

「どうしてこんなにいっぱい持ち歩いてるんだ？」ロンが聞いた。

「私がどんなにたくさんの学科をとってるか、知ってるわよね」

ハーマイオニーは息を切らしている。

「ちょっと、これ持っててくれない？」

「でもさ――」ロンが渡された本を何冊かひっくり返して表紙を見ていた。「――授業がない科目ばっかりじゃないか。今日は『闇の魔術に対する防衛術』が午後あるだけだよ」

「ええ、そうね」ハーマイオニーはあいまいな返事をした。それでもおかまいなしに全部の教科書を鞄に詰めなおした。

「お昼においしいものがあるといいわ。お腹《なか》ペコペコ」

そう言うなり、ハーマイオニーは大広間へときびきび歩いていった。

「ハーマイオニーって、何か僕たちに隠してると思わないか？」

ロンがハリーに問いかけた。


生徒たちが「闇の魔術に対する防衛術」の最初の授業に集まったときには、ルーピン先生はまだ来ていなかった。みんなが座って教科書と羽根ペン、羊皮紙を取り出し、おしゃべりをしていると、やっと先生が教室に入ってきた。ルーピンはあいまいにほほえみ、くたびれた古い鞄を先生用の机に置いた。相変わらずみすぼらしかったが、汽車で最初に見たときよりは健康そうに見えた。何度かちゃんとした食事をとったかのようだった。

「やあ、みんな」

ルーピンが挨拶した。

「教科書は鞄に戻してもらおうかな。今日は実地練習をすることにしよう。杖《つえ》だけあればいいよ」

全生徒が教科書をしまう中、何人かはけげんそうに顔を見合わせた。いままで「闇の魔術に対する防衛術」で実地訓練など受けたことがない。ただし、昨年度のあの忘れられない授業、前任の先生がピクシー妖精をひとかご持ち込んで、教室に解き放したことを一回と数えるなら別だが。

「よし、それじゃ」ルーピン先生はみんなの準備ができると声をかけた。「私についておいで」

なんだろう、でもおもしろそうだと、みんなが立ち上がってルーピン先生に従い、教室を出た。先生は誰もいない廊下を通り、角を曲がった。とたんに、最初に目に入ったのがポルターガイストのピーブズだった。空中で逆さまになって、手近の鍵穴にチューインガムを詰め込んでいた。

ピーブズは、ルーピン先生が五、六十センチくらいに近づいて初めて目を上げた。そして、くるりと丸まったつま先をごにょごにょ動かし、急に歌いだした。

「ルーニ、ルーピ、ルーピン。バーカ、マヌケ、ルーピン。ルーニ、ルーピ、ルーピン――」

ピーブズは確かにいつでも無礼で手に負えないワルだったが、先生方にはたいてい一目置いていた。ルーピン先生はどんな反応を示すだろう、とみんな急いで先生を見た。驚いたことに、先生は相変わらずほほえんでいた。

「ピーブズ、私なら鍵穴からガムをはがしておくけどね」

先生はほがらかに言った。

「フィルチさんが箒《ほうき》を取りに入れなくなるじゃないか」

フィルチはホグワーツの管理人で、根性曲がりの、できそこないの魔法使いだった。生徒に対して、いつもけんかを吹っかけるし、実はピーブズに対してもそうだった。しかし、ピーブズはルーピン先生の言うことを聞くどころか、舌を突き出して、ベーッとやった。

ルーピン先生は小さくため息をつき、杖を取り出した。

「この簡単な呪文は役に立つよ」

先生は肩越しにみんなを振り返ってこう言った。

「よく見ておきなさい」

先生は杖を肩の高さにかまえ、**「ワディワジ！　逆詰め！」**と唱え、杖をピーブズに向けた。

チューインガムの塊が、弾丸のように勢いよく鍵穴から飛び出し、ピーブズの左の鼻の穴に見事命中した。ピーブズはもんどり打って逆さま状態から反転し、悪態をつきながらズームアウトして消え失《う》せた。

「先生、かっこいい！」ディーン・トーマスが驚嘆した。

「ディーン、ありがとう」ルーピン先生は杖を元に戻した。

「さあ、行こうか」

みんなでまた歩きだしたが、全員がさえないルーピン先生を尊敬のまなざしで見つめるようになっていた。先生はみんなを引き連れて二つ目の廊下を渡り、職員室のドアの真ん前で立ち止まった。

「さあ、お入り」

ルーピン先生はドアを開け、一歩下がって声をかけた。

職員室は奥の深い板壁の部屋で、ちぐはぐな古い椅子がたくさん置いてあった。がらんとした部屋に、たった一人、スネイプ先生が低いひじかけ椅子に座っていたが、クラス全員が列をなして入ってくるのをぐるりと見渡した。目をギラギラさせ、口元には意地悪なせせら笑いを浮かべている。ルーピン先生が最後に入ってドアを閉めると、スネイプが言った。

「ルーピン、開けておいてくれ。できれば見たくないのでね」

スネイプは立ち上がり、黒いマントをひるがえして大股でみんなの脇を通り過ぎ、ドアの所でくるりと振り返って、捨てゼリフを吐いた。

「ルーピン、たぶん誰も君に忠告していないと思うが、このクラスにはネビル・ロングボトムがいる。この子には難しい課題を与えないようご忠告申し上げておこう。ミス・グレンジャーが耳元でヒソヒソ指図を与えるなら別だがね」

ネビルは真っ赤になった。ハリーはスネイプをにらみつけた。自分の授業でさえネビルいじめは許せないのに、ましてやほかの先生の前でいじめをやるなんてとんでもないことだ。

ルーピン先生は眉根をキュッと上げた。

「術の最初の段階で、ネビルに僕のアシスタントを務めてもらいたいと思ってましてね。それに、ネビルはきっと、とてもうまくやってくれると思いますよ」

すでに真っ赤なネビルの顔が、もっと赤くなった。スネイプの唇がめくれ上がった。が、そのままバタンとドアを閉めて、スネイプは出ていった。

「さあ、それじゃ」

ルーピン先生はみんなに部屋の奥まで来るように合図した。そこには先生方が着替え用のローブを入れる古い洋だんすがぽつんと置かれていた。ルーピン先生がその脇に立つと、たんすが急にわなわなと揺れ、バーンと壁から離れた。

「心配しなくていい」

何人かが驚いて飛びのいたが、ルーピン先生は静かに言った。

「中に『まね妖怪』――ボガートが入ってるんだ」

それは**心配するべき**ことじゃないか、とほとんどの生徒はそう思ったようだった。ネビルは恐怖そのものの顔つきでルーピン先生を見た。シェーマス・フィネガンは、たんすの取っ手がガタガタ言いはじめたのを不安そうに見つめていた。

「まね妖怪は暗くて狭い所を好む」ルーピン先生が語りだした。

「洋だんす、ベッドの下のすきま、流しの下の食器棚など――私は一度、大きな柱時計の中に引っかかっているやつに出会ったことがある。ここにいるのはきのうの午後に入り込んだやつで、三年生の実習に使いたいからと、校長先生にお願いして、先生方にはそのままにしていただいたんですよ」

「それでは、最初の問題ですが、まね妖怪のボガートとはなんでしょう？」

ハーマイオニーが手を挙げた。

「形態模写妖怪です。私たちが一番怖いと思うのはこれだ、と判断すると、それに姿を変えることができます」

「私でもそんなにうまくは説明できなかったろう」

ルーピン先生の言葉で、ハーマイオニーはほおを染めた。

「だから、中の暗がりに座り込んでいるまね妖怪は、まだなんの姿にもなっていない。たんすの戸の外にいる誰かが、何を怖がるのかまだ知らない。まね妖怪がひとりぼっちのときにどんな姿をしているのか、誰も知らない。しかし、私が外に出してやると、たちまち、それぞれが一番怖いと思っているものに姿を変えるはずです」

「ということは――」

ネビルが怖くてしどろもどろになっているのを無視して、ルーピン先生は話を続けた。

「つまり、初めっから私たちのほうがまね妖怪より大変有利な立場にあるのですが、ハリー、なぜだかわかるかな？」

隣のハーマイオニーが手を高く挙げ、つま先立ちでピョコピョコ飛び上がっているそばで質問に答えるのは気が引けたが、それでもハリーは思いきって答えてみた。

「えーと――僕たち、たくさんの生徒がいるので、どんな姿に変身すればいいかわからない？」

「そのとおり」

ルーピン先生がそう言うと、ハーマイオニーはちょっぴりがっかりしたように手を下ろした。

「まね妖怪退治をするときは、誰かと一緒にいるのが一番いい。むこうが混乱するからね。首のない死体に変身すべきか、人肉を食らうナメクジになるべきか？　私はまね妖怪がまさにその過ちを犯したのを一度見たことがある――一度に二人を脅そうとしてね、半分だけナメクジに変身したんだ。どう見ても恐ろしい姿とは言えなかった。

まね妖怪を退散させる呪文は簡単だ。しかし精神力が必要だ。こいつをほんとうにやっつけるのは、**『笑い』**なんだ。君たちは、まね妖怪に、滑稽だと思える姿をとらせる必要がある。

初めは杖なしで練習しよう。私に続いて言ってみよう……**リディクラス！　ばかばかしい！**」

「**リディクラス！　ばかばかしい！**」全員がいっせいに唱えた。

「そう。とっても上手だ。でもここまでは簡単なんだけどね。呪文だけでは充分じゃないんだよ。そこで、ネビル、君の登場だ」

洋だんすがまたガタガタ揺れた。でも、ネビルのほうがもっとガタガタ震えていた。まるで絞首台に向かうかのように進み出た。

「よーし、ネビル。一つずつ行こうか。君が世界一怖いものはなんだい？」

ネビルの唇が動いたが、声が出てこない。

「ん？　ごめん、ネビル、聞こえなかった」ルーピン先生は明るく言った。

ネビルはまるで誰かに助けを求めるかのように、きょろきょろとあたりを見回し、それから蚊の鳴くような声でささやいた。

「スネイプ先生」

ほとんど全員が笑った。ネビル自身も申し訳なさそうにニヤッと笑った。しかしルーピン先生はまじめな顔をしていた。

「スネイプ先生か……フーム……ネビル、君はおばあさんと暮らしているね？」

「え――はい」ネビルは不安げに答えた。「でも――僕、まね妖怪がばあちゃんに変身するのもいやです」

「いやいや、そういう意味じゃないんだよ」

ルーピン先生が今度はほほえんでいた。

「教えてくれないか。おばあさんはいつも、どんな服を着ていらっしゃるのかな？」

ネビルはキョトンとしたが、答えた。

「えーと……いっつもおんなじ帽子。たかーくて、てっぺんにハゲタカの剥製がついてるの。それに、ながーいドレス……たいてい、緑色……それと、ときどき狐の毛皮の襟巻してる」

「ハンドバッグは？」ルーピン先生がうながした。

「おっきな赤いやつ」ネビルが答えた。

「よし、それじゃ、ネビル、その服装をはっきり思い浮かべることができるかな？　心の目で、見えるかな？」

「はい」

ネビルは自信なさそうに答えた。次は何が来るんだろうと心配しているのが見え見えだ。

「ネビル、まね妖怪が洋だんすからウワーッと出てくるね、そして、君を見るね。そうすると、スネイプ先生の姿に変身するんだ。そしたら、君は杖を上げて――こうだよ――そして叫ぶんだ。『**リディクラス！　ばかばかしい！**』――そして、君のおばあさんの服装に精神を集中させる。すべてうまくいけば、ボガート・スネイプ先生はてっぺんにハゲタカのついた帽子をかぶって、緑のドレスを着て、赤いハンドバッグを持った姿になってしまう」

みんな大爆笑だった。洋だんすが一段と激しく揺れた。

「ネビルが首尾よくやっつけたら、そのあとまね妖怪は次々に君たちに向かってくるだろう。みんな、ちょっと考えてくれるかい。何が一番怖いかって。そして、その姿をどうやったらおかしな姿に変えられるか、想像してみて……」

部屋が静かになった。ハリーも考えた……。この世で一番恐ろしいものはなんだろう？

最初にヴォルデモート卿《きょう》を考えた――完全な力を取り戻したヴォルデモート。しかし、ボガート・ヴォルデモートへの反撃を考えようとしたとたん、恐ろしいイメージが意識の中に浮かび上がってきた……。

くさった、冷たく光る手、黒いマントの下にするすると消えた手……見えない口から吐き出される、長いしわがれた息づかい……そして水におぼれるような、染み込むようなあの寒さ……。

ハリーは身震いした。そして、誰も気づかなかったことを願いながら、あたりを見回した。しっかり目をつぶっている生徒が多かった。ロンはブツブツひとり言をいっていた。「肢《あし》をもぎ取ってと」ハリーにはそれがなんのことかよくわかった。ロンが最高に怖いのはクモなのだ。

「みんな、いいかい？」ルーピン先生だ。

ハリーは突然恐怖に襲われた。まだ準備ができていない。どうやったら吸魂鬼を恐ろしくない姿にできるのだろう？　しかし、これ以上待ってくださいとは言えない。何しろ、みんながうなずき、腕まくりをしていた。

「ネビル、私たちは下がっているからね」ルーピン先生が言った。「君に場所をあけてあげよう。いいね？　私が声をかけたら、次の生徒が前に出る……。みんな下がって、さあ、ネビルがまちがいなくやっつけられるように――」

みんな後ろに下がって壁にぴったり張りつき、ネビルが一人、洋だんすのそばにとり残された。恐怖に青ざめてはいたが、ネビルはローブのそでをたくし上げ、杖をかまえていた。

「ネビル、三つ数えてからだ」

ルーピン先生が自分の杖を洋だんすの取っ手に向けながら言った。

「いーち、にー、さん、**それ！**」

ルーピン先生の杖の先から、火花がほとばしり、取っ手のつまみに当たった。洋だんすが勢いよく開き、鉤鼻《かぎ》の恐ろしげなスネイプ先生が、ネビルに向かって目をギラつかせながら現れた。

ネビルは杖を上げ、口をパクパクさせながらあとずさりした。スネイプがローブの懐に手を突っ込みながらネビルに迫った。

「リ、リ、**リディクラス！**」

ネビルは上ずった声で呪文を唱えた。

パチンと鞭《むち》を鳴らすような音がして、スネイプがつまずいた。今度は長い、レースで縁取りをしたドレスを着ている。見上げるように高い帽子のてっぺんに虫食いのあるハゲタカをつけ、手には巨大な真紅のハンドバッグをゆらゆらぶら下げている。

どっと笑い声が上がった。まね妖怪はとほうにくれたように立ち止まった。ルーピン先生が大声で呼んだ。

「パーバティ、前へ！」

パーバティがキッとした顔で進み出た。スネイプがパーバティのほうに向きなおった。またパチンと音がして、スネイプの立っていたあたりに血まみれの包帯をぐるぐる巻いたミイラが立っていた。目のない顔をパーバティに向け、ミイラはゆっくりと、パーバティに迫った。足を引きずり、手を棒のように前に突き出して――。

「**リディクラス！**」パーバティが叫んだ。

包帯が一本ばらりとほどけてミイラの足元に落ちた。それにからまって、ミイラは顔から先につんのめり、頭が転がり落ちた。

「シェーマス！」ルーピン先生が吠《ほ》えるように呼んだ。

シェーマスがパーバティの前に躍り出た。

パチン！　ミイラのいた所に、床まで届く黒い長髪、骸骨のような緑色がかった顔の女が立っていた――バンシーだ。口を大きく開くと、この世のものとも思われない声が部屋中に響いた。長い、嘆きの悲鳴――ハリーは髪の毛が逆立った。

「**リディクラス！**」シェーマスが叫んだ。

バンシーはしわがれ声になり、のどを押さえた。声が出なくなったのだ。

パチン！　バンシーがネズミになり、自分のしっぽを追いかけてぐるぐる回りはじめた。と思ったら――**パチン！**――今度はガラガラヘビだ。くねくねのたうち回り、それから――**パチン！**――血走った目玉が一個。

「混乱してきたぞ！」

ルーピンが叫んだ。

「もうすぐだ！　ディーン！」

ディーンが急いで進み出た。

パチン！　目玉が切断された手首になった。裏返しになり、カニのように床を這《は》いはじめた。

「**リディクラス！**」ディーンが叫んだ。

バチッと音がして、手がネズミ捕りにはさまれた。

「いいぞ！　ロン、次だ！」

ロンが飛び出した。

パチン！

何人かの生徒が悲鳴を上げた。毛むくじゃらの二メートル近い大蜘蛛《ぐも》が、おどろおどろしく鋏《はさみ》をガチャつかせ、ロンに向かってきた。一瞬、ハリーはロンが凍りついたかと思った。すると——。

「**リディクラス！**」

ロンがとどろくような大声を出した。蜘蛛の肢が消え、ごろごろ転がりだした。ラベンダー・ブラウンが金切り声を出して蜘蛛をよけた。足元で蜘蛛が止まったので、ハリーは杖をかまえた。が——。

「こっちだ！」急にルーピン先生がそう叫び、急いで前に出てきた。

パチン！

肢なし蜘蛛が消えた。一瞬、どこへ消えたのかと、みんなきょろきょろ見回した。すると、銀白色の玉がルーピンの前に浮かんでいるのが見えた。ルーピンは、ほとんど面倒くさそうに「**リディクラス！**」と唱えた。

パチン！

「ネビル！　前へ！　やっつけるんだ！」

まね妖怪がゴキブリになって床に落ちたところでルーピンが叫んだ。**パチン！**　スネイプが戻った。

ネビルは今度は決然とした表情でぐいと前に出た。

「**リディクラス！**」ネビルが叫んだ。

ほんの一瞬、レース飾りのドレスを着たスネイプの姿が見えたが、ネビルが大声で「ハハハ！」と笑うと、まね妖怪は破裂し、何千という細い煙の筋になって消え去った。

「よくやった！」

全員が拍手する中、ルーピン先生が大声を出した。

「ネビル、よくできた。みんな、よくやった。そうだな……まね妖怪と対決したグリフィンドール生一人につき五点をやろう――ネビルは一〇点だ。二回やったからね――ハーマイオニーとハリーも五点ずつだ」

「でも、僕、何もしませんでした」ハリーが言った。

「ハリー、君とハーマイオニーはクラスの最初に、私の質問に正しく答えてくれた」

ルーピンはさりげなく言った。

「よーし、みんな、いい授業だった。宿題だ。まね妖怪に関する章を読んで、まとめを提出してくれ……月曜までだ。今日はこれでおしまい」

みんな興奮してペチャクチャしゃべりながら職員室を出た。しかし、ハリーは心がはずまなかった。ルーピン先生はハリーがまね妖怪と対決するのを意図的に止めた。どうしてなんだ？　汽車の中で僕が倒れるのを見たからなのか、そして僕があまり強くないと思ったのか？　先生は僕がまた気絶すると思ったのだろうか？

誰も、何も気づいていないようだった。

「バンシーと対決するのを見たか？」シェーマスが叫んだ。

「それに、あの手！」ディーンが自分の手を振り回しながら言った。

「それに、あの帽子をかぶったスネイプ！」

「それに、私のミイラ！」

「ルーピン先生は、どうして水晶玉なんかが怖いのかしら？」ラベンダーがふと考え込んだ。

「『闇の魔術に対する防衛術』じゃ、いままでで一番いい授業だったよな？」

鞄を取りにみんなで教室に戻る途中、ロンは興奮していた。

「ほんとにいい先生だわ」ハーマイオニーも賛成した。「だけど、私もまね妖怪に当たりたかったのに
――」

「君ならなんになったのかなぁ？」ロンがからかうように笑った。「成績かな。一〇点満点で九点しか取れなかった宿題とか？」

第8章 「太った婦人《レディ》」の逃走

「闇の魔術に対する防衛術」は、たちまちほとんど全生徒の一番人気の授業になった。ドラコ・マルフォイとその取り巻き連中のスリザリン生だけが、ルーピン先生の粗探しをした。

「あのローブのざまを見ろよ」

ルーピン先生が通ると、マルフォイは聞こえよがしのヒソヒソ声でこう言った。

「僕の家の『屋敷しもべ妖精』の格好じゃないか」

しかし、ルーピン先生のローブが継ぎはぎだろうと、ボロだろうと、ほかには誰一人として気にする者はいなかった。二回目からの授業も、最初と同じようにおもしろかった。まね妖怪《ボガート》のあとは、赤帽鬼《レッドキャップ》で、血のにおいのする所ならどこにでもひそむ、小鬼《ゴブリン》に似た性悪な生き物だ。城の地下牢《ろう》とか、戦場跡の深い穴などに隠れ、道に迷った者を待ち伏せて棍棒《こんぼう》でなぐる。赤帽鬼が終わると、次は河童《かっぱ》に移った。水に棲《す》む気味の悪い生き物で、見た目はうろこのあるサルだ。何も知らずに池の浅瀬を渡る者を、水中に引っ張り込み、水かきのある手でしめ殺したくてうずうずしている。

ほかの授業も同じくらい楽しいといいのにとハリーは思った。魔法薬の授業は最悪だった。スネイプはこのごろますます復讐ムードだったが、理由ははっきりしていた。まね妖怪がスネイプの姿になった、ネビルがそれにばあちゃんの服をこんなふうに着せた、という話が学校中に野火のように広がったからだ。スネイプにはこれがおもしろくもおかしくもない。ルーピン先生の名前が出ただけで、スネイプの目はギラリと脅すように光ったし、ネビルいじめはいっそうひどくなった。

ハリーはトレローニー先生の、あの息の詰まるような塔教室での授業にもだんだんいや気がさしてきた。変に傾いた形や印を解読したり、ハリーを見るたびに先生があの巨大な目に涙をいっぱい浮かべるのを、なんとか無視しようと努力するのにうんざりしていた。先生を崇拝に近い敬意で崇《あが》める生徒もたくさんいたが、ハリーはトレローニー先生がどうしても好きになれない。パーバティ・パチルやラベンダー・ブラウンなどは、昼食時に先生の塔に入り浸り、みんなが知らないことを知ってるわよ、とばかりに、鼻持ちならない得意顔で戻ってくる。おまけにこの二人は、まるで臨終の床についている人に話すように、ヒソヒソ声でハリーに話しかけるようになった。

　魔法生物飼育学の授業は、最初のあの大活劇のあと、とてつもなくつまらないものになり、誰も心から好きにはなれなかった。ハグリッドは自信を失ったらしい。生徒は毎回毎回、レタス食い虫《フローバーワーム》の世話を学ぶはめになったが、こんなにつまらない生き物はまたとないにちがいない。

「こんな虫を**わざわざ**飼育しようなんて物好きがいるかい？」

　レタス食い虫のぬらりとしたのどに刻みレタスを押し込む、相も変わらぬ一時間のあと、ロンがぼやいた。

　しかし、十月になると、ハリーは別のことで忙しくなった。授業のうさを晴らす、楽しいことだった。クィディッチ・シーズンの到来だ。グリフィンドール・チームのキャプテン、オリバー・ウッドが、ある木曜日の夕方、今シーズンの作戦会議を招集した。

　クィディッチの選手は七人。三人のチェイサーがクアッフル（赤い、サッカーボールぐらいの球）でゴールをねらう。競技場の両端に立つ約十五メートルの高さの輪の中にクアッフルを投げ込んで得点する。二人のビーターはがっしり重いクラブを持ち、ブラッジャー（選手を攻撃しようとビュンビュン飛び回る二個の黒く重い球）を撃退する。キーパーは一人で三本のゴールを守る。シーカーが一番大変で、金のスニッチという羽の生えた小さなクルミ大のボールを捕まえるのが役目だ。捕まえるとゲームセットで、そのシーカーのチームが一挙に一五〇点獲得する。

オリバー・ウッドはたくましい十七歳。ホグワーツの七年生、いまや最終学年だ。暗くなりかけたクィディッチ競技場の片隅の、冷え冷えとした更衣室で、六人のチームメートに演説するオリバーの声には、何やら悲壮感が漂っていた。

「今年が最後のチャンスだ——**俺の**最後のチャンスだ——クィディッチ優勝杯獲得の」

選手の前を大股で往《い》ったり来たりしながら、オリバーは演説した。

「俺は今年かぎりでいなくなる。二度と挑戦できない。グリフィンドールはこの七年間、一度も優勝していない。いや、言うな。運が悪かった。世界一不運だった——けがだ——去年はトーナメントそのものがキャンセルだ……」

オリバーはゴクリとつばを飲み込んだ。思い出すだけでのどに何かがつかえたようだった。

「しかしだ、わかってるのは、俺たちが**最高の**——**学校**——一の——**強烈な**——**チーム**——だってことだ」

オリバーは一言一言言うたびに、パンチを手のひらにたたき込んだ。おなじみの、正気とは思えない目の輝きだ。

「俺たちには**とびっきりの**チェイサーが三人いる」オリバーは、アリシア・スピネット、アンジェリーナ・ジョンソン、ケイティ・ベルの三人を指差した。

「俺たちには**負け知らずの**ビーターがいる」

「よせよ、オリバー。照れるじゃないか」

フレッドとジョージが声をそろえて言い、赤くなるふりをした。

「それに、俺たちのシーカーは、**常にわがチームに勝利をもたらした！**」

ウッドのバンカラ声が響き、熱烈な誇りの念を込めてハリーをじっと見つめた。

「それに、俺だ」思い出したようにオリバーがつけ加えた。

「君もすごいぜ、オリバー」ジョージが言った。

「決めてるキーパーだぜ」フレッドが言った。

「要するにだ」オリバーがまた往ったり来たり歩きながら話を続けた。「過去二年とも、クィディッチ杯には俺たちの寮の名が刻まれるべきだった。ハリーがチームに加わって以来、俺は、いただきだと思い続けてきた。しかし、いまだ優勝杯はわが手にあらず。今年が最後のチャンスだ。ついに我らがその名を刻む最後の……」

ウッドがあまりに落胆した言い方をしたので、さすがのフレッドやジョージも同情した。

「オリバー、今年は俺たちの年だ」フレッドが言った。

「やるわよ、オリバー！」アンジェリーナだ。

「絶対だ」ハリーが言った。

決意満々で、チームは練習を始めた。一週間に三回だ。日ごとに寒く、じめじめした日が増え、夜はますます暗くなった。しかし、どんなにひどい泥だろうが、風だろうが、雨だろうが、今度こそあの大きなクィディッチ銀杯を獲得するというハリーのすばらしい夢には、一点の曇りもなかった。

ある夜、練習を終え、寒くて体のあちこちをこわばらせながらも、ハリーは練習の成果に満足してグリフィンドール談話室に戻ってきた。談話室はざわめいていた。

「何かあったの？」ハリーはロンとハーマイオニーに尋ねた。二人は暖炉近くの特等席で、天文学の星座図を仕上げているところだった。

「一回目のホグズミード週末だ」

ロンがくたびれた古い掲示板に貼り出された「お知らせ」を指差した。

「十月末。ハロウィーンさ」

「やったぜ」ハリーに続いて肖像画の穴から出てきたフレッドが言った。「ゾンコの店に行かなくちゃ。『臭《くさ》い玉』がほとんど底をついてる」

ハリーはロンのそばの椅子にドサリと座った。高揚していた気持ちがなえていった。ハーマイオニーがその気持ちを察したようだった。

「ハリー、この次にはきっと行けるわ。ブラックはすぐ捕まるに決まってる。一度は目撃されてるし」

「ホグズミードで何かやらかすほど、ブラックはバカじゃない」ロンが言った。

「ハリー、マクゴナガルに聞けよ。今度行っていいかって。次なんて永遠に来ないぜ――」

「**ロン!**」ハーマイオニーがとがめた。「ハリーは**学校内に**いなきゃいけないのよ――」

「三年生でハリー一人だけを残しておくなんて、できないよ」ロンが言い返した。

「マクゴナガルに聞いてみろよ。ハリー、やれよ――」

「うん、やってみる」ハリーはそう決めた。

ハーマイオニーが何か言おうと口を開けたが、その時、クルックシャンクスが軽やかにひざに飛びのってきた。大きなクモの死骸をくわえている。

「わざわざ僕たちの目の前でそれを食うわけ?」ロンが顔をしかめた。

「お利口さんね、クルックシャンクス。一人で捕まえたの?」ハーマイオニーが言った。

クルックシャンクスは、黄色い目で小ばかにしたようにロンを見すえたまま、ゆっくりとクモをかんだ。

「そいつをそこから動かすなよ」

ロンはいらいらしながらまた星座図に取りかかった。

「スキャバーズが僕の鞄《かばん》で寝てるんだから」

ハリーはあくびをした。早くベッドに行きたかった。しかし、ハリーも星座図を仕上げなければならない。鞄を引き寄せ、羊皮紙、インク、羽根ペンを取り出して作業に取りかかった。

「僕のを写していいよ」

最後の星に、どうだっとばかりに大げさに名前を書き、その図をハリーのほうに押しやった。

ハーマイオニーは丸写しが許せず、唇をギュッと結んだが、何も言わなかった。クルックシャンクスは、ぼさぼさのしっぽを振り振り、瞬《まばた》きもせずにロンを見つめ続けていたが、出し抜けに飛んだ。

「**おい！**」

ロンがわめきながら鞄を引っつかんだが、クルックシャンクスは四本足の爪全部を、ロンの鞄に深々と食い込ませ、猛烈に引っかきだした。

「**放せ！　この野郎！**」

ロンはクルックシャンクスから鞄をもぎ取ろうとしたが、クルックシャンクスはシャーッシャーッと唸《うな》り、鞄を引き裂き、てこでも離れない。

「ロン、乱暴しないで！」

ハーマイオニーが悲鳴を上げた。談話室の生徒がこぞって見物した。ロンは鞄を振り回したが、クルックシャンクスはぴったり張りついたままで、スキャバーズのほうが鞄からポーンと飛び出した――。

「**あの猫を捕まえろ！**」

ロンが叫んだ。クルックシャンクスは抜け殻の鞄を離れ、テーブルに飛び移り、命からがら逃げるスキャバーズのあとを追った。

ジョージ・ウィーズリーがクルックシャンクスを取っつかまえようと手を伸ばしたが、取り逃した。スキャバーズは二十人の股の下をすり抜け、古い整理だんすの下にもぐり込んだ。クルックシャンクスはその前で急停止し、ガニマタの足を曲げてかがみ込み、前足をたんすの下に差し入れてはげしく引っかいた。

ロンとハーマイオニーが駆けつけた。ハーマイオニーはクルックシャンクスの腹を抱え、ウンウン言って引き離した。ロンはべったり腹ばいになり、さんざんてこずったが、スキャバーズのしっぽをつかんで引っ張り出した。

「見ろよ！」

ロンはカンカンになって、スキャバーズをハーマイオニーの目の前にぶら下げた。

「こんなに骨と皮になって！　その猫をスキャバーズに近づけるな！」

「クルックシャンクスにはそれが悪いことだってわからないのよ！」ハーマイオニーは声を震わせた。

「ロン、猫はネズミを追っかけるもんだわ！」

「そのケダモノ、何かおかしいぜ！」

ロンは必死にじたばたしているスキャバーズをなだめすかしてポケットに戻そうとしていた。

「スキャバーズは僕の鞄の中だって言ったのを、そいつ聞いたんだ！」

「ばかなこと言わないで」ハーマイオニーが切り返した。「クルックシャンクスは**においで**わかるのよ、ロン。ほかにどうやって——」

「その猫、スキャバーズに恨みがあるんだ！」

周りのやじ馬がクスクス笑いだしたが、ロンはおかまいなしだ。

「いいか、スキャバーズのほうが先輩なんだぜ。**その上、病気なんだ！**」

ロンは肩をいからせて談話室を横切り、寝室に向かう階段へと姿を消した。

翌日もまだ、ロンは険悪なムードだった。薬草学の時間中も、ハリーとハーマイオニーとロンが一緒に「花咲か豆」の作業をしていたのに、ロンはほとんどハーマイオニーと口をきかなかった。

豆の木からふっくらしたピンクのさやをむしり取り、中からつやつやした豆を押し出して桶《おけ》に入れながら、ハーマイオニーがおずおずと聞いた。

「スキャバーズはどう？」

「隠れてるよ。僕のベッドの奥で、震えながらね」

ロンは腹を立てていたので、豆が桶に入らず、温室の床に散らばった。

「気をつけて、ウィーズリー。気をつけなさい！」

スプラウト先生が叫んだ。豆がみんなの目の前でパッと花を咲かせはじめたのだ。

次は変身術だった。ハリーは、授業のあとでマクゴナガル先生に、ホグズミードに行ってもよいかと尋ねようと心を決めていたので、教室の外に並んだ生徒の一番後ろに立ち、どうやって切り出そうかと考えをめぐらせていた。ところが、列の前のほうが騒がしくなり、そっちに気を取られた。

ラベンダー・ブラウンが泣いているらしい。パーバティが抱きかかえるようにして、シェーマス・フィネガンとディーン・トーマスに何か説明していた。二人とも深刻な表情で聞いている。

「ラベンダー、どうしたの？」

ハリーやロンと一緒に騒ぎの輪に入りながら、ハーマイオニーが心配そうに聞いた。

「今朝、おうちから手紙が来たの」パーバティが小声で言った。

「ラベンダーのウサギのビンキー、キツネに殺されちゃったんだって」

「まあ。ラベンダー、かわいそうに」ハーマイオニーが言った。

「私、うかつだったわ！」ラベンダーは悲嘆に暮れていた。「今日が何日か、知ってる？」

「えーっと――」

「十月十六日よ！『あなたの恐れていることは、十月十六日に起こりますよ！』覚えてる？　先生は正しかったんだわ。正しかったのよ！」

いまや、クラス全員がラベンダーの周りに集まっていた。シェーマスは小難しい顔で頭を振っていた。ハーマイオニーは一瞬躊躇《ちゅうちょ》したが、こう聞いた。

「あなた――あなた、ビンキーがキツネに殺されることをずっと恐れていたの？」

「ううん、**キツネ**ってかぎらないけど」

ラベンダーはぼろぼろ涙を流しながらハーマイオニーを見た。

「でも、ビンキーが死ぬことは**もちろん**ずっと恐れてたわ。当然でしょう？」

「あら」ハーマイオニーはまた一瞬間をおいたが、やがて――「ビンキーって**年寄り**ウサギだった？」

「ち、ちがうわ！」ラベンダーがしゃくりあげた。「あ、あの子、まだ赤ちゃんだった！」

パーバティがラベンダーの肩をいっそうきつく抱きしめた。

「じゃあ、どうして死ぬことなんか心配するの？」

ハーマイオニーが聞いた。パーバティがハーマイオニーをにらみつけた。

「ねえ、論理的に考えてよ」

ハーマイオニーは集まったみんなに向かって言った。

「つまり、ビンキーは今日死んだわけでもない。でしょ？　ラベンダーはその知らせを今日受け取っただけだわ――」

ラベンダーの泣き声がひときわ高くなった。

「――それに、ラベンダーがそのことをずっと恐れていた**はずがない**わ。だって、突然知ってショックだったんだもの――」

「ラベンダー、ハーマイオニーの言うことなんか気にするな」

ロンが大声で言った。

「人のペットのことなんて、どうでもいいやつなんだから」

ちょうどその時、マクゴナガル先生が教室のドアを開けた。まさにいいタイミングだった。ハーマイオニーとロンが火花を散らしてにらみ合っていた。教室に入ってもハリーをはさんで両側に座り、授業中ずっと口もきかなかった。

終業のベルが鳴ったが、ハリーはマクゴナガル先生にどう切り出すか、まだ迷っていた。ところが、先生のほうからホグズミードの話が出た。

「ちょっとお待ちなさい！」

みんなが教室から出ようとするのを、先生が呼び止めた。

「みなさんは全員私《わたくし》の寮の生徒ですから、ホグズミード行きの許可証をハロウィーンまでに私に提出してください。許可証がなければホグズミードもなしです。忘れずに出すこと！」

「あのー、先生、ぼ、僕、なくしちゃったみたい――」ネビルが手を挙げた。

「ロングボトム、あなたのおばあさまが、私に直送なさいました。そのほうが安全だと思われたのでしょう。さあ、それだけです。帰ってよろしい」

「いまだ。行け」ロンが声を殺してハリーをうながした。

寄った。

「でも、ああ――」ハーマイオニーが何か言いかけた。

「ハリー、行けったら」ロンが頑固に言い張った。

ハリーはみんながいなくなるまで待った。それから、ドキドキしながらマクゴナガル先生の机に近寄った。

「なんですか、ポッター？」

ハリーは深く息を吸った。

「先生、おじ、おばが――あの――許可証にサインするのを忘れました」

マクゴナガル先生は四角いめがねの上からハリーを見たが、何も言わなかった。

「それで――あの――だめでしょうか――つまり、かまわないでしょうか、あの――僕がホグズミードに行っても？」

マクゴナガル先生は下を向いて、机の上の書類を整理しはじめた。

「だめです、ポッター。いま、私が言ったことを聞きましたね。許可証がなければホグズミードはなしです。それが規則です」

「でも――先生。僕のおじ、おばは――ご存じのように、マグルです。わかってないんです――ホグワーツとか、許可証とか」

ハリーのそばで、ロンが強くうなずいて助っ人をしていた。

「先生が行ってもよいとおっしゃれば――」

「私は、そうは言いませんよ」マクゴナガル先生は立ち上がり、書類をきっちりと引き出しに収めた。「許可証にはっきり書いてあるように、両親、または保護者が許可しなければなりません」

先生は向きなおり、不思議な表情を浮かべてハリーを見た。哀れみだろうか？

「残念ですが、ポッター、これが私の最終決定です。早く行かないと、次のクラスに遅れますよ」

万事休す。ロンがマクゴナガル先生に対して悪口雑言のかぎりをぶちまけたので、ハーマイオニーがいやがった。そのハーマイオニーの「これでよかったのよ」という顔が、ロンをますます怒らせた。一方ハリーは、ホグズミードに行ったらまず何をするかと、みんなが楽しそうに騒いでいるのにじっとたえなければならなかった。

「ごちそうがあるさ」ハリーをなぐさめようとして、ロンが言った。

「ね、ハロウィーンのごちそうが、その日の夜に」

「うん」ハリーは暗い声で言った。「すてきだよ」

ハロウィーンのごちそうはいつだってすばらしい。でも、みんなと一緒にホグズミードで一日過ごしたあとで食べるほうがもっとおいしいに決まっている。誰がなんとなぐさめようと、ひとりぼっちで取り残されるハリーの気持ちは晴れなかった。羽根ペン使いのうまいディーン・トーマスは、許可証にバーノンおじさんの偽サインをしようと言ってくれた。しかし、ハリーはもう、マクゴナガル先生にサインがもらえなかったと言ってしまったので、この手は使えない。ロンは、「透明マント」はどうか、と中途半端な提案をしたが、ハーマイオニーに踏みつぶされた。ダンブルドアが、吸魂鬼は透明マントでもお見透《みとお》しだと言ったじゃない、とロンに思い出させたのだ。パーシーはなぐさめにならない最低のなぐさめ方をした。

「ホグズミードのことをみんな騒ぎたてるけど、ハリー、僕が保証する。評判ほどじゃない」

真顔でそう言った。

「いいかい。菓子の店はかなりいけるな。しかし、ゾンコの『いたずら専門店』は、はっきり言って危険だ。それに、そう、『叫びの屋敷』は一度行ってみる価値はあるな。だけど、ハリー、それ以外は、ほんとうにたいしたものはないよ」

ハロウィーンの朝、ハリーはみんなと一緒に起き、なるべく普段どおりに取りつくろっていたものの、最低の気分でみなと朝食に下りていった。

「ハニーデュークスからお菓子をたくさん持ってきてあげるわ」

ハーマイオニーが、心底気の毒そうな顔をしながら言った。

「ウン、たーくさん」

ロンも言った。二人はハリーの落胆ぶりを見て、クルックシャンクス論争をついに水に流した。

「僕のことは気にしないで」

ハリーは精一杯平気を装った。

「パーティで会おう。楽しんできて」

ハリーは玄関ホールまで二人を見送った。管理人のフィルチが、ドアのすぐ内側に立ち、長いリストを手に名前をチェックしていた。一人一人、疑わしそうに顔をのぞき込み、行ってはいけない者が抜け出さないよう、念入りに調べていた。

「居残りか、ポッター？」

クラッブとゴイルを従えて並んでいたマルフォイが大声で言った。

「吸魂鬼のそばを通るのが怖いのか？」

ハリーは聞き流して、一人で大理石の階段を引き返し、誰もいない廊下を通ってグリフィンドール塔に戻った。

「合言葉は？」とろとろ眠っていた「太った婦人《レディ》」が、急に目覚めて聞いた。

「**フォルチュナ・マジョール。たなぼた**」ハリーは気のない言い方をした。

肖像画がパッと開き、ハリーは穴をよじ登って談話室に入った。そこは、ペチャクチャにぎやかな一年生、二年生でいっぱいだった。上級生も数人いたが、飽きるほどホグズミードに行ったことがあるにちがいない。

「ハリー！　ハリー！　ハリーったら！」

コリン・クリービーだった。ハリーを崇拝している二年生で、話しかける機会をけっして逃さない。

「ハリー、ホグズミードに行かないんですか？　どうして？　あ、そうだ――」

コリンは熱っぽく周りの友達を見回してこう言った。

「よろしかったら、ここへ来て、僕たちと一緒に座りませんか？」

「ア――ううん。でも、ありがとう、コリン」

ハリーは、寄ってたかって額の傷をしげしげ眺められるのにたえられない気分だった。

「僕――図書館に行かなくちゃ。やり残した宿題があって」

そう言った手前、回れ右して肖像画の穴に戻るしかなかった。

「さっきわざわざ起こしておいて、どういうわけ？」

「太った婦人」が、出ていくハリーの後ろ姿に向かって不機嫌な声を出した。

ハリーは気が進まないまま、なんとなく図書館のほうに向かったが、途中で気が変わった。勉強する気になれない。くるりと向きを変えたそのとたん、フィルチと鉢合わせした。ホグズミード行きの最後の生徒を送り出した直後だろう。

「何をしている？」フィルチが疑るように歯をむき出した。

「別に何も」ハリーはほんとうのことを言った。

「べつになにも！」フィルチはたるんだほおを震わせて吐き出すように言った。

「そうでございましょうとも！　一人でこっそり歩き回りおって。仲間の悪童どもと、ホグズミードで臭い玉とか、ゲップ粉とか、ヒューヒュー飛行虫なんぞを買いに行かないのはどういうわけだ？」

ハリーは肩をすくめた。

「さあ、おまえのいるべき場所に戻れ。談話室にだ」

ガミガミどなり、フィルチはハリーの姿が見えなくなるまでその場でにらみつけていた。

ハリーは談話室には戻らなかった。ふくろう小屋に行ってヘドウィグに会おうかと、ぼんやり考えながら階段を上った。廊下をいくつか歩いていると、とある部屋の中から声がした。

「ハリー？」

ハリーは後戻りして声の主を探した。ルーピン先生が自分の部屋のドアのむこうからのぞいている。

「何をしている？」ルーピン先生の口調は、フィルチのとはまるでちがっていた。

「ロンやハーマイオニーはどうしたね？」

「ホグズミードです」ハリーはなにげなく言ったつもりだった。

「ああ」ルーピン先生はそう言いながら、じっとハリーを観察した。

「ちょっと中に入らないか？　ちょうど次の授業用の『グリンデロー』が届いたところだ」

「何がですって？」

ハリーはルーピンについて部屋に入った。部屋の隅に大きな水槽が置いてある。鋭い角を生やした気味の悪い緑色の生き物が、ガラスに顔を押しつけて、百面相をしたり、細長い指を曲げ伸ばししたりしていた。

「水魔だよ」ルーピンは何か考えながらグリンデローを調べていた。

「こいつはあまり難しくはないはずだ。なにしろ河童のあとだしね。コツは、指でしめられたらどう解くかだ。異常に長い指だろう？　強力だが、とてももろいんだ」

水魔《グリンデロー》は緑色の歯をむき出し、それから隅の水草の茂みにもぐり込んだ。

「紅茶はどうかな？」ルーピンはやかんを探した。「私もちょうど飲もうと思っていたところだが」

「いただきます」ハリーはぎこちなく答えた。

ルーピンが杖《つえ》でたたくと、たちまちやかんの口から湯気が噴き出した。

「お座り」ルーピンはほこりっぽい紅茶の缶のふたを取った。

「すまないが、ティーバッグしかないんだ――しかし、お茶の葉はうんざりだろう？」

ハリーは先生を見た。ルーピンの目がいたずらっぽく輝いていた。

「先生はどうしてそれをご存じなんですか？」

「マクゴナガル先生が教えてくださった」

ルーピンは縁の欠けたマグカップをハリーに渡した。

「気にしたりしてはいないだろうね？」

「いいえ」

一瞬、ハリーはマグノリア・クレセント通りで見かけた犬のことをルーピンに打ち明けようかと思ったが、思いとどまった。ルーピンに臆病者と思われたくなかった。ハリーはまね妖怪にも立ち向かえないと、ルーピンにそう思われているらしいので、なおさらだった。

ハリーの考えていることが顔に出たらしい。「心配事があるのかい、ハリー」とルーピンが聞いた。

「いいえ」

ハリーはうそをついた。紅茶を少し飲み、水魔がハリーに向かって拳を振り回しているのを眺めた。

「はい、あります」

ハリーはルーピンの机に紅茶を置き、出し抜けに言った。

「先生、まね妖怪と戦ったあの日のことを覚えていらっしゃいますか？」

「ああ」ルーピンがゆっくりと答えた。

「どうして僕に戦わせてくださらなかったのですか？」

ハリーの問いは唐突だった。

ルーピンはちょっと眉を上げた。

「ハリー、言わなくともわかることだと思っていたが」ルーピンはちょっと驚いたようだった。

ハリーはルーピンがそんなことはないと否定すると予想していたので、意表を突かれた。

「どうしてですか？」同じ問いをくり返した。

「そうだね」ルーピンはかすかに眉をひそめた。「まね妖怪が君に立ち向かったら、ヴォルデモート卿《きょう》の姿になるだろうと思った」

ハリーは目を見開いた。予想もしていない答えだったし、その上、ルーピンはヴォルデモートの名前を口にした。これまでその名を口に出して言ったのは（ハリーは別として）ダンブルドア先生だけだった。

「確かに、私の思いちがいだった」ルーピンはハリーに向かって顔をしかめたまま言った。

「しかし、あの職員室でヴォルデモート卿の姿が現れるのはよくないと思った。みんなが恐怖にかられるだろうからね」

「最初は確かにヴォルデモートを思い浮かべました」

ハリーは正直に言った。

「でも、僕——僕は吸魂鬼のことを思い出したんです」

「そうか」ルーピンは考え深げに言った。「そうなのか。いや……感心したよ」

ルーピンはハリーの驚いたような顔を見てふっと笑みを浮かべた。

「それは、君がもっとも恐れているのが——恐怖そのもの——だということなんだ。ハリー、とても賢明なことだよ」

なんと言ってよいかわからなかったので、ハリーはまた紅茶を少し飲んだ。

「それじゃ、私が、君にはまね妖怪と戦う能力がないと思った、そんなふうに考えていたのかい？」

ルーピンは鋭く言い当てた。

「あの……はい」急にハリーは気持ちが軽くなった。「ルーピン先生。あの、吸魂鬼のことですが——」

ドアをノックする音で、話が中断された。

「どうぞ」ルーピンが言った。

ドアが開いて、入ってきたのはスネイプだった。手にしたゴブレットからかすかに煙が上がっている。

ハリーの姿を見つけると、はたと足を止め、暗い目を細めた。

「ああ、セブルス」

ルーピンが笑顔で言った。

「どうもありがとう。このデスクに置いていってくれないか？」

スネイプは煙を上げているゴブレットを置き、ハリーとルーピンに交互に目を走らせた。

「ちょうどいま、ハリーに水魔を見せていたところだ」ルーピンが水槽を指差して楽しそうに言った。

「それはけっこう」水魔を見もしないでスネイプが言った。

「ルーピン、すぐ飲みたまえ」

「はい、はい。そうします」ルーピンが答えた。

「ひと鍋分を煎じた」スネイプが言った。「もっと必要とあらば」

「たぶん、明日また少し飲まないと。セブルス、ありがとう」

「礼にはおよばん」そう言うスネイプの目に、何かハリーには気に入らないものがあった。スネイプはニコリともせず、二人を見すえたまま、あとずさりして部屋を出ていった。

ハリーがけげんそうにゴブレットを見ていたので、ルーピンがほほえんだ。

「スネイプ先生が私のためにわざわざ薬を調合してくださった。私はどうも昔から薬を煎じるのが苦手でね。これは特に複雑な薬なんだ」

ルーピンはゴブレットを取り上げてにおいをかいだ。

「砂糖を入れると効き目がなくなるのは残念だ」

ルーピンはそう言ってひと口飲み、身震いした。

「どうして――？」

ハリーが聞きかけると、ルーピンはハリーを見て、ハリーが聞こうとした問いに答えた。

「このごろどうも調子がおかしくてね。この薬しか効かないんだ。スネイプ先生と同じ職場で仕事ができるのはほんとうにラッキーだ。これを調合できる魔法使いは少ない」

ルーピン先生はまたひと口飲んだ。ハリーはゴブレットを先生の手からたたき落としたいという、はげしい衝動にかられた。

「スネイプ先生は闇の魔術にとっても関心があるんです」ハリーが思わず口走った。

「そう？」

ルーピン先生はそれほど関心を示さず、もうひと口飲んだ。

「人によっては――」

ハリーはためらったが、高みから飛び下りるような気持ちで思いきって言った。

「スネイプ先生は『闇の魔術に対する防衛術』の座を手に入れるためならなんでもするだろうって、そう言う人もいます」

「はい」

ルーピン先生はゴブレットを飲み干し、顔をしかめた。

「ひどい味だ。さあ、ハリー、私は仕事を続けることにしよう。あとで宴会で会おう」

ハリーもからになった紅茶のカップを置いた。

からのゴブレットからは、まだ煙が立ち昇っていた。


「ほーら。持てるだけ持ってきたんだ」ロンが言った。

鮮やかな彩りのお菓子が、雨のようにハリーのひざに降り注いだ。たそがれ時、ロンとハーマイオニーは談話室に着いたばかりで、寒風にほおを染め、人生最高の楽しい時を過ごしてきたかのような顔をしていた。

「ありがとう」ハリーは「黒こしょうキャンディ」の小さな箱をつまみ上げながら言った。

「ホグズミードって、どんなとこだった？　どこに行ったの？」

全部――答えはそんな感じだった。魔法用具店の「ダービシュ・アンド・バングズ」、いたずら専門店の「ゾンコ」、「三本の箒《ほうき》」では泡立った温かいバタービールをマグカップで引っかけ、そのほかいろいろな所だった。

「ハリー、郵便局ときたら！　二百羽くらいふくろうがいて、みんな棚に止まってるんだ。郵便の配達速度によって、ふくろうが色分けしてあるんだ！」

「『ハニーデュークス』に新商品のヌガーがあって、試食品をただで配ってたんだ。少し入れといたよ。見て――」

「私たち、『人食い鬼』を見たような**気がするわ**。『三本の箒』には、まったくあらゆるものが来るの――」

「バタービールを持ってきてやりたかったなあ。体が芯から温まるんだ――」

「あなたは何をしていたの？」ハーマイオニーが心配そうに聞いた。「宿題やった？」

「ううん。ルーピンが部屋で紅茶をいれてくれた。それからスネイプが来て……」

ハリーはゴブレットのことを洗いざらい二人に話した。ロンは口をパカッと開けた。

「**ルーピンがそれ、飲んだ？**」ロンは息をのんだ。「マジで？」

ハーマイオニーが腕時計を見た。

「そろそろ下りたほうがいいわ。宴会があと五分で始まっちゃう……」

三人は急いで肖像画の穴を通り、みんなと一緒になったが、まだスネイプのことを話していた。

「だけど、もしスネイプが――ねえ――」

ハーマイオニーが声を落としてあたりを注意深く見回した。

「もし、スネイプが**ほんとに**そのつもり――ルーピンに毒を盛るつもりだったら――ハリーの目の前ではやらないでしょうよ」

「ウン、たぶん」

ハリーがそう言ったときには、三人は玄関ホールに着き、そこを横切り、大広間に向かっていた。大広間には、何百ものくり抜きかぼちゃにろうそくがともり、生きたコウモリが群がり飛んでいた。燃えるようなオレンジ色の吹き流しが、荒れ模様の空を模した天井の下で、何本も鮮やかな海蛇のようにくねくねと泳いでいた。

食事もすばらしかった。ハーマイオニーとロンは、ハニーデュークスの菓子ではちきれそうだったはずなのに、全部の料理をおかわりした。ハリーは教職員テーブルのほうを何度もちらちら見たが、ルーピン先生は楽しそうで、特に変わった様子もなく、呪文学の小さなフリットウィック先生と何やら生き生きと話していた。ハリーは教職員テーブルに沿ってスネイプへと目を移した。スネイプの目が不自然なほどしばしばルーピン先生のほうをちらちら見ているようだが、気のせいだろうか？

宴のしめくくりは、ホグワーツのゴーストによる余興だ。壁やらテーブルやらからポワンと現れて、編隊を組んで空中滑走した。グリフィンドールの寮つきゴースト、「ほとんど首無しニック」は、しくじった打ち首の場面を再現し、大受けした。

「ポッター、吸魂鬼がよろしくってさ！」

みんなが大広間を出るとき、マルフォイが人混みの中から叫んだ言葉でさえ、ハリーの気分を壊せないほど、その夜は楽しかった。

ハリー、ロン、ハーマイオニーはほかのグリフィンドール生の後ろについて、いつもの通路を塔へと向かったが、太った婦人の肖像画につながる廊下まで来ると、生徒がすし詰め状態になっているのに出くわした。

「なんでみんな入らないんだろ？」ロンがけげんそうに言った。

ハリーはみんなの頭の間から前のほうをのぞいた。肖像画が閉まったままらしい。

「通してくれ、さあ」

パーシーの声だ。人波をかき分けて、えらそうに肩で風を切って歩いてくる。

「何をもたもたしてるんだ？　全員合言葉を忘れたわけじゃないだろう——ちょっと通してくれ。僕は首席だ——」

サーッと沈黙が流れた。前のほうから始まり、冷気が廊下に沿って広がるようだった。パーシーが突然鋭く叫ぶ声が聞こえた。

「誰か、ダンブルドア先生を呼んで。急いで」

ざわざわと頭が動き、後列の生徒はつま先立ちになった。

「どうしたの？」いま来たばかりのジニーが聞いた。

次の瞬間、ダンブルドア先生がそこに立っていた。肖像画のほうにサッと歩いていく。生徒が押し合いへし合いして道をあけた。ハリー、ロン、ハーマイオニーは何が問題なのかよく見ようと、近くまで行った。

「ああ、なんてこと——」ハーマイオニーが絶叫してハリーの腕をつかんだ。

太った婦人は肖像画から消え去り、絵はめった切りにされて、キャンバスの切れ端が床に散らばっていた。絵のかなりの部分が完全に切り取られている。

ダンブルドアは無残な姿の肖像画をひと目見るなり、暗い深刻な目で振り返った。マクゴナガル、ルーピン、スネイプの先生方が、ダンブルドア校長のほうに駆けつけてくるところだった。

「婦人を探さなければならん」ダンブルドアが言った。「マクゴナガル先生。すぐにフィルチさんの所に行って、城中の絵の中を探すよう言ってくださらんか」

「見つかったらおなぐさみ！」かん高いしわがれ声がした。

ポルターガイストのピーブズだ。みんなの頭上をヒョコヒョコ漂いながら、いつものように、大惨事や心配事がうれしくてたまらない様子だ。

「ピーブズ、どういうことかね？」

ダンブルドアは静かに聞いた。ピーブズはニヤニヤ笑いをちょっと引っ込めた。さすがのピーブズもダンブルドアをからかう勇気はない。ねっとりした作り声で話したが、いつものかん高い声よりなお悪かった。

「校長閣下、恥ずかしかったのですよ。見られたくなかったのですよ。あの女はズタズタでした。五階の風景画の中を走ってゆくのを見ました。木にぶつからないようにしながら走ってゆきました。ひどく泣き叫びながらね」

うれしそうにそう言い、「おかわいそうに」と白々しくも言い添えた。

「婦人は誰がやったか話したかね？」ダンブルドアが静かに聞いた。

「ええ、確かに。校長閣下」大きな爆弾を両腕に抱きかかえているような言い草だ。

「そいつは、婦人が入れてやらないんでひどく怒っていましたねえ」

ピーブズはくるりと逆立ちし、自分の脚の間からダンブルドアに向かってニヤニヤした。

「あいつはかんしゃく持ちだねえ。あのシリウス・ブラックってやつは」

第9章　恐怖の敗北

ダンブルドア校長はグリフィンドール生全員に大広間に戻るように言い渡した。十分後に、ハッフルパフ、レイブンクロー、スリザリンの寮生も、みな当惑した表情で、全員大広間に集まった。

「先生たち全員で、城の中をくまなく捜索せねばならん」

マクゴナガル先生とフリットウィック先生が、大広間の戸という戸を全部閉めきっている間、ダンブルドア校長がそう告げた。

「ということは、気の毒じゃが、みな、今夜はここに泊まることになろうの。みんなの安全のためじゃ。監督生は大広間の入口の見張りに立ってもらおう。首席の二人に、ここの指揮を任せようぞ。何か不審なことがあれば、ただちにわしに知らせるように」

ダンブルドアは、厳《いか》めしくふんぞり返ったパーシーに向かって、最後に一言つけ加えた。

「ゴーストをわしへの伝令に使うがよい」

ダンブルドアは大広間から出ていこうとしたが、ふと立ち止まった。

「おお、そうじゃ。必要なものがあったのう……」

はらりと杖《つえ》を振ると、長いテーブルが全部大広間の片隅に飛んでいき、きちんと壁を背にして並んだ。もうひと振りすると、何百個ものふかふかした紫色の寝袋が現れて、床いっぱいに敷きつめられた。

「ぐっすりおやすみ」大広間を出ていきながら、ダンブルドア校長が声をかけた。

たちまち、大広間中がガヤガヤうるさくなった。グリフィンドール生がほかの寮生に事件の話を始めたのだ。

「みんな寝袋に入りなさい！」パーシーが大声で言った。「さあ、さあ、おしゃべりはやめたまえ！　消灯まであと十分！」

「行こうぜ」

ロンがハリーとハーマイオニーに呼びかけ、三人はそれぞれ寝袋をつかんで隅のほうに引きずっていった。

「ねえ、ブラックはまだ城の中だと思う？」ハーマイオニーが心配そうにささやいた。

「ダンブルドアは明らかにそう思ってるみたいだな」とロン。

「ブラックが今夜を選んでやってきたのはラッキーだったと思うわ」

三人とも服を着たままで寝袋にもぐり込み、ほおづえをつきながら話を続けた。

「だって今夜だけはみんな寮塔にいなかったんですもの……」

「きっと、逃亡中で時間の感覚がなくなったんだと思うな」ロンが言った。

「今日がハロウィーンだって気づかなかったんだよ。じゃなきゃこの広間を襲撃してたぜ」

ハーマイオニーが身震いした。

周りでも、みんなが同じことを話し合っていた。

「**いったいどうやって入り込んだんだろう？**」

「『姿あらわし術』を心得てたんだと思うな」ちょっと離れた所にいたレイブンクロー生が言った。「ほら、どこからともなく突如現れるアレさ」

「変装してたんだ、きっと」ハッフルパフの五年生が言った。

「飛んできたのかもしれないぞ」ディーン・トーマスが言った。

「まったく、『ホグワーツの歴史』を読もうと思ったことがあるのは**私一人だけ**だっていうの？」

「たぶんそうだろ」とロンが言った。「どうしてそんなこと聞くんだ？」

「それはね、この城を護《まも》っているのは**城壁だけじゃない**ってことなの。こっそり入り込めないように、ありとあらゆる呪文がかけられているのよ。ここでは『姿あらわし』はできないわ。それに、吸魂鬼の裏をかくような変装があったら拝見したいものだわ。校庭の入口は一つ残らず吸魂鬼が見張ってる。空を飛んできたって見つかったはずだわ。その上、秘密の抜け道はフィルチが全部知ってるから、そこも吸魂鬼が見逃してはいないはず……」

「灯《あか》りを消すぞ！」

パーシーがどなった。

「全員寝袋に入って、おしゃべりはやめ！」

ろうそくの灯がいっせいに消えた。残された明かりは、ふわふわ漂いながら監督生たちと深刻な話をしている銀色のゴーストと、城の外の空と同じように星が瞬く魔法の天井の光だけだった。そんな薄明かりの中、大広間にヒソヒソと流れ続けるささやきの中で、ハリーはまるで静かな風の吹く戸外に横たわっているような気持ちになった。

一時間ごとに先生が一人ずつ大広間に入ってきて、何事もないかどうか確かめた。やっとみんなが寝静まった朝の三時ごろ、ダンブルドア校長が入ってきた。ハリーが見ていると、ダンブルドアはパーシーを探していた。パーシーは寝袋の間を巡回して、おしゃべりをやめさせていた。パーシーはハリーやロン、ハーマイオニーのすぐ近くにいたが、ダンブルドアの足音が近づいてきたので、三人とも急いでたぬき寝入りをした。

「先生、何か手がかりは？」パーシーが低い声で尋ねた。

「いや。ここは大丈夫かの？」

「異常なしです、先生」

「よろしい。何もいますぐ全員を移動させることはあるまい。グリフィンドールの門番には臨時の者を見つけておいた。明日になったら、みなを寮に移動させるがよい」

「それで、『太った婦人《レディ》』は？」

「三階のアーガイルシャーの地図の絵に隠れておる。合言葉を言わないブラックを通すのを拒んだらしいのう。それでブラックが襲った。婦人はまだ非常に動転しておるが、落ち着いてきたらフィルチに言って『婦人』を修復させようぞ」

ハリーの耳に大広間の戸がまた開く音が聞こえ、別の足音が聞こえた。

「校長ですか？」

スネイプだ。ハリーは身じろぎもせず聞き耳を立てた。

「四階はくまなく探しました。ヤツはおりません。さらにフィルチが地下牢《ろう》を探しましたが、そこにも何もなしです」

「天文台の塔はどうかね？　トレローニー先生の部屋は？　ふくろう小屋は？」

「すべて探しましたが……」

「セブルス、ご苦労じゃった。わしもブラックがいつまでもぐずぐず残っているとは思っておらなかった」

「校長、ヤツがどうやって入ったか、何か思い当たることがおありですか？」スネイプが聞いた。

ハリーは腕にもたせていた頭をわずかに持ち上げて、もう一方の耳でも聞こえるようにした。

「セブルス、いろいろとあるが、どれもこれもみなありえないことでな」

ハリーは薄目を開けて三人が立っているあたりを盗み見た。ダンブルドアは背中を向けていたが、パーシーの全神経を集中させた顔とスネイプの怒ったような横顔が見えた。

「校長、先日の我々の会話を覚えておいでですしょうな。確か――あー――一学期の始まったときの？」スネイプはほとんど唇を動かさずに話していた。まるでパーシーを会話から閉め出そうとしているかのようだった。

「いかにも」ダンブルドアが答えた。その言い方に警告めいた響きがあった。

「どうも――内部の者の手引きなしには、ブラックが本校に入るのは――ほとんど不可能かと。私は、しかとご忠告申し上げました。校長が任命を――」

「この城の内部の者がブラックの手引きをしたとは、わしは考えておらん」

ダンブルドアの言い方には、この件は打ち切りと、スネイプに二の句を継がせないきっぱりとした調子があった。

「わしは吸魂鬼たちに会いにいかなければならん。捜索が終わったら知らせると言ってあるのでな」とダンブルドアが言った。

「先生、吸魂鬼は手伝おうとは言わなかったのですか？」パーシーが聞いた。

「おお、言ったとも」ダンブルドアの声は冷ややかだった。「わしが校長職にあるかぎり、吸魂鬼にはこの城の敷居はまたがせん」

パーシーは少し恥じ入った様子だった。ダンブルドアは足早にそっと大広間を出ていった。スネイプはその場にたたずみ、憤懣《ふんまん》やる方ない表情で校長を見送っていたが、やがて自分も出ていった。

ハリーが横目でロンとハーマイオニーを見ると、二人とも目を開けていた。二人の目に天井の星が映っていた。

「いったいなんのことだろう」ロンがつぶやいた。

それから数日というもの、学校中シリウス・ブラックの話でもちきりだった。どうやって城に入り込んだのか、話に尾ひれがついてどんどん大きくなった。ハッフルパフのハンナ・アボットときたら、薬草学の時間中ずっと、話を聞いてくれる人をつかまえては、ブラックは花の咲く灌木《かんぼく》に変身できるのだとしゃべりまくっていた。

切り刻まれた「太った婦人」の肖像画は壁から取りはずされ、かわりにずんぐりした灰色の仔馬《こうま》にまたがった「カドガン卿《きょう》」の肖像画がかけられた。これにはみんな大弱りだった。カドガン卿は誰かれかまわず決闘を挑んだし、そうでなければ、とてつもなく複雑な合言葉をひねり出すのに余念がなかった。そして少なくとも一日二回は合言葉を変えた。

「あの人、チョー狂ってるよ」シェーマス・フィネガンが頭にきてパーシーに訴えた。

「ほかに人はいないの？」

「どの絵もこの仕事を嫌ったんでね」パーシーが言った。「太った婦人にあんなことがあったから、みんな怖がって、名乗り出る勇気があったのはカドガン卿だけだったんだ」

しかし、ハリーはカドガン卿を気にするどころではなかった。いまやハリーを監視する目が大変だった。先生方は何かと理由をつけてはハリーと一緒に廊下を歩いたし、パーシー・ウィーズリーは（ハリーの察するところ、母親の言いつけなのだろうが）ハリーの行く所はどこにでもぴったりついてきた。まるでふんぞり返った番犬のようだった。極めつきは、マクゴナガル先生だった。自分の部屋にハリーを呼んだとき、先生があまりに暗い顔をしているので、ハリーは誰かが死んだのかと思ったほどだった。

「ポッター、いまとなっては隠していてもしょうがありません」

マクゴナガル先生の声は深刻そのものだった。

「あなたにとってはショックかもしれませんが、実はシリウス・ブラックは——」

「僕をねらっていることは知っています」

ハリーはもううんざりだという口調で言った。

「ロンのお父さんが、お母さんに話しているのを聞いてしまいました。ウィーズリーさんは魔法省にお勤めですから」

マクゴナガル先生はドキリとした様子だった。一瞬ハリーを見つめたが、すぐに言葉を続けた。

「よろしい！　それでしたら、ポッター、あなたが夕刻にクィディッチの練習をするのはあまり好ましいことではない、という私《わたくし》の考えも、わかってもらえるでしょうね。あなたとチームのメンバーだけがピッチに出ているのは、あまりに危険ですし、あなたは——」

「土曜日に最初の試合があるんです！」

ハリーは気をたかぶらせた。

「先生、絶対練習しないと！」

マクゴナガル先生はじっとハリーを見つめた。ハリーは、マクゴナガル先生がグリフィンドール・チームの勝算に、大きな関心を寄せていることを知っていた。そもそもハリーをシーカーにしたのは、マクゴナガル先生自身なのだ。ハリーは息をこらして先生の言葉を待った。

「ふむ……」

マクゴナガル先生は立ち上がり、窓から雨にかすむクィディッチ競技場を見つめた。

「そう……まったく、今度こそ優勝杯を獲得したいものです……しかし、それはそれ、これはこれ。ポッター……私としては、誰か先生に付き添っていただければより安心です。フーチ先生に練習の監督をしていただきましょう」

第一回のクィディッチ試合が近づくにつれて、天候は着実に悪くなっていった。それにもめげず、グリフィンドール・チームはフーチ先生の見守る中、以前にもまして激しい練習を続けた。そして、土曜日の試合を控えた最後の練習のとき、オリバー・ウッドがいやな知らせを持ってきた。

「対戦相手はスリザリンではない！」

ウッドはカンカンになってチームにそう伝えた。

「フリントがいましがた会いにきた。我々はハッフルパフと対戦することになった」

「どうして？」チーム全員が同時に聞き返した。

「フリントのやつ、シーカーの腕がまだ治ってないからとぬかした」

ウッドはギリリと歯ぎしりした。

「理由は知れたこと。こんな天気じゃプレーしたくないってわけだ。これじゃ自分たちの勝ち目が薄いと読んだんだ……」

その日は一日中強い雨風が続き、ウッドが話している間にも遠い雷鳴が聞こえてきた。

「マルフォイの腕は**どこも悪くない！**」ハリーは怒った。「悪いふりをしてるんだ！」

「わかってるさ。しかし、証明できない」ウッドが吐き捨てるように言った。

「我々がこれまで練習してきた戦略は、スリザリンを対戦相手に想定していた。それが、ハッフルパフときた。あいつらのスタイルはまた全然ちがう。あそこはキャプテンが新しくなった。シーカーのセドリック・ディゴリーだ――」

アンジェリーナ、アリシア、ケイティの三人が急にクスクス笑いをした。

「なんだ？」

この一大事に不謹慎なと、ウッドは顔をしかめた。

「あの背の高いハンサムな人でしょう？」アンジェリーナが言った。

「無口で強そうな」とケイティが言うと、三人でまたクスクス笑いが始まった。

「無口だろうさ。二つの言葉をつなげる頭もないからな」フレッドがいらいらしながら言った。

「オリバー、何も心配する必要はないだろう？　ハッフルパフなんて、ひとひねりだ。前回の試合じゃ、ハリーが五分かそこいらでスニッチを捕ったただろう？」

「今度の試合は状況がまるっきりちがうのだ！」ウッドが目をむいて叫んだ。

「ディゴリーは強力なチームを編成した！　優秀なシーカーだ！　諸君がそんなふうに甘く考えることを俺は恐れていた！　我々は気を抜いてはならない！　あくまで神経を集中せよ！　スリザリンは我々に揺さぶりをかけようとしているのだ！　我々は**勝たねば**ならん！」

「オリバー、落ち着けよ！」フレッドは毒気を抜かれたような顔をした。

「俺たち、ハッフルパフのことをまじめに考えてるさ。**クソまじめさ**」


試合前日、風は唸《うな》りを上げ、雨はいっそう激しく降った。廊下も教室も真っ暗で、松明《たいまつ》やろうそくの数を増やしたほどだった。スリザリン・チームは余裕しゃくしゃくで、マルフォイが一番得意そうだった。

「ああ、腕がもう少しなんとかなったらなぁ！」

窓を打つ嵐をよそに、マルフォイがため息をついた。

ハリーの頭は明日の試合のことでいっぱいだった。オリバー・ウッドが授業の合間に急いでやってきては、ハリーに指示を与えた。三度目のとき、ウッドの話が長すぎて、気がついたときにはハリーは

「闇の魔術に対する防衛術」のクラスに十分も遅れていた。急いで駆けだすと、後ろからウッドの大声が追いかけてきた。

「ディゴリーは急旋回が得意だ。ハリー、宙返りでかわすのがいい――」

ハリーは「闇の魔術に対する防衛術」の教室の前で急停止し、ドアを開けて中に飛び込んだ。

「遅れてすみません。ルーピン先生、僕――」

教壇の机から顔を上げたのは、ルーピン先生ではなく、スネイプだった。

「授業は十分前に始まったぞ、ポッター。であるからグリフィンドールは一〇点減点とする。座れ」

しかしハリーは動かなかった。

「ルーピン先生は？」

「今日は気分が悪く、教えられないとのことだ」

スネイプの口元にゆがんだ笑いが浮かんだ。

「座れと言ったはずだが？」

それでもハリーは動かなかった。

「どうなさったのですか？」

スネイプはギラリと暗い目を光らせた。

「命に別状はない」

別状があればいいのにとでも言いたげだった。

「グリフィンドール、さらに五点減点。もう一度我輩に『座れ』と言わせたら、五〇点減点する」

ハリーはのろのろと自分の席まで歩いていき、腰をかけた。スネイプはクラスをずいと見回した。

「ポッターが邪魔をする前に話していたことであるが、ルーピン先生はこれまでどのような内容を教えたのか、まったく記録を残していないからして――」

「先生、これまでやったのは、まね妖怪、赤帽鬼、河童、水魔です」

ハーマイオニーが一気に答えた。

「これからやる予定だったのは――」

「だまれ」スネイプが冷たく言った。「教えてくれと言ったわけではない。我輩はただ、ルーピン先生のだらしなさを指摘しただけである」

「ルーピン先生はこれまでの『闇の魔術に対する防衛術』の先生の中で一番よい先生です」

ディーン・トーマスの勇敢な発言を、クラス中がガヤガヤと支持した。スネイプの顔がいっそう威嚇的になった。

「点の甘いことよ。ルーピンは諸君に対して著しく厳しさに欠ける――赤帽鬼や水魔など、一年坊主でもできることだろう。我々が今日学ぶのは――」

ハリーが見ていると、スネイプ先生は教科書の一番後ろまでページをめくっていた。ここなら生徒はまだ習っていないと知っているにちがいない。

「――人狼《じんろう》である」とスネイプが言った。

「でも、先生」ハーマイオニーはがまんできずに発言した。

「まだ狼《おおかみ》人間までやる予定ではありません。これからやる予定なのは、ヒンキーパンクで――」

「ミス・グレンジャー」スネイプの声は恐ろしく静かだった。

「この授業は我輩が教えているのであり、君ではないはずだが。その我輩が、諸君に三九四ページをめくるようにと言っているのだ」

スネイプはもう一度ずいとクラスを見回した。

「**全員！　いますぐだ！**」

あちこちで苦々しげに目配せが交わされ、ブツブツ文句を言う生徒もいたが、全員が教科書を開いた。

「人狼と真の狼とをどうやって見分けるか、わかるものはいるか？」スネイプが聞いた。

みんなシーンと身動きもせず座り込んだままだった。ハーマイオニーだけが、いつものように勢いよく手を挙げた。

「誰かいるか？」

スネイプはハーマイオニーを無視した。口元にはあの薄ら笑いが戻っている。

「すると、何かね。ルーピン先生は諸君に、基本的な両者の区別さえまだ教えていないと――」

「お話ししたはずです」パーバティが突然口をきいた。「私たち、まだ狼人間までいってません。いまはまだ――」

「**だまれ！**」スネイプが脅すように唸った。

「さて、さて、さて、三年生にもなって、人狼に出会っても見分けもつかない生徒にお目にかかろうとは、我輩は考えてもみなかった。諸君の学習がどんなに遅れているか、ダンブルドア校長にしっかりお伝えしておこう」

「先生」ハーマイオニーはまだしっかり手を挙げたままだった。「狼人間はいくつか細かい所でほんとうの狼とちがっています。狼人間の鼻面は――」

「勝手にしゃしゃり出てきたのはこれで二度目だ。ミス・グレンジャー」冷ややかにスネイプが言った。「鼻持ちならない知ったかぶりで、グリフィンドールからさらに五点減点する」

ハーマイオニーは真っ赤になって手を下ろし、目に涙をいっぱい浮かべてじっとうつむいた。クラスの誰もが、少なくとも一度はハーマイオニーを「知ったかぶり」と呼んでいる。それなのに、みんながスネイプをにらみつけた。クラス中の生徒がスネイプに対する嫌悪感をつのらせたのだ。ロンは少なくとも週に二回はハーマイオニーに面と向かって「知ったかぶり」と言うくせに、大声でこう言った。

「先生はクラスに質問を出したじゃないですか。ハーマイオニーが答えを知ってたんだ！　答えてほしくないんなら、なんで質問したんですか？」

言いすぎた、とみんながとっさにそう思った。クラス中が息をひそめる中、スネイプはじわりとロンに近づいた。

「処罰だ。ウィーズリー」スネイプは顔をロンにくっつけるようにして、スルリと言い放った。

「さらに、我輩の教え方への君の批判が、再び我輩の耳に入ったあかつきには、君は非常に後悔することになるだろう」

それからあとは、物音を立てる者もいなかった。机に座って教科書から狼人間に関して写し書きをした。スネイプは机の間を往《い》ったり来たりして、ルーピン先生が何を教えていたかを調べて回った。

「実にへたな説明だ……これはまちがいだ。河童はむしろ蒙古《もうこ》によく見られる……ルーピン先生はこれで一〇点満点中八点も？　我輩なら三点もやれん……」

やっとベルが鳴ったとき、スネイプはみんなを引き止めた。

「各自レポートを書き、我輩に提出するよう。人狼の見分け方と殺し方についてだ。羊皮紙ふた巻、月曜の朝までに提出したまえ。このクラスは、そろそろ誰かがしめてかからねばならん。ウィーズリー、残りたまえ。処罰の仕方を決めねばならん」

ハリーとハーマイオニーは、クラスのみんなと外に出た。教室まで声が届かない所までくると、みんなせきを切ったように、スネイプ攻撃をぶちまけた。

「いくらあの授業の先生になりたいからといって、スネイプはほかの『闇の魔術に対する防衛術』の先生にあんなふうだったことはないよ。いったいルーピンになんの恨みがあるんだろう？　例のまね妖怪のせいだと思うかい？」

ハリーはハーマイオニーに言った。

「わからないわ」

ハーマイオニーが沈んだ口調で答えた。

「でも、ほんとに、早くルーピン先生がお元気になってほしい……」

五分後にロンが追いついてきた。カンカンに怒っている。

「聞いてくれよ。あの×××」（ロンがスネイプを「×××」と呼んだので、ハーマイオニーは「**ロン！**」と叫んだ）「×××が僕に何をさせると思う？　医務室のおまるを磨かせられるんだ。**魔法なしだぜ！**」ロンは拳を握りしめ、息を深く吸い込んだ。

「ブラックがスネイプの研究室に隠れててくれたらなぁ。な？　そしたらスネイプを始末してくれたかもしれないよ！」


次の日、ハリーは早々と目を覚ました。まだ外は暗かった。一瞬、風の唸りで目が覚めたのかと思ったが、次の瞬間、首の後ろに冷たい風が吹きつけるのを感じて、ハリーはガバッと起き上がった――ポルターガイストのピーブズがすぐそばに浮かんでいて、ハリーの耳元に息を吹きかけていた。

「どうしてそんなことをするんだい？」ハリーは怒った。

ピーブズはほおをふくらませて勢いよくもうひと吹きし、ケタケタ笑いながら、吹いた息の反動で後退して、部屋から出ていった。

ハリーは手探りで目覚まし時計を見つけ、時間を見た。四時半。ピーブズをののしりながら、ハリーは寝返りを打ち、眠ろうとした。しかし、いったん目覚めてしまうと、ゴロゴロという雷鳴や、城の壁を打つ風の音、遠くの「禁じられた森」の木々のきしみ合う音が耳について振り払えない。あと数時間で、ハリーはこの風を突いて、クィディッチ・ピッチに出ていくのだ。ついにハリーは寝るのをあきらめ、起き上がって服を着た。ニンバス２０００を手にして、ハリーはそっと寝室を出た。

寝室のドアを開けたとたん、ハリーの足元を何かがかすった。間一髪、かがんでつかまえたのはクルックシャンクスのぼさぼさのしっぽだった。そのまま部屋の外に引っ張り出した。

「君のことをロンがいろいろ言うのは、確かに当たってると思うよ」

ハリーは、クルックシャンクスを怪しむように話しかけた。

「ネズミならほかにたくさんいるじゃないか。そっちを追いかけろよ。さあ」

ハリーは足でクルックシャンクスを螺旋《らせん》階段のほうに押しやった。

「スキャバーズには手を出すんじゃないよ」

嵐の音は談話室のほうがはっきり聞こえた。試合がキャンセルになると考えるほどハリーは甘くはなかった。嵐だろうが、雷だろうが、そんなささいなことでクィディッチが中止されたことはない。しかし、ハリーの不安感はつのった。以前廊下で、ウッドが、あれがセドリック・ディゴリーだと教えてくれた。五年生で、ハリーよりずっと大きかった。シーカーは軽くてすばやいのが普通だが、ディゴリーの重さはこの天候では有利かもしれない。吹き飛ばされてコースをはずれる可能性が低いからだ。

ハリーは夜明けまで暖炉の前で時間をつぶし、ときどき立ち上がっては、性懲りもなく男子寮の階段に忍び寄るクルックシャンクスを追い払った。ずいぶんたってから、もう朝食の時間だろうと思い、ハリーは肖像画の穴を一人でくぐっていった。

「立て！　かかってこい！　腰抜けめ！」カドガン卿がうめいた。

「よしてくれよ」ハリーはあくびで応じた。

オートミールをたっぷり食べると少し生き返った。トーストを食べはじめるころにはほかのチームメートも全員現れた。

「今日はてこずるぞ」ウッドはなんにも食べていなかった。

「オリバー、心配するのはやめて」アリシアがなだめるように言った。

「ちょっとぐらいの雨はへいちゃらよ」

しかし、雨は「ちょっとぐらい」どころではなかった。それでも、何しろ大人気のクィディッチのことなので、学校中がいつものように試合を見に外に出た。荒れ狂う風に向かってみんな頭を低く下げ、競技場までの芝生を駆け抜けたが、かさは途中で手からもぎ取られるように吹き飛ばされた。更衣室に入る直前、マルフォイ、クラッブ、ゴイルが巨大なかさをさして競技場に向かいながら、ハリーを指差して笑っているのが見えた。

チーム全員が紅のユニフォームに着替えて、いつものように試合前のウッドの激励演説を待った。しかし、演説はなしだった。ウッドは何度か話しだそうとしたが、何かを飲み込むような奇妙な音を出し力なく頭を振り、みんなについてこいと合図した。

ピッチに出ていくと、風のものすごさに、みんな横ざまによろめいた。耳をつんざく雷鳴がまたしても鳴り渡り、観衆が声援していても、かき消されて耳には入らなかった。雨がハリーのめがねを打った。こんな中でどうやってスニッチを見つけられるというのか？

ピッチの反対側から、カナリアイエローのユニフォームを着たハッフルパフの選手が入場した。キャプテン同士が歩み寄って握手した。ディゴリーはほほえんだが、ウッドは口が開かなくなったかのようにうなずいただけだった。

ハリーの目には、フーチ先生の口の形が、「箒《ほうき》に乗って」と言っているように見えた。ハリーは右足を泥の中からズボッと抜き、ニンバス２０００にまたがった。

フーチ先生がホイッスルを唇に当て、吹いた。鋭い音が遠くのほうに聞こえた――試合開始だ。

ハリーは急上昇したが、ニンバスが風にあおられてやや流れた。できるだけまっすぐ箒を握りしめ、目を細め、雨を透かして方向を見定めながらハリーは飛んだ。

五分もすると、ハリーは芯までびしょぬれになり、凍えていた。ほかのチームメートはほとんど見えず、ましてや小さなスニッチなど見えるわけがなかった。ピッチの上空をあっちへ飛び、こっちへ飛び、輪郭のぼやけた紅色やら黄色やらの物体の間を抜けながら飛んだ。いったい試合がどうなっているのかもわからない。解説者の声は風で聞こえはしなかった。観衆もマントや破れがさに隠れて見えはしない。ブラッジャーが二度、ハリーを箒からたたき落としそうになった。めがねが雨で曇り、ブラッジャーの襲撃が見えなかったのだ。

時間の感覚がなくなった。箒をまっすぐ持っているのがだんだん難しくなった。まるで夜が足を速めてやってきたかのように、空はますます暗くなっていった。二度、ハリーはほかの選手にぶつかりそうになった。敵か味方かもわからなかった。何しろみんなぐしょぬれだし、雨はどしゃ降りだし、選手の見分けなどつかない……。

最初の稲妻が光ったとき、フーチ先生のホイッスルが鳴り響いた。どしゃ降りの雨のむこう側に、かろうじてウッドのおぼろげな輪郭が見えた。ハリーに、ピッチに降りてこいと合図している。チーム全員が泥の中にバシャッと着地した。

「タイム・アウトを要求した！」ウッドが吠《ほ》えるように言った。「集まれ。この下に――」

グラウンドの片隅の大きなかさの下で、選手がスクラムを組んだ。ハリーはめがねをはずしてユニフォームで手早くぬぐった。

「スコアはどうなっているの？」

「我々が五〇点リードだ。だが、早くスニッチを捕らないと夜にもつれ込むぞ」とウッドが言った。

「こいつをかけてたら、僕、全然だめだよ」

めがねをぶらぶらさせながら、ハリーが腹立たしげに言った。

ちょうどその時、ハーマイオニーがハリーのすぐ後ろに現れた。マントを頭からすっぽりかぶって、なぜかニッコリしている。

「ハリー、いい考えがあるの。めがねをよこして。早く！」

ハリーはめがねを渡した。チーム全員がなんだろうと見守る中で、ハーマイオニーはめがねを杖でコツコツたたき、呪文を唱えた。

「**インパービアス！　防水せよ！**」

「はい！」ハーマイオニーはめがねをハリーに返しながら言った。「これで水をはじくわ！」

ウッドはハーマイオニーにキスしかねない顔をした。

「よくやった！」

ハーマイオニーがまた観衆の中に戻っていく後ろ姿に向かって、ウッドがガラガラ声で叫んだ。

「オーケー。さあみんな、しまっていこう！」

ハーマイオニーの呪文は抜群に効いた。ハリーは相変わらず寒さでかじかんでいたし、こんなにぬれたことはないというほどびしょぬれだったが、とにかく目は見えた。気持ちを引きしめ、ハリーは乱気流の中で箒に活を入れた。スニッチを探して四方八方に目を凝らし、ブラッジャーをよけ、反対側からシューッと飛んできたディゴリーの下をかいくぐり……。

また雷がバリバリッと鳴り、樹木のように枝分かれした稲妻が走った。ますます危険になってきた。早くスニッチを捕まえなければ――。

ピッチの中心に戻ろうとして、ハリーは向きを変えた。そのとたんピカッときた稲妻がスタンドを照らし、ハリーの目に何かが飛び込んできた――巨大な毛むくじゃらの黒い犬が、空をバックに、くっきりと影絵のように浮かび上がったのだ。一番上の誰もいない席に、じっとしている。ハリーは完全に集中力を失った。

かじかんだ指が箒の柄をすべり落ち、ニンバスはずんと一メートルも落下した。頭を振って目にかかったぐしょぬれの前髪を払い、ハリーはもう一度スタンドのほうをじっと見た。犬の姿は消えていた。

「ハリー！」グリフィンドールのゴールから、ウッドの振りしぼるような叫びが聞こえた。

「ハリー、後ろだ！」

あわてて見回すと、セドリック・ディゴリーが上空を猛スピードで飛んでいる。ハリーとセドリックの間の空間はびっしりと雨で埋まり、その中にキラッキラッと小さな点のような金色の光……。ショックでビリッとしながら、ハリーは箒の柄の上に真っ平らに身を伏せて、スニッチめがけて突進した。

雨が激しく顔を打つ。「がんばれ！」ハリーは歯を食いしばってニンバスに呼びかけた。

「**もっと速く！**」

突然、奇妙なことが起こった。競技場にサーッと気味の悪い沈黙が流れた。風は相変わらず激しかったが、唸りを忘れてしまっていた。誰かが音のスイッチを切ったかのような、ハリーの耳が急に聞こえなくなったかのような――いったい何が起こったのだろう？

すると、あの恐ろしい感覚が、冷たい波がハリーを襲い、心の中に押し寄せた。同時にハリーは、ピッチにうごめく何かに気づいた……。

考える余裕もなく、ハリーはスニッチから目を離し、下を見下ろした。

少なくとも百人の吸魂鬼が地上に立ち、隠れて見えない顔をハリーに向けていた。氷のような水がハリーの胸にひたひたと押し寄せ、体の中を切り刻むようだ。そして、あの声が、また聞こえた……誰かの叫ぶ声が、ハリーの頭の中で叫ぶ声が……女の人だ……。

「ハリーだけは、ハリーだけは、どうぞハリーだけは！」

「どけ、バカな女め！……さあ、どくんだ……」

「ハリーだけは、どうかお願い。私を、私をかわりに殺して――」

白い靄《もや》がぐるぐるとハリーの頭の中を渦巻き、しびれさせた……いったい僕は何をしているんだ？どうして飛んでいるんだ？　あの女を助けないと……あの女は死んでしまう……殺されてしまう……。

ハリーは落ちていった。冷たい靄の中を落ちていった。

「ハリーだけは！　お願い……助けて……許して……」

かん高い笑い声が響く。女の人の悲鳴が聞こえる。そしてハリーはもう何もわからなくなった。


「地面がやわらかくてラッキーだった」

「絶対死んだと思ったわ」

「それなのにめがねさえ割れなかった」

ハリーの耳にささやき声が聞こえてきた。でも何を言っているのかまったくわからない。いったい自分はどこにいるのか、どうやってそこに来たのか、その前はいったい何をしていたのか、いっさいわからない。ただ、全身を打ちのめされたように、体が隅から隅まで痛かった。

「こんなに怖いもの、これまで見たことないよ」

怖い……一番怖いもの……フードをかぶった黒い姿……冷たい……叫び声……。

ハリーはパッと目を開けた。医務室に横たわっていた。グリフィンドールのクィディッチ選手が頭のてっぺんから足の先まで泥まみれでベッドの周りに集まっていた。ロンもハーマイオニーも、いましがたプールから出てきたばかりのような姿でそこにいた。

「ハリー！」泥まみれの真っ青な顔でフレッドが声をかけた。「気分はどうだ？」

ハリーの記憶が早回しの画面のように戻ってきた。稲妻……死神犬……スニッチ……そして、吸魂鬼……。

「どうなったの？」

ハリーがあまりに勢いよく起き上がったので、みんなが息をのんだ。

「君、落ちたんだよ」フレッドが答えた。「ざっと……そう……二十メートルかな？」

「みんな、あなたが死んだと思ったわ」アリシアは震えていた。

ハーマイオニーが小さく「ヒクッ」と声を上げた。目が真っ赤に充血していた。

「でも、試合は……試合はどうなったの？　やり直しなの？」ハリーが聞いた。

誰もなんにも言わない。恐ろしい真実が石のようにハリーの胸の中に沈み込んだ。

「僕たち、まさか……**負けた？**」

「ディゴリーがスニッチを捕った」ジョージが言った。

「君が落ちた直後にね。何が起こったのか、あいつは気がつかなかったんだ。振り返って君が地面に落ちているのを見て、ディゴリーは試合中止にしようとした。やり直しを望んだんだ。でも、むこうが勝ったんだ。フェアにクリーンに……ウッドでさえ認めたよ」

「ウッドはどこ?」

ハリーは急にウッドがいないことに気づいた。

「まだシャワー室の中さ」フレッドが答えた。「きっと溺死するつもりだぜ」

ハリーは顔をひざにうずめ、髪をギュッと握った。フレッドはハリーの肩をつかんで乱暴に揺すった。

「落ち込むなよ、ハリー。これまで一度だってスニッチを逃したことはないんだ」

「一度ぐらい捕れないことがあって当然さ」ジョージが続けた。

「これでおしまいってわけじゃない」フレッドが言った。

「僕たちは一〇〇点差で負けた。いいか? だから、ハッフルパフがレイブンクローに負けて、僕たちがレイブンクローとスリザリンを破れば……」

「ハッフルパフは少なくとも二〇〇点差で負けないといけない」ジョージだ。

「もし、ハッフルパフがレイブンクローを破ったら……」

「ありえない。レイブンクローが強すぎる。しかし、スリザリンがハッフルパフに負けたら……」

「どっちにしても点差の問題だな……一〇〇点差が決め手になる」

ハリーは横になったまままだまりこくっていた。負けた……初めて負けた。自分は初めてクィディッチの試合で敗れたんだ。

十分ほどたったころ、校医のマダム・ポンフリーがやってきて、ハリーの安静のため、チーム全員に出ていけと命じた。

「また見舞いにくるからな」フレッドが言った。「ハリー、自分を責めるなよ。君はいまでもチーム始まって以来の最高のシーカーさ」

選手たちは泥の筋を残しながら、ぞろぞろと部屋を出ていった。マダム・ポンフリーはまったくしょうがないという顔つきでドアを閉めた。ロンとハーマイオニーがハリーのベッドに近寄った。

「ダンブルドアは本気で怒ってたわ」ハーマイオニーが震え声で言った。

「あんなに怒っていらっしゃるのを見たことがない。あなたが落ちたとき、ピッチに駆け込んで、杖を振って、そしたら、あなた、地面にぶつかる前に、少しスピードが遅くなったのよ。それからダンブルドアは杖を吸魂鬼に向けて回したの。あいつらに向かって何か銀色のものが飛び出したわ。あいつら、すぐに競技場を出ていった……ダンブルドアはあいつらが学校の敷地内に入ってきたことでカンカンだったわ。そう言っているのが聞こえた――」

「それからダンブルドアは魔法で担架を出して君を乗せた」ロンが言った。

「浮かぶ担架に付き添って、ダンブルドアが学校まで君を運んだんだ。みんな君が……」

ロンの声が弱々しく途中で消えた。しかし、ハリーはそれさえ気づかず、考え続けていた。いったい吸魂鬼は自分に何をしたのだろう……あの叫び声は。ふと目を上げると、ロンとハーマイオニーが心配そうにのぞき込んでいた。あまりに気づかわしげだったので、ハリーはとっさにありきたりなことを聞いた。

「誰か僕のニンバス捕まえてくれた？」

ロンとハーマイオニーはちらっと顔を見合わせた。

「あの――」

「どうしたの？」ハリーは二人の顔を交互に見た。

「あの……あなたが落ちたとき、ニンバスは吹き飛んだの」

ハーマイオニーが言いにくそうに言った。

「それで？」

「それで、ぶつかったの――ぶつかったのよ――ああ、ハリー――あの『暴れ柳』にぶつかったの」

ハリーはザワッとした。暴れ柳は校庭の真ん中にポツリと一本だけ立っている凶暴な木だ。

「それで？」ハリーは答えを聞くのが怖かった。

「ほら、やっぱり暴れ柳のことだから」ロンが言った。「あ、あれって、ぶつかられるのが嫌いだろ」

「フリットウィック先生が、あなたが気がつくちょっと前に持ってきてくださったわ」

ハーマイオニーが消え入るような声で言った。

ゆっくりと、ハーマイオニーは足元のバッグを取り上げ、逆さまにして、中身をベッドの上に空けた。粉々になった木の切れ端が、小枝が、散らばり出た。ハリーのあの忠実な、そしてついに敗北して散った、ニンバスのなきがらだった。

第10章　忍びの地図

マダム・ポンフリーは、ハリーがその週末いっぱい医務室で安静にしているべきだと言い張った。ハリーは抵抗もせず、文句も言わなかった。ただ、マダム・ポンフリーがニンバス２０００の残骸を捨てることだけは承知しなかった。自分の愚かしさはわかっていた。ニンバスはもうどうにもならないことも知っていた。それでも、救いようのない気持ちをどうすることもできなかった。まるで、親友の一人を失ったようなつらさだった。

見舞い客が次々にやってきた。みんなハリーをなぐさめようと一生懸命だった。ハグリッドはハサミ虫の形をした黄色いキャベツのような花をどっさり送ってよこしたし、ジニー・ウィーズリーは真っ赤になりながら、お手製の「早くよくなってね」カードを持ってやってきた。そのカードときたら、果物の入ったボウルの下に敷いて閉じておかないかぎり、キンキン声で歌いだした。日曜の朝、グリフィンドールの選手たちが、今度はウッドを連れてやってきた。ウッドは、ハリーを少しも責めていないと、死んだようなうつろな声で言った。ロンとハーマイオニーは夜以外はつきっきりでハリーのベッドのそばにいた。しかし、誰が何をしようと、何を言おうと、ハリーはふさぎ込んだままだった。みんなにはハリーを悩ませていたことのせいぜい半分しかわかっていなかったのだ。

ハリーは誰にも死神犬のことを話していなかった。ロンにもハーマイオニーにも言わなかった。ロンはきっとショックを受けるだろうし、ハーマイオニーには笑いとばされると思ったからだ。しかし、事実、犬は二度現れ、二度とも危うく死ぬような目にあっている。最初は夜の騎士《ナイト》バスにひかれそうになり、二度目は箒《ほうき》から落ちて二十メートルも転落した。死神犬はハリーがほんとうに死ぬまでハリーに取り憑《つ》くのだろうか？　これからずっと、犬の姿におびえながら生きていかなければならないのだろうか？

その上、吸魂鬼がいる。吸魂鬼のことを考えるだけで、ハリーは吐き気がし、自尊心が傷ついた。吸魂鬼は恐ろしいとみんなが言う。しかし、吸魂鬼に近寄るたびに気を失ったりするのはハリーだけだ……母親の死ぬ間際の声が頭の中で鳴り響くのはハリーだけだ。

ハリーにはもう、あの叫び声が誰のものなのかがわかっていた。夜、眠れないまま横になって、月光が医務室の天井に筋状に映るのを見つめていると、ハリーには何度も何度も、あの女の人の声が聞こえた。吸魂鬼がハリーに近づいたときに、ハリーは母親の最期の声を聞いたのだ。ヴォルデモート卿《きょう》からハリーを護《まも》ろうとする母の声だ。そして、ヴォルデモートが母親を殺すときの笑いを……。ハリーはまどろんでは目覚め、目覚めてはまたまどろんだ。くさった、じめっとした手や、恐怖に凍りついたような哀願の夢にうなされ、飛び起きては、また母の声のことを考えてしまうのだった。

月曜になって、ハリーは学校のざわめきの中に戻った。ドラコ・マルフォイの冷やかしをがまんしなければならなかったが、何か別のことを考えざるをえなくなったのは救いだった。マルフォイはグリフィンドールが負けたことで、有頂天だった。ついに包帯も取り去り、両手が完全に使えるようになったことを祝って、ハリーが箒から落ちる様子を嬉々《きき》としてまねした。次の魔法薬の授業中はほとんどずっと、マルフォイは地下牢《ろう》教室のむこうで吸魂鬼のまねをしていた。ロンはついにキレて、ぬめぬめした大きなワニの心臓をマルフォイめがけて投げつけ、それがマルフォイの顔を直撃し、スネイプはグリフィンドールから五〇点減点した。

『闇の魔術に対する防衛術』を教えるのがスネイプだったら、僕、病欠するからね」

昼食後にルーピンの教室に向かいながら、ロンが言った。

「ハーマイオニー、教室に誰がいるのか、チェックしてくれないか」

ハーマイオニーは教室のドアからのぞき込んだ。

「大丈夫よ！」

ルーピン先生が復帰していた。ほんとうに病気だったように見えた。くたびれたローブが前よりもだらりと垂れ下がり、目の下にくまができていた。それでも、生徒が席につくと、先生はみんなにほほえみかけた。するとみんないっせいに、ルーピンが病気の間スネイプがどんな態度を取ったか、不平不満をぶちまけた。

「フェアじゃないよ。代理だったのに、どうして宿題を出すんですか？」

「僕たち、狼人間《おおかみにんげん》についてなんにも知らないのに――」

「――羊皮紙ふた巻だなんて！」

「君たち、スネイプ先生に、まだそこは習っていないって、そう言わなかったのかい？」

ルーピンは少し顔をしかめてみんなに聞いた。

クラス中がまたいっせいにしゃべった。

「言いました。でもスネイプ先生は、僕たちがとっても遅れてるっておっしゃって――」

「――耳を貸さないんです――」

「――**羊皮紙ふた巻なんです！**」

全員がプリプリ怒っているのを見ながら、ルーピン先生はニッコリした。

「よろしい。私からスネイプ先生にお話ししておこう。レポートは書かなくてよろしい」

「そんなぁ」ハーマイオニーはがっかりした顔をした。「私、もう書いちゃったのに！」

授業は楽しかった。ルーピン先生はガラス箱に入った「おいでおいで妖精《ヒンキーパンク》」を持ってきていた。一本足で、鬼火のように幽《かす》かで、はかなげで、害のない生き物に見えた。

「これは旅人を迷わせて沼地に誘う」

ルーピン先生の説明を、みんなノートに書き取った。

「手にカンテラをぶら下げているのがわかるね？　目の前をピョンピョン跳ぶ——人がそれについていく——すると——」

おいでおいで妖精はガラスにぶつかってガボガボと音を立てた。

終業のベルが鳴り、みんな荷物をまとめて出口に向かった。ハリーもみんなと一緒だったが、

「ハリー、ちょっと残ってくれないか」

ルーピンが声をかけた。

「話があるんだ」

ハリーは戻って、ルーピン先生がおいでおいで妖精の箱を布で覆うのを眺めていた。

「試合のことを聞いたよ」

ルーピン先生は机に戻り、本を鞄《かばん》に詰め込みはじめた。

「箒は残念だったね。修理することはできないのかい？」

「いいえ。あの木が粉々にしてしまいました」ハリーが答えた。

ルーピンはため息をついた。

「あの暴れ柳は、私がホグワーツに入学した年に植えられた。みんなで木に近づいて、幹に触れられるかどうか、ゲームをしたものだ。しまいにデイビィ・ガージョンという男の子が危うく片目を失いかけ

たものだから、あの木に近づくことは禁止されてしまった。箒などひとたまりもないだろうね」

「先生は吸魂鬼のこともお聞きになりましたか？」ハリーは言いにくそうにこれだけ言った。

ルーピンはちらっとハリーを見た。

「ああ。聞いたよ。ダンブルドア校長があんなに怒ったのは誰も見たことがないと思うね。吸魂鬼たちは近ごろ日増しに落ちつかなくなっていたんだ……校庭内に入れないことに腹を立ててね……たぶん君は連中が原因で落ちたんだろうね」

「はい」

そう答えたあと、ハリーは一瞬迷ったが、がまんできずに質問が口から飛び出した。

「いったいどうして？　**どうして**吸魂鬼は僕だけにあんなふうに？　僕がただ――？」

「弱いかどうかとはまったく関係ない」

ルーピン先生はまるでハリーの心を見透かしたかのようにはっきりと言った。

「吸魂鬼がほかの誰よりも君に影響するのは、君の過去に、誰も経験したことがない恐怖があるからだ」

冬の陽光が教室を横切り、ルーピンの白髪とまだ若い顔に刻まれたしわを照らした。

「吸魂鬼は地上を歩く生物の中でももっとも忌まわしい生き物の一つだ。もっとも暗く、もっとも穢《けが》れた場所にはびこり、凋落《ちょうらく》と絶望の中に栄え、平和や希望、幸福を、周りの空気から吸い取ってしまう。マグルでさえ、吸魂鬼の姿を見ることはできなくても、その存在は感じ取る。吸魂鬼に近づきすぎると、楽しい気分も幸福な思い出も、ひとかけらも残さず吸い取られてしまう。やろうと思えば、吸魂鬼は相手を貪り続け、しまいには吸魂鬼自身と同じ状態にしてしまうことができる――邪悪な魂の抜け殻にね。心に最悪の経験だけしか残らない状態だ。そしてハリー、**君の**最悪の経験はひどいものだった。君のような目にあえば、どんな人間だって箒から落ちても不思議はない。君はけっして恥に思う必要はない」

「あいつらがそばに来ると――」ハリーはのどを詰まらせ、ルーピンの机を見つめながら話した。「ヴォルデモートが僕の母さんを殺したときの声が聞こえるんです」

ルーピンは急に腕を伸ばし、ハリーの肩をしっかりとつかむかのようなそぶりをしたが、思いなおしたように手を引っ込めた。ふと沈黙が漂った。

「どうしてあいつらが試合に来なければならなかったんですか？」ハリーは悔しそうに言った。

「飢えてきたんだ」ルーピンはパチンと鞄を閉じながら冷静に答えた。

「ダンブルドアがやつらを校内に入れなかったので、餌食にする人間という獲物が枯渇してしまった……クィディッチ競技場に集まる大観衆という魅力に抗しきれなかったのだろう。あの大興奮……感情の高まり……やつらにとってはごちそうだ」

「アズカバンはひどい所でしょうね」

ハリーがつぶやくと、ルーピンは暗い顔でうなずいた。

「海のかなたの孤島に立つ要塞だ。しかし、囚人を閉じ込めておくには、周囲が海でなくとも、壁がなくてもいい。ひとかけらの楽しさも感じることができず、みんな自分の心の中に閉じ込められているのだから。数週間も入っていればほとんどみな精神を病む」

「でも、シリウス・ブラックはあいつらの手を逃れました。脱獄を……」

ハリーは考えながら話した。

鞄が机からすべり落ち、ルーピンはすっとかがんでそれを拾い上げた。

「確かに」ルーピンは身を起こしながら言った。

「ブラックはやつらと戦う方法を見つけたにちがいない。そんなことができるとは思いもしなかった……長期間、吸魂鬼と一緒にいたら、魔法使いは力を抜き取られてしまうはずだ……」

「**先生は**汽車の中であいつを追い払いました」ハリーは急に思い出した。

「それは――防衛の方法がないわけではない。しかし、汽車に乗っていた吸魂鬼は一人だけだった。数が多くなればなるほど抵抗するのが難しくなる」

「どんな防衛法ですか？」ハリーはたたみかけるように聞いた。「教えてくださいませんか？」

「ハリー、私はけっして吸魂鬼と戦う専門家ではない。むしろまったくちがう……」

ルーピンはハリーの思いつめた顔を見つめ、ちょっと迷った様子で言った。

「でも、もし吸魂鬼がまたクィディッチ試合に現れたら、僕はやつらと戦わなければ――」

「そうか……よろしい。なんとかやってみよう。だが、来学期まで待たないといけないよ。休暇に入る前にやっておかなければならないことが山ほどあってね。まったく私は都合の悪い時に病気になってしまったものだ」

ルーピンが吸魂鬼防衛術を教える約束をしてくれたことで、二度と母親の最期の声を聞かずにすむかもしれないという期待が生まれ、さらに十一月の終わりに、クィディッチでレイブンクローがハッフルパフをペシャンコに負かしたこともあって、ハリーの気持ちは着実に明るくなってきた。グリフィンドールはもう一試合も負けるわけにはいかなかったが、まだ優勝争いから脱落してはいなかった。ウッドは再びあの狂ったようなエネルギーを取り戻し、煙るような冷たい雨の中、いままでにも増してチームをしごいた。

雨は十二月まで降り続いた。ハリーの見るところ、校内には吸魂鬼の影すらなかった。ダンブルドアの怒りが、吸魂鬼を持ち場である学校の入口に縛りつけているようだった。

学期が終わる二週間前、急に空が明るくなり、まぶしい乳白色になったかと思うと、ある朝、泥んこの校庭がキラキラ光る霜柱に覆われていた。城の中はクリスマスムードで満ちあふれていた。呪文学のフリットウィック先生は、もう自分の教室にチラチラ瞬く豆ランプを飾りつけていたが、これが実は本物の妖精が羽をパタパタさせている光だった。

みんなが休み中の計画を楽しげに語り合っていた。ロンもハーマイオニーもホグワーツに居残ることに決めていた。ロンは「二週間もパーシーと一緒に過ごすんじゃかなわないからさ」と言ったし、ハーマイオニーはどうしても図書館を使う必要があるのだと言い張ったが、ハリーにはよくわかっていた――ハリーのそばにいるために居残るのだ。ハリーにはそれがとてもうれしかった。

学期の最後の週末にホグズミード行きが許され、ハリー以外のみんなは大喜びした。

「クリスマス・ショッピングが全部あそこですませられるわ！」

ハーマイオニーが言った。

「パパもママも、ハニーデュークス店の『歯みがき糸ようじ形ミント菓子』がきっと気に入ると思うわ！」

三年生の中で学校に取り残されるのは自分一人だろうと覚悟を決め、ハリーはウッドから『賢い箒の選び方』の本を借り、箒の種類について読書してその日を過ごすことにした。チームの練習では学校の箒を借りて乗っていたが、骨董品《こっとう》ものの「流れ星《シューティング・スター》」は恐ろしく遅くて動きがぎくしゃくしていた。どうしても新しい自分の箒が一本必要だった。

ホグズミード行きの土曜の朝、マントやスカーフにすっぽりくるまったロンとハーマイオニーに別れを告げ、ハリーは一人で大理石の階段を上り、またグリフィンドール塔に向かっていた。窓の外には雪がちらつきはじめ、城の中はしんと静まり返っていた。

「ハリー、シーッ！」

四階の廊下の中ほどで、声のするほうに振り向くと、フレッドとジョージが背中にこぶのある隻眼の魔女の像の後ろから顔をのぞかせていた。

「何してるんだい？　どうしてホグズミードに行かないの？」

ハリーは何事だろうと思いながら聞いた。

「行く前に、君にお祭り気分を分けてあげようかと思って」

フレッドが意味ありげにウィンクした。

「こっちへ来いよ……」

フレッドは像の左側にある誰もいない教室のほうをあごでしゃくった。ハリーはフレッドとジョージのあとについて教室に入った。ジョージがそっとドアを閉め、ハリーのほうを振り向いてニッコリした。

「ひと足早いクリスマスプレゼントだ」

フレッドがマントの下から仰々しく何かを引っ張り出して、机の上に広げて見せた。大きな、四角い、相当くたびれた羊皮紙だった。何も書いてない。またフレッドとジョージの冗談かと思いながら、ハリーは羊皮紙をじっと見た。

「これ、いったいなんだい？」

「これはだね、ハリー、俺たちの成功の秘訣《ひけつ》さ」ジョージが羊皮紙をいとおしげになでた。

「君にやるのは実におしいぜ。しかし、これが必要なのは俺たちより君のほうだって、俺たち、きのうの夜そう決めたんだ」フレッドが言った。

「それに、俺たちはもう暗記してるしな」ジョージが言った。「我々は汝《なんじ》にこれをゆずる。俺たちにゃもう必要ないからな」

「古い羊皮紙の切れっぱしの何が僕に必要なの？」ハリーが聞いた。

「古い羊皮紙の切れっぱしだって！」

フレッドはハリーが致命的に失礼なことを言ってくれたと言わんばかりに、顔をしかめて両目をつぶった。

「ジョージ、説明してやりたまえ」

「よろしい……我々が一年生だったときのことだ、ハリーよ――まだ若くて、疑いを知らず、汚れなきころのこと――」

ハリーは噴き出した。フレッドとジョージに汚れなきころがあったとは思えなかった。

「――まあ、いまの俺たちよりは汚れなきころさ――我々はフィルチのごやっかいになるはめになった」

「『クソ爆弾』を廊下で爆発させたら、なぜか知らん、フィルチのご不興を買って――」

「ヤツは、俺たちを事務所まで引っ張っていって、脅しはじめたわけだ。例のお決まりの――」

「――処罰だぞ――」

「――腸《はらわた》をえぐるぞ――」

「――そして、我々はあることに気づいてしまった。書類棚の引き出しの一つに『**没収品・特に危険**』と書いてあるじゃないか」

「まさか――」ハリーは思わずニヤリとしてしまった。

「さて、君ならどうしたかな？」フレッドが話を続けた。

「ジョージがもう一回『クソ爆弾』を爆発させて気をそらしている間に、俺がすばやく引き出しを開けて、むんずとつかんだのが――**これさ**」

「なーに、そんなに悪いことをしたわけじゃないさ」とジョージ。「フィルチにこれの使い方がわかってたとは思えないね。でも、たぶんこれが何かは察しがついてたんだろうな。でなきゃ、没収したりしなかっただろう」

「それじゃ、君たちはこれの使い方を知ってるの？」

「ばっちりさ」フレッドがニンマリした。「このかわい子ちゃんが、学校中の先生を束にしたより多くのことを俺たちに教えてくれたね」

「僕をじらしてるんだね」ハリーは古ぼけたぼろぼろの羊皮紙を見た。

「へぇ、じれてきたかい？」ジョージが言った。

ジョージは杖《つえ》を取り出し、羊皮紙に軽く触れて、こう言った。

「**我、ここに誓う。我、よからぬことをたくらむ者なり**」

すると、たちまち、ジョージの杖の先が触れた所から、細いインクの線がクモの巣のように広がりはじめた。線があちこちでつながり、交差し、羊皮紙の隅から隅まで伸びていった。そして、一番てっぺんに、花が開くように、渦巻形の大きな緑色の文字が、ポッ、ポッ、ポッと現れた。


「魔法いたずら仕掛人」のご用達商人たる我らがお届けする自慢の品

ムーニー、ワームテール、パッドフット、プロングズ

忍びの地図

それはホグワーツ城と学校の敷地全体のくわしい地図だった。しかし、ほんとうにすばらしいのは、地図上を動く小さな点で、一つ一つに細かい字で名前が書いてあった。ハリーは目を丸くしてのぞき込んだ。一番上の左の隅に「ダンブルドア教授」と書かれた点があり、書斎を歩き回っていた。管理人の飼い猫ミセス・ノリスは、三階の廊下を徘徊《はいかい》している。ポルターガイストのピーブズはいま、優勝杯の飾ってある部屋でヒョコヒョコ浮いていた。見慣れた廊下を地図上であちこち見ているうちに、ハリーはあることに気づいた。

その地図にはハリーがいままで一度も入ったことのない抜け道がいくつか示されていた。そして、そのうちのいくつかがなんと――。

「ホグズミードに直行さ」フレッドが指でそのうちの一つをたどりながら言った。

「全部で七つの道がある。ところがフィルチはそのうち四つを知っている――」

フレッドは指で四つを示した。

「――しかし、**残りの道**を知っているのは絶対俺たちだけだ。五階の鏡の裏からの道はやめとけ。俺たちが去年の冬までは利用していたけど、崩れっちまった――完全にふさがってる。それから、こっちの道は誰も使ったことがないと思うな。なにしろ暴れ柳がその入口の真上に植わってる。しかし、こっちのこの道、これはハニーデュークス店の地下室に直通だ。俺たち、この道は何回も使った。それに、もうわかってると思うが、入口はこの部屋のすぐ外、隻眼の魔女ばあさんのこぶなんだ」

「ムーニー、ワームテール、パッドフット、プロングズ」

地図の上に書いてある名前をなでながらジョージがため息をついた。

「我々はこの諸兄にどんなにご恩を受けたことか」

「気高き人々よ。後輩の無法者を助けんがため、かくのごとく労を惜しまず」

フレッドが厳かに言った。

「というわけで」ジョージがきびきびと言った。「使ったあとは忘れずに消しとけよ――」

「――じゃないと、誰かに読まれっちまう」フレッドが警告した。

「もう一度地図を軽くたたいて、こう言えよ。『**いたずら完了！**』すると地図は消える」

「それではハリー君よ」フレッドが気味が悪いほどパーシーそっくりのものまねをした。「行動を慎んでくれたまえ」

「ハニーデュークスで会おう」ジョージがウィンクした。

二人は満足げにニヤリと笑いながら部屋を出ていった。

ハリーは奇跡の地図を眺めたまま、そこに突っ立っていた。ミセス・ノリスの小さな点が左に曲がって立ち止まり、何やら床の上にあるものをかいでいる様子だ。ほんとうにフィルチが知らない道なら……吸魂鬼のそばを通らずにすむ……。

その場にたたずんで、興奮ではちきれそうになりながらも、ハリーはふいにウィーズリー氏が一度言った言葉を思い出していた。

――**脳みそがどこにあるか見えないのに、一人で勝手に考えることができるものは信用してはいけない**――。

この地図はウィーズリーおじさんが警告していた危険な魔法の品ということになる……「**魔法いたずら仕掛人用品**」……でも、でも――ハリーは理屈をつけた――ホグズミードに入り込むために使うだけだし、何かを盗むためでもないし、誰かを襲うためでもない……それに、フレッドとジョージがもう何年も使っているのに、恐ろしいことはなんにも起こらなかった……。

ハリーはハニーデュークス店への秘密の抜け道を指でたどった。

そして突然、まるで命令に従うかのように、ハリーは地図を丸め、ローブの下に押し込み、教室のドアのほうに急いだ。ドアを数センチ開けてみた。外には誰もいない。ハリーはそろそろと慎重に教室から抜け出し、隻眼の魔女の像の陰にすべり込んだ。

何をすればいいんだろう？　地図をまた取り出して見ると、驚いたことに、また一つ人の形をした黒い点が現れていて、「ハリー・ポッター」と名前が書いてあった。その小さな人影はちょうどハリーが立っているあたり、四階の廊下の真ん中あたりに立っていた。ハリーが見つめていると、小さな黒い自分の姿が、小さな杖で魔女を軽くたたいているようだった。ハリーも急いで本物の自分の杖を出し、像をたたいてみた。何事も起こらない。もう一度地図を見ると、自分の小さな影からかわいらしい小さな泡のようなものが吹き出し、その中に言葉が現れた。「**ディセンディウム！　降下**」と。

「**ディセンディウム！　降下！**」

もう一度杖で石像をたたきながらハリーはささやいた。

たちまち像のこぶが割れ、かなり細身の人間が一人通れるくらいの割れ目ができた。ハリーはすばやく廊下の端から端まで見渡し、それから地図をしまい込み、身を乗り出すようにして頭から割れ目に突っ込み、体を押し込んでいった。

まるで石のすべり台をすべるように、ハリーはかなりの距離をすべり下り、しめった冷たい地面に着地した。立ち上がってあたりを見回したが、真っ暗だった。杖を掲げ、「**ルーモス！　光よ！**」と呪文を唱えて見ると、そこは天井の低い、かなり狭い土のトンネルの中だった。ハリーは地図を掲げ、杖の先で軽くたたき、呪文を唱えた。

「**いたずら完了！**」

地図はすぐさま消えた。ハリーはていねいにそれを丸め、ローブの中にしまい込むと、興奮と不安で胸をドキドキさせながら歩きだした。

トンネルは曲がりくねっていた。どちらかといえば大きなウサギの巣穴のようだった。杖を先に突き出し、ときどきデコボコの道につまずきながら、ハリーは急いで歩いた。

はてしない時間だった。しかし「ハニーデュークス」に行くんだという思いがハリーの支えになっていた。一時間もたったかと思えるころ、上り坂になった。あえぎあえぎ、ハリーは足を速めた。顔がほてり、足は冷えきっていた。

十分後、ハリーは石段の下に出た。古びた石段が上へと延び、先端は見えなかった。物音を立てないように注意しながら、ハリーは上りはじめた。百段、二百段、もう何段上ったのかわからない。ハリーは足元に気をつけながら上っていった……。すると、なんの前触れもなしに、ゴツンと頭が固いものにぶつかった。

天井は観音開きの跳ね戸になっているようだ。ハリーは頭のてっぺんをさすりながらそこにじっと立って、耳を澄ました。上からはなんの物音も聞こえない。ハリーはゆっくりゆっくり跳ね戸を押し開け、外をのぞき見た。

倉庫の中だった。木箱やケースがびっしり置いてある。ハリーは跳ね戸から外に這《は》い出て、戸を元どおりに閉めた――戸はほこりっぽい床にすっかりなじんで、とてもそこにそんなものがあるとはわからない。ハリーは上に続く木の階段へとゆっくりと這っていった。今度ははっきりと声が聞こえる。チリンチリンとベルの鳴る音も、どこかでドアが開いたり閉まったりする音までも聞こえる。

どうすればいいのか迷っていると、すぐ近くのドアが急に開く音が聞こえた。誰かが階段を下りてくるところらしい。

「『ナメクジ・ゼリー』をもうひと箱お願いね、あなた。あの子たちときたら、店中ごっそり持っていってくれるわ――」女の人の声だ。

男の足が二本、階段を下りてきた。ハリーは大きな箱の陰に飛び込み、足音が通り過ぎるのを待った。男がむこう側の壁に立てかけてある箱をいくつか動かしている音が聞こえた。このチャンスを逃したらあとはない。

ハリーはすばやく、しかも音を立てずに、隠れていた場所から抜け出し、階段を上った。振り返ると、でかい尻と、箱の中に突っ込んだピカピカのハゲ頭が見えた。ハリーは階段の上のドアまでたどり着き、そこからスルリと出た。ハニーデュークス店のカウンター裏だった――ハリーは頭を低くして横ばいに進み、そして立ち上がった。

ハニーデュークスの店内は人でごった返していて、ハリーを見とがめる者など誰もいない。ハリーは人混みの中をすり抜けながらあたりを見回した。いま、ハリーがどんな所にいるかをダドリーがひと目見たら、あの豚顔がどんな表情をするだろうと思うだけで笑いが込み上げてきた。

棚という棚には、かんだらジュッと甘い汁の出そうなお菓子がずらりと並んでいた。ねっとりしたヌガー、ピンク色に輝くココナッツキャンディ、蜂蜜色のぷっくりしたタフィー。手前のほうにはきちんと並べられた何百種類ものチョコレート、「百味ビーンズ」が入った大きな樽《たる》、ロンの話していた浮上炭酸キャンディ、「フィフィ・フィズビー」の樽。別の壁いっぱいに「特殊効果」と書かれたお菓子の棚がある――「ドルーブル風船ガム」（部屋いっぱいにリンドウ色の風船が何個も広がって何日も頑固にふくれっぱなし）、ぼろぼろ崩れそうな、へんてこりんな「歯みがき糸ようじ形ミント菓子」、豆粒のような「黒こしょうキャンディ」（君の友達のために火を噴いてみせよう！）、「ブルブル・マウス」（歯がガチガチ、キーキー鳴るのが聞こえるぞ！）、「がまがえる形ペパーミント」（胃の中で本物そっくりに跳ぶぞ！）、もろい「綿飴《わたあめ》羽根ペン」、「爆発ボンボン」――。

ハリーは群れている六年生の中をすり抜け、店の一番奥まったコーナーに看板がかかっているのを見つけた。

異常な味

ロンとハーマイオニーが看板の下に立って、血の味がするペロペロ・キャンディが入ったトレイを品定めしていた。

ハリーはこっそり二人の背後に忍び寄った。

「ウー、ダメ。ハリーはこんなもの欲しがらないわ。これって吸血鬼用だと思う」

ハーマイオニーがそう言っている。

「じゃ、これは？」

ロンが、「ゴキブリ・ゴソゴソ豆板」の瓶をハーマイオニーの鼻先に突きつけた。

「絶対イヤだよ」ハリーが言った。

ロンは危うく瓶を落とすところだった。

「**ハリー！**」ハーマイオニーが金切り声を上げた。

「どうしたの、こんな所で？　ど――どうやってここに――？」

「うわー！　君、『姿あらわし術』ができるようになったんだ！」ロンは感心した。

「まさか。ちがうよ」

ハリーは声を落として、周りの六年生の誰にも聞こえないようにしながら、「忍びの地図」の一部始終を二人に話した。

「フレッドもジョージもなんでこれまで**僕に**くれなかったんだ！　弟じゃないか！」

ロンが憤慨した。

「でも、ハリーはこのまま地図を持ってたりしないわ！」

ハーマイオニーはそんなばかげたことはないと言わんばかりだ。

「マクゴナガル先生にお渡しするわよね、ハリー？」

「僕、渡さない！」ハリーが言った。

「気は確かか？」ロンが目をむいてハーマイオニーを見た。「こんないいものが渡せるか？」

「僕がこれを渡したら、どこで手に入れたか言わないといけない！　フレッドとジョージがちょろまかしたってことがフィルチに知れてしまうじゃないか！」

「それじゃ、シリウス・ブラックのことはどうするの？」ハーマイオニーが口をとがらせた。

「この地図にある抜け道のどれかを使ってブラックが城に入り込んでいるかもしれないのよ！　先生方はそのことを知らないといけないわ！」

「ブラックが抜け道から入り込むはずはない」ハリーがすぐに言い返した。

「この地図には七つのトンネルが書いてある。いいかい？　フレッドとジョージの考えでは、そのうち四つはフィルチがもう知っている。残りは三本だ――一つは崩れているから誰も通り抜けられない。もう一本は出入口の真上に暴れ柳が植わってるから、出られやしない。三本目は僕がいま通ってきた道――ウン――出入口はここの地下室にあって、なかなか見つかりゃしない――出入口がそこにあるって知ってれば別だけど――」

ハリーはちょっと口ごもった。そこに抜け道があるとブラックが知っていたとしたら？

ロンが意味ありげに咳払《せきばら》いして、店の出入口のドアの内側に貼りつけてある掲示を指差した。

魔法省よりのお達し

お客様へ

先般お知らせいたしましたように、日没後、ホグズミードの街路には毎晩、吸魂鬼のパトロールが入ります。この措置はホグズミード住人の安全のために取られたものであり、シリウス・ブラックが逮捕されるまで続きます。お客様におかれましては、買い物を暗くならないうちにお済ませくださいますようお勧めいたします。

メリークリスマス！

「ね？」ロンがそっと言った。「吸魂鬼がこの村にわんさか集まるんだぜ。ブラックがハニーデュークス店に押し入るっていうんなら拝見したいもんだ。それに、ハーマイオニー、ハニーデュークスのオーナーが物音に気づくだろう？　だってみんな店の上に住んでるんだ！」

「そりゃそうだけど――でも――」

ハーマイオニーはなんとかほかの理由を考えているようだった。

「ねえ、ハリーはやっぱりホグズミードに来ちゃいけないはずでしょ。許可証にサインをもらってないんだから！　誰かに見つかったら、それこそ大変よ！　それに、まだ暗くなってないし――今日、シリウス・ブラックが現れたらどうするの？　たったいま？」

「こんな時にハリーを見つけるのは大仕事だろうさ」

格子窓のむこうに吹き荒れる大雪をあごでしゃくりながら、ロンが言った。

「いいじゃないか、ハーマイオニー、クリスマスだぜ。ハリーだって楽しまなきゃ」

ハーマイオニーは、心配でたまらないという顔で、唇をかんだ。

「僕のこと、言いつける?」

ハリーがニヤッと笑ってハーマイオニーを見た。

「まあ——そんなことしないわよ——でも、ねえ、ハリー——」

「ハリー、『フィフィ・フィズビー』を見たかい?」

ロンはハリーの腕をつかんで樽のほうに引っ張っていった。

「『ナメクジ・ゼリー』は? すっぱい『ペロペロ酸飴』は? この飴、僕が七つのときフレッドがくれたんだ——そしたら僕、酸で舌にぽっかり穴が開いちゃってさ。ママが箒でフレッドをたたいたのを覚えてるよ」

ロンは思いにふけってペロペロ酸飴の箱を見つめた。

「『ゴキブリ・ゴソゴソ豆板』を持っていって、ピーナッツだって言ったら、フレッドがかじると思うかい?」

ロンとハーマイオニーがお菓子の代金を払い、三人はハニーデュークス店をあとにし、吹雪の中を歩きだした。

ホグズミード村は、まるでクリスマスカードから抜け出してきたようだった。茅葺《かやぶき》屋根の小さな家や店がキラキラ光る雪にすっぽりと覆われ、戸口という戸口には柊《ひいらぎ》のリースが飾られ、木々には魔法でキャンドルがくるくると巻きつけられていた。

ハリーはブルブル震えた。ほかの二人はマントを着込んでいたが、ハリーはマントなしだった。三人とも頭を低くして吹きつける風をよけながら歩いた。ロンとハーマイオニーは口を覆ったマフラーの下から叫ぶように話しかけた。

「あれが郵便局——」

「ゾンコの店はあそこ――」

「『叫びの屋敷』まで行ったらどうかしら――」

「こうしよう」

ロンが歯をガチガチいわせながら言った。

「『三本の箒』まで行ってバタービールを飲まないか？」

ハリーは大賛成だった。風は容赦なく吹き、手が凍えそうだった。三人は道を横切り、数分後には小さな居酒屋に入っていった。

中は人でごった返し、うるさくて、暖かくて、煙でいっぱいだった。カウンターのむこうに、小粋な顔をした曲線美の女性がいて、バーにたむろしている荒くれ者の魔法戦士たちに飲み物を出していた。

「マダム・ロスメルタだよ」ロンが言った。

「僕が飲み物を買ってこようか？」

ロンはちょっと赤くなった。

ハリーはハーマイオニーと一緒に奥の空いている小さなテーブルのほうへと進んだ。テーブルの背後は窓で、前にはすっきりと飾られたクリスマスツリーが暖炉脇に立っていた。五分後に、ロンが大ジョッキを三つ抱えてやってきた。泡立った熱いバタービールだ。

「ハッピークリスマス！」ロンはうれしそうに大ジョッキを挙げた。

ハリーはグビッと飲んだ。こんなにおいしいものはいままで飲んだことがない。体の芯から隅々まで暖まる心地だった。

急に冷たい風がハリーの髪を逆立てた。「三本の箒」のドアが開いていた。大ジョッキの縁から戸口に目をやったハリーはむせ込んだ。

マクゴナガル先生とフリットウィック先生が、舞い上がる雪に包まれてパブに入ってきたのだ。すぐ後ろにハグリッドが入ってきた。ハグリッドはライム色の山高帽に細縞《ほそじま》のマントをまとったでっぷりした男と、話に夢中になっている。コーネリウス・ファッジ、魔法大臣だ。

とっさに、ロンとハーマイオニーが同時にハリーの頭のてっぺんに手を置いて、ハリーをぐいっとテーブルの下に押し込んだ。ハリーは椅子からすべり落ち、こぼれたバタービールをボタボタ垂らしながら机の下にうずくまった。からになった大ジョッキを手に、ハリーは先生方とファッジの足を見つめた。足はバーのほうに動き、立ち止まり、方向を変えてまっすぐハリーのほうへ歩いてきた。

どこか頭の上のほうで、ハーマイオニーがつぶやくのが聞こえた。

「**モビリアーブス！　木よ動け！**」

そばにあったクリスマスツリーが十センチぐらい浮き上がり、横にふわふわ漂って、ハリーたちのテーブルの真ん前にトンと軽い音を立てて着地し、三人を隠した。ツリーの下のほうの茂った枝の間から、ハリーはすぐそばのテーブルの四つの椅子の脚が後ろに引かれるのを見ていた。やがて先生方も大臣も椅子に座り、フーッというため息や、やれやれという声が聞こえてきた。

次にハリーが見たのは別のひと組の足で、ピカピカのトルコ石色のハイヒールをはいていた。女性の声がした。

「ギリーウォーターのシングルです――」

「私《わたくし》です」マクゴナガル先生の声。

「ホット蜂蜜酒、四ジョッキ分――」

「ほい、ロスメルタ」ハグリッドだ。

「さくらんぼシロップソーダ、アイスクリームと唐かさ飾りつき――」

「ムムム！」フリットウィック先生が唇をとがらせて舌つづみを打った。

「それじゃ、大臣は紅《あか》い実のラム酒ですね？」

「ありがとうよ、ロスメルタのママさん」ファッジの声だ。

「君にまた会えてほんとにうれしいよ。君も一杯やってくれ……こっちに来て一緒に飲まないか？」

「まあ、大臣、光栄ですわ」

ピカピカのハイヒールが元気よく遠ざかり、また戻ってくるのが見えた。ハリーの心臓はのどのあたりでいやな感じに鼓動を打っていた。どうして気がつかなかったんだろう？　先生方にとっても今日は今学期最後の週末だったのに。先生方はどのくらいの時間ここでねばるつもりだろう？　今夜ホグワーツに戻るためには、このパブを抜け出してこっそりハニーデュークス店に戻る時間が必要だ……。ハリーの脇で、ハーマイオニーの脚が神経質にピクリとした。

「それで、大臣、どうしてこんな片田舎にお出ましになりましたの？」

マダム・ロスメルタの声だ。

誰か立ち聞きしていないかチェックしている様子で、ファッジの太った体が椅子の上でよじれるのが見えた。それからファッジは低い声で言った。

「ほかでもない、シリウス・ブラックの件でね。ハロウィーンの日に、学校で何が起こったかは、うすうす聞いているんだろうね？」

「うわさは確かに耳にしてますわ」マダム・ロスメルタが認めた。

「ハグリッド、あなたはパブ中に触れ回ったのですか？」

マクゴナガル先生が腹立たしげに言った。

「大臣、ブラックがまだこのあたりにいるとお考えですの？」

マダム・ロスメルタがささやくように言った。

「まちがいない」ファッジがきっぱりと言った。

「吸魂鬼がわたしのパブの中を二度も探し回っていったことをご存じかしら？」

マダム・ロスメルタの声には少しとげとげしさがあった。

「お客様が怖がってみんな出ていってしまいましたわ……大臣、商売上がったりですのよ」

「ロスメルタのママさん、私だって君と同じで、連中が好きなわけじゃない」

ファッジもバツの悪そうな声を出した。

「用心に越したことはないんでね……残念だが仕方がない……。つい先ほど連中に会った。ダンブルドアに対して猛烈に怒っていてね――ダンブルドアが城の校内に連中を入れないんだ」

「そうすべきですわ」マクゴナガル先生がきっぱりと言った。

「あんな恐ろしいものに周りをうろうろされては、私たち教育ができませんでしょう？」

「まったくもってそのとおり！」

フリットウィック先生のキーキー声がした。背が小さいので足が下まで届かず、ぶらぶらしている。

「にもかかわらずだ」ファッジが言い返した。「連中よりもっとタチの悪いものから我々を護るために連中がここにいるんだ……知ってのとおり、ブラックの力をもってすれば……」

「でもねえ、わたしにはまだ信じられないですわ」

マダム・ロスメルタが考え深げに言った。

「どんな人が闇の側に荷担しようと、シリウス・ブラックだけはそうならないと、わたしは思ってました……あの人がまだホグワーツの学生だったときのことを覚えてますわ。もしあのころに誰かがブラックがこんなふうになるなんて言ってたら、わたしきっと、『あなた蜂蜜酒の飲みすぎよ』って言ったと思いますわ」

「君は話の半分しか知らないんだよ、ロスメルタ」ファッジがぶっきらぼうに言った。

「ブラックの最悪の仕業はあまり知られていない」

「最悪の？」マダム・ロスメルタの声は好奇心ではじけそうだった。

「あんなにたくさんのかわいそうな人たちを殺した、それより悪いことだっておっしゃるんですか？」

「まさにそのとおり」ファッジが答えた。

「信じられませんわ。あれより悪いことってなんでしょう？」

「ブラックのホグワーツ時代を覚えていると言いましたね、ロスメルタ」

マクゴナガル先生がつぶやくように言った。

「あの人の一番の親友が誰だったか、覚えていますか？」

「ええ、ええ」マダム・ロスメルタはちょっと笑った。

「いつでも一緒、影と形のようだったでしょ？　ここにはしょっちゅう来てましたわ――ああ、あの二人にはよく笑わされました。まるで漫才だったわ、シリウス・ブラックとジェームズ・ポッター！」

ハリーがポロリと落とした大ジョッキが、大きな音を立てた。ロンがハリーを蹴った。

「そのとおりです」マクゴナガル先生だ。

「ブラックとポッターはいたずらっ子たちの首謀者。もちろん、二人とも非常に賢い子でした――まったくずば抜けて賢かった――しかしあんなに手を焼かされた二人組はなかったですね――」

「そりゃ、わかんねえですぞ」ハグリッドがクックッと笑った。

「フレッドとジョージ・ウィーズリーにかかっちゃ、互角の勝負かもしれねえ」

「みんな、ブラックとポッターは兄弟じゃないかと思っただろうね！」フリットウィック先生のかん高い声だ。「一心同体！」

「まったくそうだった」ファッジだ。

「ポッターはほかの誰よりブラックを信用した。卒業しても変わらなかった。ブラックはジェームズがリリーと結婚したとき、新郎の付き添い役を務めた。二人はブラックをハリーの名付け親にした。ハリーはもちろんまったく知らないがね。こんなことを知ったらハリーがどんなにつらい思いをするか」

「ブラックの正体が『例のあの人』の一味だったからですの？」

マダム・ロスメルタがささやいた。

「もっと悪いね……」ファッジは声を落とし、低く響く声で先を続けた。

「ポッター夫妻は、自分たちが『例のあの人』につけねらわれていると知っていた。ダンブルドアは『例のあの人』とたゆみなく戦っていたから、数多くの役に立つスパイを放っていた。そのスパイの一人から情報を聞き出し、ダンブルドアはジェームズとリリーにすぐに危機を知らせ、二人に身を隠すよう勧めた。だが、もちろん、『例のあの人』から身を隠すのは容易なことではない。ダンブルドアは『忠誠の術』が一番助かる可能性があると二人にそう言ったのだ」

「どんな術ですの？」

マダム・ロスメルタが息をつめ、夢中になって聞いた。

フリットウィック先生が咳払いし、「恐ろしく複雑な術ですよ」とかん高い声で言った。

「一人の生きた人の中に、秘密を魔法で封じ込める。選ばれた者は『秘密の守人』として情報を自分の中に隠す。かくして情報を見つけることは不可能となる――『秘密の守人』が暴露しないかぎりはね。『秘密の守人』が口を割らないかぎり、『例のあの人』がリリーとジェームズの隠れている村を何年探そうが、二人を見つけることはできない。たとえ二人の家の居間の窓に鼻先を押しつけるほど近づいても、見つけることはできない！」

「それじゃ、ブラックがポッター夫妻の『秘密の守人』に？」

マダム・ロスメルタがささやくように聞いた。

「当然です」マクゴナガル先生だ。

「ジェームズ・ポッターは、ブラックだったら二人の居場所を教えるぐらいなら死を選ぶだろう、それにブラックも身を隠すつもりだとダンブルドアにお伝えしたのです……。それでもダンブルドアはまだ心配していらっしゃった。自分がポッター夫妻の『秘密の守人』になろうと申し出られたことを覚えていますよ」

「ダンブルドアはブラックを疑っていらした？」マダム・ロスメルタが息をのんだ。

「ダンブルドアには、誰かポッター夫妻に近い者が、二人の動きを『例のあの人』に通報している、という確信がおありでした」

マクゴナガル先生が暗い声で言った。

「ダンブルドアはその少し前から、味方の誰かが裏切って『例のあの人』に相当の情報を流していると疑っていらっしゃいました」

「それでもジェームズ・ポッターはブラックを使うと主張したんですの？」

「そうだ」ファッジが重苦しい声で言った。

「そして、『忠誠の術』をかけてから一週間もたたないうちに――」

「ブラックが二人を裏切った？」マダム・ロスメルタがささやき声で聞いた。

「まさにそうだ。ブラックは二重スパイの役目につかれて、『例のあの人』への支持をおおっぴらに宣言しようとしていた。ポッター夫妻の死に合わせて宣言する計画だったらしい。ところが、知ってのとおり、『例のあの人』は幼いハリーのために凋落した。力も失《う》せ、ひどく弱体化し、逃げ去った。残されたブラックにしてみれば、まったくいやな立場に立たされてしまったわけだ。自分が裏切り者だと旗《き》幟《し》鮮明にしたとたん、自分の旗頭が倒れてしまったんだ。逃げるほかなかった――」

「くそったれのあほんだらの裏切り者め！」

ハグリッドの罵声に、バーにいた人の半分がしんとなった。

「シーッ！」とマクゴナガル先生。

「俺はヤツに出会ったんだ」

ハグリッドは歯がみをした。

「ヤツに最後に出会ったのは俺にちげぇねえ。そのあとでヤツはあんなにみんなを殺した！　ジェームズとリリーが殺されっちまったとき、あの家からハリーを助け出したのは俺だ！　崩れた家からすぐにハリーを連れ出した。かわいそうなちっちゃなハリー。額におっきな傷を受けて、両親は死んじまって……そんで、シリウス・ブラックが現れた。いつもの空飛ぶオートバイに乗って。あそこになんの用で来たんだか、俺には思いもつかんかった。ヤツがリリーとジェームズの『秘密の守人』だとは知らんかった。『例のあの人』の襲撃の知らせを聞きつけて、何かできることはねえかと駆けつけてきたんだと思った。ヤツめ、真っ青になって震えとったわ。そんで、俺がなんしたと思うか？　**俺は殺人者の裏切り者をなぐさめたんだ！**」

ハグリッドが吠《ほ》えた。

「ハグリッド！　お願いだから声を低くして！」マクゴナガル先生だ。

「ヤツがジェームズとリリーが死んで取り乱してたんではねえんだと、俺にわかるはずがあっか？　ヤツが気にしてたんは『例のあの人』だったんだ！　ほんでもってヤツが言うには『ハグリッド、ハリーを僕に渡してくれ。僕が名付け親だ。僕が育てる――』。ヘン！　俺にはダンブルドアからのお言いつけがあったわ。そんで、ブラックに言ってやった。『ダメだ。ダンブルドアがハリーはおばさんとおじさんの所に行くんだって言いなさった』。ブラックはごちゃごちゃ言うとったが、結局あきらめた。ハリーを届けるのに自分のオートバイを使えって、俺にそう言った。『僕にはもう必要がないだろう』。そう言ったな。

なんかおかしいって、そん時に気づくべきだった。ヤツはあのオートバイが気に入っとった。なんでそれを俺にくれる？　もう必要がないだろうって、なぜだ？　つまり、あれは目立ちすぎるわけだ。ダンブルドアはヤツがポッターの『秘密の守人』だってことを知ってなさる。ブラックはあの晩のうちにトンズラしなきゃなんねえってわかってた。魔法省が追っかけてくるのも時間の問題だってヤツは知ってた。

もし、俺がハリーをヤツに渡してたらどうなってた？　えっ？　海のど真ん中あたりまで飛んだところで、ハリーをバイクから放り出したにちげぇねえ。無二の親友の息子をだ！　闇の陣営に与《くみ》した魔法使いにとっちゃ、誰だろうが、なんだろうが、もう関係ねえんだ……」

ハグリッドの話のあとは長い沈黙が続いた。それから、マダム・ロスメルタがやや満足げに言った。

「でも、逃げおおせなかったわね？　魔法省が次の日に追い詰めたわ！」

「あぁ、魔法省だったらよかったのだが」ファッジが口惜しげに言った。

「ヤツを見つけたのは我々ではなく、チビのピーター・ペティグリューだった――ポッター夫妻の友人の一人だが。悲しみで頭がおかしくなったのだろう。たぶんな。ブラックがポッターの『秘密の守人』だと知っていたペティグリューは、自らブラックを追った」

「ペティグリュー……ホグワーツにいたころはいつも二人のあとにくっついていたあの太った小さな男

の子かしら？」マダム・ロスメルタが聞いた。

「ブラックとポッターのことを英雄のように崇《あが》めていた子だった」マクゴナガル先生が言った。「能力から言って、あの二人の仲間にはなりえなかった子です。私、あの子には時に厳しく当たりましたわ。私がいま、どんなにそれを――どんなに悔いているか……」

マクゴナガル先生は急に鼻かぜを引いたような声になった。

「さあ、さあ、ミネルバ」ファッジがやさしく声をかけた。

「ペティグリューは英雄として死んだ。目撃者の証言では――もちろんこのマグルたちの記憶はあとで消しておいたがね――ペティグリューはブラックを追いつめた。泣きながら『リリーとジェームズが。シリウス！　よくもそんなことを！』と言っていたそうだ。それから杖を取り出そうとした。まあ、もちろん、ブラックのほうが速かった。ペティグリューはこっぱみじんに吹っ飛ばされてしまった……」

マクゴナガル先生はチンと鼻をかみ、かすれた声で言った。

「バカな子……まぬけな子……どうしようもなく決闘がへたな子でしたわ……魔法省に任せるべきでした……」

「俺なら、ああ、俺がペティグリューのチビより先にブラックと対決してたら、杖なんかもたもた出さねえぞ――ヤツを引っこ抜いて――バラバラに――八つ裂きに――」ハグリッドが吠えた。

「ハグリッド、ばかを言うもんじゃない」ファッジが厳しく言った。

「魔法警察部隊から派遣される訓練された『特殊部隊』以外は、追い詰められたブラックに太刀打ちできる者はいなかったろう。私はその時、魔法惨事部の次官だったが、ブラックがあれだけの人間を殺したあとに現場に到着した第一陣の一人だった。私は、あの――あの光景が忘れられない。いまでもときどき夢に見る。道の真ん中に深くえぐれたクレーター。その底のほうで下水管に亀裂が入っていた。死体が累々。マグルたちは悲鳴を上げていた。そして、ブラックがそこに仁王立ちになり笑っていた。その前にペティグリューの残骸が……血だらけのローブとわずかの……わずかの肉片が――」

ファッジの声が突然とぎれた。鼻をかむ音が五人分聞こえた。

「さて、そういうことなんだよ、ロスメルタ」ファッジがかすれた低い声で言った。

「ブラックは魔法警察部隊が二十人がかりで連行し、ペティグリューは勲一等マーリン勲章を授与された。哀れなお母上にとってはこれが少しはなぐさめになったことだろう。ブラックはそれ以来ずっとアズカバンに収監されていた」

マダム・ロスメルタは長いため息をついた。

「大臣、ブラックは正気を失っているというのはほんとうですの？」

「そう言いたいがね」ファッジは考えながらゆっくり話した。

「『ご主人様』が敗北したことで、確かにしばらくはおかしくなっていたと思うね。ペティグリューやあれだけのマグルを殺したというのは、追い詰められて自暴自棄になった男の仕業だ――残忍で……なんの意味もない。しかしだ、先日私がアズカバンの見回りにいったときにブラックに会ったんだが、何しろ、あそこの囚人は大方みんな暗い中に座り込んで、ブツブツひとり言を言っているし、正気じゃない……ところが、ブラックがあまりに**正常**なので私はショックを受けた。私に対してまったく筋の通った話し方をするんで、なんだか意表を突かれた気がした。ブラックは単に退屈しているだけなように見えたね――私に、新聞を読み終わったならくれないかと言った。しゃれてるじゃないか、クロスワードパズルがなつかしいからと言うんだよ。ああ、大いに驚きましたとも。吸魂鬼がほとんどブラックに影響を与えていないことにね――しかもブラックはあそこでもっとも厳しく監視されている囚人の一人だったのでね。そう、吸魂鬼が昼も夜もブラックの独房のすぐ外にいたんだ」

「だけど、なんのために脱獄したとお考えですの？　まさか、大臣、ブラックは『例のあの人』とまた組むつもりでは？」

　マダム・ロスメルタが聞いた。

「それが、ブラックの――アー――最終的なくわだてだと言えるだろう」

　ファッジは言葉をにごした。

「しかし、我々は程なくブラックを逮捕するだろう。『例のあの人』が孤立無援なら、それはそれでよし……しかし彼のもっとも忠実な家来が戻ったとなると、どんなにあっという間に彼が復活するか、考えただけでも身の毛がよだつ……」

　テーブルの上にガラスを置くカチャカチャという小さな音がした。誰かがグラスを置いたらしい。

「さあ、コーネリウス、校長と食事なさるおつもりなら、城に戻ったほうがよいでしょう」

　マクゴナガル先生が言った。

　一人、また一人と、ハリーの目の前の足が二本ずつ、足の持ち主を再び乗せて動きだした。マントの縁がはらりとハリーの視界に飛び込んできた。マダム・ロスメルタのピカピカのハイヒールはカウンターの裏側に消えた。「三本の箒」のドアが再び開き、また雪が舞い込み、先生方は立ち去った。

「ハリー？」

　ロンとハーマイオニーの顔がテーブルの下に現れた。二人とも言葉もなくハリーをじっと見つめていた。

第11章　炎の雷《ファイアボルト》

どうやってハニーデュークス店の地下室までたどり着き、どうやってトンネルを抜け、また城へと戻ったのか、ハリーはまったく覚えていない。帰路はまったく時間がかからなかったような気がしたことだけは覚えている。頭の中で聞いたばかりの会話がガンガン鳴り響き、自分が何をしているのか、ほとんど意識がなかった。

どうして誰もなんにも教えてくれなかったのだろう？　ダンブルドア、ハグリッド、ウィーズリー氏、コーネリウス・ファッジ……どうして誰も、ハリーの両親が無二の親友の裏切りで死んだという事実を話してくれなかったんだろう？

夕食の間中、ロンとハーマイオニーはハリーを気づかわしげに見守った。すぐそばにパーシーがいたので、とてもれ聞いた会話のことを話しだせなかったのだ。階段を上り、混み合った談話室に戻ると、フレッドとジョージが、学期末のお祭り気分で、半ダースものクソ爆弾を爆発させたところだった。ホグズミードに無事着いたかどうかと双子に質問されたくなかったので、ハリーはこっそり寝室に戻った。誰もいない寝室で、ハリーはまっすぐベッド脇の書類棚に向かった。教科書を脇によけると、探し物はすぐ見つかった――ハグリッドが二年前にくれた革表紙のアルバムだ。父親と母親の魔法写真がぎっしり貼ってある。ベッドに座り、周りのカーテンをぐるりと閉め、ページをめくりはじめた。探しているのは……。

両親の結婚の日の写真でハリーは手を止めた。父親がハリーに向かってニッコリ笑いかけながら手を振っている。ハリーに遺伝したくしゃくしゃな黒髪が、勝手な方向にピンピン飛び出している。母親もいた。父さんと腕を組み、幸せで輝いている。そして……。

この人にちがいない。花婿付き添い人……この人のことを一度も考えたことはなかった。

同じ人間だと知らなかったら、この古い写真の人がブラックだとはとうてい思えなかっただろう。写真の顔はやせこけたろうのような顔ではなく、ハンサムで、あふれるような笑顔だった。この写真を撮ったときには、もうヴォルデモートの下で働いていたのだろうか？　隣にいる二人の死をくわだてていたのだろうか？　十二年間ものアズカバン虜囚が待ち受けていると、わかっていたのだろうか？　自らを見る影もない姿に変える十二年間を。

しかし、この人は吸魂鬼なんて平気なんだ。ハリーは快活に笑うハンサムな顔を見つめた。**吸魂鬼がそばに来ても、この人は僕の母さんの悲鳴を聞かなくてすむんだ――。**

ハリーはアルバムをピシャリと閉じ、手を伸ばしてそれを書類棚に戻し、ローブを脱ぎ、めがねをはずし、周りのカーテンで誰からも見えないことを確かめて、ベッドにもぐり込んだ。

寝室のドアが開いた。

「ハリー？」遠慮がちに、ロンの声がした。

ハリーは寝たふりをしてじっと横たわっていた。ロンがまた出ていく気配がした。ハリーは目を大きく見開いたまま、寝返りを打ち、仰向けになった。

経験したことのないはげしい憎しみが、毒のようにハリーの体中を回っていった。まるであのアルバムの写真を誰かがハリーの目に貼りつけたかのように、ハリーには暗闇を透かして、ブラックの笑う姿が見えた。誰かが映画のひとこまをハリーに見せてくれているかのように、シリウス・ブラックがピーター・ペティグリュー（なぜかネビル・ロングボトムの顔が重なった）を粉々にする場面を、ハリーは見た。低い、興奮したささやきが、(ブラックの声がどんな声なのかまったくわからなかったが)ハリーには聞こえた。

「やりました。ご主人様……ポッター夫妻が私を『秘密の守人』にしました……」

それに続いてもう一つの声が聞こえる。かん高い笑いだ。吸魂鬼が近づくたびにハリーの頭の中で聞こえるあの高笑いだ……。

「ハリー、君——君、ひどい顔だ」

ハリーは明け方まで眠れなかった。目が覚めたとき、寝室には誰もいなかった。服を着て螺旋《らせん》階段を下り、談話室まで来ると、そこもからっぽだった。ロンとハーマイオニーしかいない。ロンは腹をさすりながら「がまミント」を食べていたし、ハーマイオニーは三つもテーブルを占領して宿題を広げていた。

「みんなはどうしたの?」

「いなくなっちゃった! 今日が休暇一日目だよ。覚えてるかい?」

ロンはハリーをまじまじと見た。

「もう昼食の時間になるとこだよ。君を起こしにいこうと思ってたところだ」

ハリーは暖炉脇の椅子にドサッと座った。窓の外にはまだ雪が降っている。クルックシャンクスは暖炉の前にべったり寝そべって、まるでオレンジ色の大きなマットのようだった。

「ねえ、ほんとに顔色がよくないわ」

ハーマイオニーが心配そうに、ハリーの顔をまじまじとのぞき込んだ。

「大丈夫」ハリーが言った。

「ハリー、ねえ、聞いて」ハーマイオニーがロンと目配せしながら言った。

「きのう私たちが聞いてしまったことで、あなたはとっても大変な思いをしてるでしょう。でも、大切なのは、あなたが軽はずみをしちゃいけないってことよ」

「どんな？」

「たとえばブラックを追いかけるとか」ロンがはっきり言った。

ハリーが寝ている間に、二人がこのやり取りを練習したのだと、ハリーには察しがついた。ハリーは何も言わなかった。

「そんなことしないわよね。ね、ハリー？」ハーマイオニーが念を押した。

「だって、ブラックなんて、君がそのために死ぬ価値ないぜ」ロンだ。

ハリーは二人を見た。この二人には全然わかっていないらしい。

「吸魂鬼が僕に近づくたびに、僕が何を見たり、何を聞いたりするか、知ってるかい？」

ロンもハーマイオニーも不安そうに首を横に振った。

「母さんが泣き叫んでヴォルデモートに命乞いをする声が聞こえるんだ。もし君たちが、自分の母親が殺される直前にあんなふうに叫ぶ声を聞いたなら、そんなに簡単に忘れられるものか。友達だと信じていた誰かに裏切られた、そいつがヴォルデモートを差し向けたと知ったら――」

「あなたにはどうにもできないことよ！」

ハーマイオニーが苦しそうに言った。

「吸魂鬼がブラックを捕まえるし、アズカバンに連れ戻すわ。そして――それが当然の報いよ！」

「ファッジが言ったこと聞いただろう。ブラックは普通の魔法使いとちがって、アズカバンでも平気だって。ほかの人には刑罰になっても、あいつには効かないんだ」

「じゃ、何が言いたいんだい？」ロンが緊張して聞いた。

「まさか――ブラックを殺したいとか、そんな？」

「ばかなこと言わないで」ハーマイオニーがあわてた。

「ハリーが誰かを殺したいなんて思うわけないじゃない。そうよね? ハリー?」

ハリーはまた黙りこくった。自分でもどうしたいのかわからなかった。ただ、ブラックが野放しになっているというのに何もしないでいるのはとても耐えられない。それだけはわかった。

「マルフォイは知ってるんだ」出し抜けにハリーは言った。

「魔法薬学のクラスで僕になんて言ったか、覚えてるかい？『僕なら、自分で追いつめる……復讐するんだ』」

「僕たちの意見より、マルフォイの意見を聞こうってのかい？」ロンが怒った。

「いいかい……ブラックがペティグリューを片づけたとき、ペティグリューの母親の手に何が戻った？　パパに聞いたんだ――マーリン勲章勲一等、それに箱に入った息子の指一本だ。それが残った体のかけらの中で一番大きいものだった。ブラックは狂ってる。ハリー、あいつは危険人物なんだ――」

「マルフォイの父親が話したにちがいない」ハリーはロンの言葉を無視した。「ヴォルデモートの腹心の一人だったから――」

「**『例のあの人』って言えよ。頼むから**」ロンが怒ったように口をはさんだ。

「――だからマルフォイ一家は、ブラックがヴォルデモートの手下だって当然知ってたんだ――」

「――そして、マルフォイは、君がペティグリューみたいに粉々になって吹っ飛ばされればいいって思ってるんだ！　しっかりしろよ。マルフォイは、ただ、クィディッチ試合で君と対決する前に、君がのこのこ殺されにいけばいいって思ってるんだ」

「ハリー、**お願い**」

ハーマイオニーの目は、いまや涙で光っていた。

「**お願いだから**、冷静になって。ブラックのやったこと、とっても、とってもひどいことだわ。でも、ね、自分を危険にさらさないで。それこそがブラックの思うつぼなのよ……あぁ、ハリー、あなたがブラックを探したりすれば、ブラックにとっては飛んで火に入る夏の虫よ。あなたのご両親だって、あなたが傷ついたりすることを望んでらっしゃらないわよ。そうでしょう？　ご両親は、あなたがブラックを追跡することをけっしてお望みにはならなかったわ！」

「父さん、母さんが何を望んだかなんて、僕は一生知ることはないんだ。ブラックのせいで、僕は一度も父さんや母さんと話したことがないんだから」ハリーはぶっきらぼうに言った。

沈黙が流れた。クルックシャンクスがその間に悠々と伸びをし、爪を曲げ伸ばしした。ロンのポケットが小刻みに震えた。

「さあ」ロンがとにかく話題を変えようとあわてて切り出した。「休みだ！　もうすぐクリスマスだ！　それじゃ――それじゃハグリッドの小屋に行こうよ。もう何百年も会ってないよ！」

「だめ！」ハーマイオニーがすぐ言った。「ハリーは城を離れちゃいけないのよ、ロン――」

「よし、行こう」ハリーが身を起こした。「そしたら僕、聞くんだ。ハグリッドが僕の両親のことを全部話してくれたとき、どうしてブラックのことをだまっていたのかって！」

ブラックの話がまた持ち出されるとは、まったくロンの計算に入っていなかった。

「じゃなきゃ、チェスの試合をしてもいいな」ロンがあわてて言った。「それともゴブストーン・ゲームとか。パーシーが一式忘れていったんだ――」

「いや、ハグリッドの所へ行こう」ハリーは言い張った。

そこで三人とも寮の寝室からマントを取ってきて、肖像画の穴をくぐり（「立て、戦え、臆病犬ども！」）、がらんとした城を抜け、樫《かし》の木の正面扉を通って出発した。

キラキラ光るパウダースノーに浅い小道を掘りつけながら、三人はゆっくりと芝生を下った。靴下もマントのすそもぬれて凍りついた。禁じられた森の木々はうっすらと銀色に輝き、まるで森全体が魔法にかけられたようだったし、ハグリッドの小屋は粉砂糖のかかったケーキのようだった。

ロンがノックしたが、答えがない。

「出かけてるのかしら？」ハーマイオニーはマントをかぶって震えていた。

ロンがドアに耳をつけた。

「変な音がする。聞いて――ファングかなぁ？」

ハリーとハーマイオニーも耳をつけた。小屋の中から、波打つような低いうめき声が聞こえる。

「誰か呼んだほうがいいかな？」ロンが不安げに言った。

「ハグリッド！」ドアをドンドンたたきながら、ハリーが呼んだ。

「ハグリッド、中にいるの？」

重い足音がして、ドアがギーッときしみながら開いた。ハグリッドが真っ赤に泣きはらした目をして突っ立っていた。涙が滝のように、革のチョッキを伝って流れ落ちている。

「聞いたか！」

大声で叫ぶなり、ハグリッドはハリーの首に抱きついた。

ハグリッドは何しろ普通の人の二倍はある。これは笑いごとではなかった。ハリーはハグリッドの重みで危うく押しつぶされそうになるところを、ロンとハーマイオニーに救い出された。二人がハグリッドのわきの下を支えて持ち上げ、ハリーも手伝って、ハグリッドを小屋に入れた。ハグリッドはされるがままに椅子に運ばれ、テーブルに突っ伏し、身も世もなくしゃくり上げていた。顔は涙でてかてか、その涙がもじゃもじゃのあごひげを伝って滴り落ちていた。

「ハグリッド、**何事なの?**」ハーマイオニーがあぜんとして聞いた。

ハリーはテーブルに公式の手紙らしいものが広げてあるのに気づいた。

「ハグリッド、これは何?」

ハグリッドのすすり泣きが二倍になった。そして手紙をハリーのほうに押してよこした。ハリーはそれを取って読み上げた。

ハグリッド殿

ヒッポグリフが貴殿の授業で生徒を攻撃した件についての調査で、この残念な不祥事について、貴殿にはなんら責任はないとするダンブルドア校長の保証を我々は受け入れることに決定いたしました。

「じゃ、オッケーだ。よかったじゃないか、ハグリッド!」

ロンがハグリッドの肩をたたいた。しかし、ハグリッドは泣き続け、でかい手を振って、ハリーに先を読むようにうながした。

しかしながら、我々は、当該ヒッポグリフに対し、懸念を表明せざるを得ません。我々はルシウス・マルフォイ氏の正式な訴えを受け入れることを決定しました。従いまして、この件は、「危険生物処理委員会」に付託されることになります。事情聴取は四月二十日に行われます。当日、ヒッポグリフを伴い、ロンドンの当委員会事務所まで出頭願います。それまでヒッポグリフは隔離し、つないでおかなければなりません。

敬具

手紙のあとに学校の理事の名前が連ねてあった。

「ウーン」ロンが言った。

「だけど、ハグリッド、バックビークは悪いヒッポグリフじゃないって、そう言ってたじゃないか。絶対、無罪放免——」

「おまえさんは『危険生物処理委員会』ちゅうとこの怪物どもを知らんのだ！」

ハグリッドはそでで目をぬぐいながら、のどを詰まらせた。

「連中はおもしれえ生きもんを目の敵にしてきた！」

突然、小屋の隅から物音がして、ハリー、ロン、ハーマイオニーがはじかれたように振り返った。ヒッポグリフのバックビークが隅のほうに寝そべって、何かをバリバリ食いちぎっている。その血が床一面ににじみだしていた。

「こいつを雪ん中につないで放っておけねえ」ハグリッドがのどを詰まらせた。

「たった一人で！　クリスマスだっちゅうのに！」

ハリー、ロン、ハーマイオニーは互いに顔を見合わせた。ハグリッドが「おもしろい生き物」と呼び、ほかの人が「恐ろしい怪物」と呼ぶものについて、三人はハグリッドと意見がぴったり合ったためしがない。しかし、バックビークが特に危害を加えるとは思えない。事実、いつものハグリッドの基準から見て、この動物はむしろかわいらしい。

「ハグリッド、しっかりした強い弁護を打ち出さないといけないわ」

ハーマイオニーは腰かけて、ハグリッドの小山のような腕に手を置いて言った。

「バックビークが安全だって、あなたがきっと証明できるわ」

「そんでも、同じこった」ハグリッドがすすり上げた。

「やつら、処理屋の悪魔め、連中はルシウス・マルフォイの手の内だ！　みんなやつを怖がっとる！　もし俺が裁判で負けたら、バックビークは――」

ハグリッドはのどをかき切るように、指をサッと動かした。それからひと声大泣きし、前のめりになって両腕に顔をうずめた。

「ダンブルドアはどうなの、ハグリッド？」ハリーが聞いた。

「あの方は、俺のためにもう充分すぎるほどやりなすった」ハグリッドはうめくように言った。

「手一杯でおいでなさる。吸魂鬼のやつらが城の中に入らんようにしとくとか、シリウス・ブラックがうろうろとか――」

ロンとハーマイオニーは、急いでハリーを見た。ブラックのことでほんとうのことを話してくれなかったと、ハリーがハグリッドを激しく責めはじめるだろうと思ったかのようだ。しかし、ハリーはそこまではできなかった。ハグリッドがこんなにみじめで、こんなに打ち震えているのを見てしまったいま、できはしない。

「ねえ、ハグリッド」ハリーが声をかけた。

「あきらめちゃだめだ。ハーマイオニーの言うとおりだよ。ちゃんとした弁護が必要なだけだ。僕たちを証人に呼んでいいよ――」

「私、ヒッポグリフけしかけ事件について読んだことがあるわ」

ハーマイオニーが何か考えながら言った。

「確か、ヒッポグリフは釈放されたっけ。探してあげる、ハグリッド。正確に何が起こったのか、調べるわ」

ハグリッドはますます声を張り上げてオンオン泣いた。ハリーとハーマイオニーは、どうにかしてよとロンのほうを見た。

「アー――お茶でも入れようか？」ロンが言った。

ハリーが目を丸くしてロンを見た。

「誰か気が動転してるとき、ママはいつもそうするんだ」

ロンは肩をすくめてつぶやいた。

助けてあげる、とそれから何度も約束してもらい、目の前にぽかぽかの紅茶のマグカップを出してもらって、やっとハグリッドは落ち着き、テーブルクロスぐらい大きいハンカチでブーッと鼻をかみ、それから口をきいた。

「おまえさんたちの言うとおりだ。ここで俺が、ぼろぼろになっちゃいられねえ。しゃんとせにゃ……」

ボアハウンド犬のファングがおずおずとテーブルの下から現れ、ハグリッドのひざに頭をのせた。

「このごろ俺はどうかしとった」

ハグリッドがファングの頭を片手でなで、もう一方で自分の顔をふきながら言った。

「バックビークが心配だし、だーれも俺の授業を好かんし――」

「みんな、とっても好きよ！」ハーマイオニーがすぐにうそを言った。

「ウン、すごい授業だよ！」ロンもテーブルの下で、うそを許す呪《まじな》いの形に指を組んだ。

「アー――レタス食い虫《フロバーワーム》は元気？」

「死んだ」ハグリッドが暗い表情をした。「レタスのやりすぎだ」

「ああ、そんな！」そう言いながら、ロンの口元が笑っていた。

「それに、吸魂鬼のやつらだ。連中は俺をとことん落ち込ませる」

ハグリッドは急に身震いした。

「『三本の箒《ほうき》』に飲みにいくたんび、連中のそばを通らにゃなんねえ。アズカバンに戻されちまったような気分になる――」

ハグリッドはふとだまりこくって、ゴクリと紅茶を飲んだ。ハリー、ロン、ハーマイオニーは息をひそめてハグリッドを見つめた。三人とも、ハグリッドが、短い期間だが、アズカバンに入れられたあの時のことを話すのを聞いたことがなかった。やや間をおいて、ハーマイオニーが遠慮がちに聞いた。

「ハグリッド、恐ろしい所なの？」

「想像もつかんだろう」ハグリッドはひっそりと言った。

「あんなとこは行ったことがねえ。気が変になるかと思ったぞ。ひどい思い出ばっかしが思い浮かぶんだ……ホグワーツを退校になった日……親父《おやじ》が死んだ日……ノーバートが行っちまった日……」

ハグリッドの目に涙があふれた。ノーバートはハグリッドが賭けトランプで勝って手に入れた赤ちゃんドラゴンだ。

「しばらくすっと、自分が誰だか、もうわからねえ。そんで、生きててもしょうがねえって気になる。寝てるうちに死んでしまいてえって、俺はそう願ったもんだ……。釈放されたときゃ、もう一度生まれたような気分だった。いろんなことが一度にドォッと戻ってきてな。こんないい気分はねえぞ。そりゃあ、吸魂鬼のやつら、俺を釈放するのはしぶったもんだ」

「だけど、あなたは無実だったのよ！」ハーマイオニーが言った。

ハグリッドがフンと鼻を鳴らした。

「連中の知ったことか？　そんなこたぁ、どーでもええ。二、三百人もあそこにぶち込まれていりゃ、連中はそれでええ。そいつらにしゃぶりついて、幸福っちゅうもんを全部吸い出してさえいりゃ、誰が有罪で、誰が無罪かなんて、連中にはどっちでもええんだ」

ハグリッドはしばらく自分のマグカップを見つめたまま、だまっていた。それから、ぼそりと言った。

「バックビークをこのまんま逃がそうと思った……遠くに飛んでいけばええと思った……だけんど、どうやってヒッポグリフに言い聞かせりゃええ？　どっかに隠れていろって……。ほんで——法律を破るのが俺は怖い……」

三人を見たハグリッドの目から、また涙がぼろぼろ流れ、顔をぬらした。

「俺は二度とアズカバンに戻りたくねえ」


ハグリッドの小屋に行っても、ちっとも楽しくはなかったが、ロンとハーマイオニーが期待したような成果はあった。ハリーはけっしてブラックのことを忘れたわけではないが、「危険生物処理委員会」でハグリッドが勝つ手助けをしたいと思えば、復讐のことばかり考えているわけにはいかなかった。

翌日ハリーは、ロンやハーマイオニーと一緒に図書館に行った。がらんとした談話室にまた戻ってきたときには、バックビークの弁護に役立ちそうな本をどっさり抱えていた。威勢よく燃えさかる暖炉の前に三人で座り込み、動物による襲撃に関する有名な事件を記した、ほこりっぽい書物のページを一枚一枚めくった。ときどき、何か関係のありそうなものが見つかると言葉を交わした。

「これはどうかな……一七二二年の事件……あ、ヒッポグリフは有罪だった——ウエッ、それで連中がどうしたか、気持ち悪いよ――」

「これはいけるかもしれないわ。えーと――一二九六年、マンティコア、ほら、頭は人間、胴はライオン、尾はサソリのあれ、これが誰かを傷つけたけど、マンティコアは放免になった――あ――ダメ。なぜ放たれたかというと、みんな怖がってそばに寄れなかったんですって……」

そうこうする間に、城ではいつもの大がかりなクリスマスの飾りつけが進んでいた。それを楽しむはずの生徒はほとんど学校に残っていなかったが。柊《ひいらぎ》や宿木《やどりぎ》を編み込んだ太いリボンが廊下にぐるりと張りめぐらされ、鎧《よろい》という鎧の中からは神秘的な灯《あか》りがきらめき、大広間にはいつものように、金色に輝く星を飾った十二本のクリスマスツリーが立ち並んだ。おいしそうなにおいが廊下中にたちこめ、クリスマスイブにはそれが最高潮に達したので、あのスキャバーズでさえ、避難していたロンのポケットの中から鼻先を突き出して、ヒクヒクと期待を込めてにおいをかいだ。

クリスマスの朝、ハリーはロンに枕を投げつけられて目が覚めた。

「おい！　プレゼントがあるぞ！」

ハリーはめがねを探し、それをかけてから、薄明かりの中を目を凝らしてベッドの足元をのぞいた。小包が小さな山になっている。ロンはもう自分のプレゼントの包み紙を破っていた。

「またママからのセーターだ……**また**栗色だ……君にも来てるかな」

ハリーにも届いていた。ウィーズリーおばさんからハリーに、胸の所にグリフィンドールのライオンを編み込んだ真紅のセーターと、お手製のミンスパイが一ダース、小さいクリスマスケーキ、それにナッツ入り砂糖菓子がひと箱届いていた。全部を脇に寄せると、その下に長くて薄い包みが置いてあった。

「それ、なんだい？」

包みから取り出したばかりの栗色のソックスを手に持ったまま、ロンがのぞき込んだ。

「さあ……」

包みを破ったハリーは、息をのんだ。見事な箒が、キラキラ輝きながらハリーのベッドカバーの上に転がり出た。ロンはソックスをポロリと落とし、もっとよく見ようと、ベッドから飛び出してきた。

「ほんとかよ」ロンの声がかすれていた。

「炎の雷・ファイアボルト」だった。ハリーがダイアゴン横丁で毎日通いつめた、あの夢の箒と同じものだ。取り上げると、箒の柄がさんぜんと輝いた。箒の振動を感じて手を離すと、箒はひとりでに空中に浮かび上がった。ハリーがまたがるのにぴったりの高さだ。ハリーの目が、柄の端に刻まれた金文字の登録番号から、完璧な流線形にすらりと伸びたシラカンバの小枝の尾まで、吸いつけられるように動いた。

「誰が送ってきたんだろう?」ロンが声をひそめた。

「カードが入っているかどうか見てよ」ハリーが言った。

ロンはファイアボルトの包み紙をバリバリと広げた。

「何もない! おっどろいた。いったい誰がこんな大金を君のために使ったんだろう?」

「そうだな」ハリーはぼうっとしていた。「賭けてもいいけど、ダーズリーじゃないよ」

「ダンブルドアじゃないかな」ロンはファイアボルトの周りをぐるぐる歩いて、その輝くばかりの箒を隅々まで眺めた。「名前を伏せて君に透明マントを送ってきたし……」

「だけど、あれは僕の父さんのだったし、ダンブルドアはただ僕に渡してくれただけだ。何百ガリオンもの金貨を、僕のために使ったりするはずがない。生徒にこんな高価なものをくれたりできないよ――」

「だから、自分からの贈り物だって言わないんじゃないか! マルフォイみたいな下衆《げす》が、先生はひいきしてるなんて言うかもしれないだろ。おい、ハリー――」

ロンは歓声を上げて笑った。

「**マルフォイのやつ！** 君がこの箒に乗ったら、どんな顔するか！ きっとナメクジに塩だ！ **国際試合級**の箒なんだぜ。こいつは！」

「夢じゃないか」ハリーはファイアボルトをなでさすりながらつぶやいた。ロンは、マルフォイのことを考えて、ハリーのベッドで笑い転げていた。

「**いったい誰なんだろう**――？」

「わかった」

笑いをなんとか抑えて、ロンが言った。

「たぶんこの人だな――ルーピン！」

「えっ？」今度はハリーが笑いはじめた。

「**ルーピン？** まさか。そんなお金があるなら、ルーピンは新しいローブくらい買ってるよ」

「ウン、だけど、君を好いてる。それに、君のニンバス２０００が玉砕したとき、ルーピンはどっかに行ってていなかった。もしかしたら、そのことを聞きつけて、ダイアゴン横丁に行って、これを君のために買おうって決心したのかもしれない――」

「どっかに行ってたって、どういう意味？」ハリーが聞いた。

「ルーピンは僕があの試合に出てたとき、病気だったよ」

「うーん、でも医務室にはいなかった。僕、スネイプの処罰で、医務室でおまるを掃除してたんだ。覚えてるだろ？」

「ルーピンにこんなものを買うお金はないよ」ハリーはロンのほうを見て顔をしかめた。

「二人して、なに笑ってるの？」

ハーマイオニーが入ってきたところだった。ガウンを着て、クルックシャンクスを抱いている。クルックシャンクスは首に光るティンセルのリボンを結ばれて、ブスッとしていた。

「そいつをここに連れてくるなよ！」

ロンは急いでベッドの奥からスキャバーズを拾い上げ、パジャマのポケットにしまい込んだ。しかし、ハーマイオニーは聞いていなかった。クルックシャンクスを空いているシェーマスのベッドに落とし、口をあんぐり開けてファイアボルトを見つめた。

「まあ、**ハリー！**　いったい誰が**これを？**」

「さっぱりわからない」ハリーが答えた。「カードもなんにもついてないんだ」

驚いたことに、ハーマイオニーは興奮もせず、この出来事に興味をそそられた様子もない。それどころか顔を曇らせ、唇をかんだ。

「どうかしたのかい？」ロンが聞いた。

「わからないわ」ハーマイオニーは何かを考えていた。

「でも、なんかおかしくない？　つまり、この箒は相当いい箒なんでしょう？　ちがう？」

ロンが憤然としてため息をついた。

「ハーマイオニー、これは現存する箒の最高峰なんだぜ」

「なら、とっても高いはずよね……」

「たぶん、スリザリンの箒全部を束にしてもかなわないぐらい高い」ロンはうれしそうに言った。

「そうね……そんなに高価なものをハリーに送って、しかも自分が送ったってことを教えもしない人って、誰なの？」ハーマイオニーが言った。

「誰だっていいじゃないか」ロンはいらいらしていた。

「ねえ、ハリー、僕、試しに乗ってみてもいい？　どう？」

「まだよ。まだ絶対誰もその箒に乗っちゃいけないわ！」ハーマイオニーが金切り声を出した。

　ハリーもロンもハーマイオニーを見た。

「この箒でハリーが何をすればいいって言うんだい——床でもはくかい？」ロンだ。

　ところが、ハーマイオニーが答える前に、クルックシャンクスがシェーマスのベッドから飛び出し、ロンの懐を直撃した。

「こいつを——ここ——から——連れ出せ！」

　ロンが大声を出した。クルックシャンクスの爪がロンのパジャマを引き裂き、スキャバーズはロンの肩を乗り越えて、必死の逃亡を図った。ロンはスキャバーズのしっぽをつかみ、同時にクルックシャンクスを蹴飛ばしたはずだったが、ねらいが狂ってハリーのベッドの端にあったトランクを蹴飛ばした。トランクはひっくり返り、ロンは痛さのあまり叫びながら、その場でピョンピョン飛び上がった。

　クルックシャンクスの毛が急に逆立った。ヒュンヒュンという小さなかん高い音が部屋中に響いた。携帯かくれん防止器《スニーコスコープ》が、バーノンおじさんの古靴下から転がり出て、床の上でピカピカ光りながら回っていた。

「これを忘れてた！」ハリーはかがんでスニーコスコープを拾い上げた。「この靴下は絶対履きたくないものだからね……」

　スニーコスコープはハリーの手の中で鋭い音を立てながらぐるぐる回り、クルックシャンクスがそれに向かって歯をむき出し、フーッ、フーッと唸《うな》った。

「ハーマイオニー、その猫、ここから連れ出せよ」

ロンはハリーのベッドの上でつま先をさすりながら、カンカンになって言った。黄色い目で意地悪くロンをにらんだままのクルックシャンクスを連れて、ハーマイオニーはつんけんしながら部屋を出ていった。

「そいつをだまらせられないか?」ロンが今度はハリーに向かって言った。

ハリーはスニーコスコープをまた古靴下の中に詰め、トランクに投げ入れた。聞こえるのは、ロンが痛みと怒りとでうめく声だけになった。スキャバーズはロンの手の中で丸くなって縮こまっていた。ロンのポケットから出てきたのをハリーが見たのは久しぶりだった。かつてはあんなに太っていたスキャバーズが、いまやせ衰えて、あちこち毛が抜け落ちているのを見て、ハリーは驚きもし、痛々しくも思った。

「あんまり元気そうじゃないね、どう?」ハリーが言った。

「ストレスだよ! あのでっかい毛玉のバカが、こいつをほっといてくれれば大丈夫なんだ!」

ハリーは魔法動物ペットショップの魔女が、ネズミは三年しか生きないと言ったことを思い出していた。スキャバーズがいままで見せたことのない力を持っているなら別だが、そうでなければ、もう寿命が尽きようとしているのだと感じないわけにはいかなかった。ロンはスキャバーズが退屈な役立たずだとしょっちゅうこぼしていたが、もしスキャバーズが死んでしまったら、どんなに嘆くだろうとハリーは思った。

その日の朝のグリフィンドール談話室は、クリスマスの慈愛の心が地に満ちあふれ——というわけにはいかなかった。ハーマイオニーはクルックシャンクスを自分の寝室に閉じ込めはしたが、ロンが蹴飛ばそうとしたことに腹を立てていた。ロンのほうは、クルックシャンクスがまたもやスキャバーズを襲おうとしたことで湯気を立てて怒っていた。ハリーは二人が互いに口をきくようにしようと努力することもあきらめ、談話室に持ってきたファイアボルトをしげしげ眺めることに没頭した。これがまたなぜか、ハーマイオニーのしゃくにさわったらしい。何も言わなかったが、ハーマイオニーはまるで箒も自分の猫を批判したと言わんばかりに、不快そうにちらちら箒を見ていた。

昼食時、大広間に下りていくと、各寮のテーブルはまた壁に立てかけられ、広間の中央にテーブルが一つ、食器が十二人分用意されていた。ダンブルドア、マクゴナガル、スネイプ、スプラウト、フリットウィックの諸先生が並び、管理人のフィルチも、いつもの茶色の上着ではなく、古びたかび臭い燕尾服を着て座っている。生徒はほかに三人しかいない。緊張でガチガチの一年生が二人、ふてくされた顔のスリザリンの五年生が一人だ。

「メリークリスマス！」

ハリー、ロン、ハーマイオニーがテーブルに近づくと、ダンブルドア先生が挨拶した。

「これしかいないのだから、寮のテーブルを使うのはいかにも愚かに見えたのでのう……さあ、お座り！　お座り！」

ハリー、ロン、ハーマイオニーはテーブルの隅に並んで座った。

「クラッカーを！」

ダンブルドアがはしゃいで、大きな銀色のクラッカーのひもの端のほうをスネイプに差し出した。スネイプがしぶしぶ受け取って引っ張った。大砲のようなバーンという音がして、クラッカーははじけ、ハゲタカの剥製をてっぺんにのせた、大きな魔女の三角帽子が現れた。

ハリーはまね妖怪のことを思い出し、ロンに目配せして、二人でニヤリとした。スネイプは唇をギュッと結び、帽子をダンブルドアのほうに押しやった。ダンブルドアはすぐに自分の三角帽子を脱ぎ、それをかぶった。

「ドンドン食べましょうぞ！」

ダンブルドアはニッコリとみんなに笑いかけながらうながした。

ハリーがちょうどローストポテトを取り分けているとき、大広間の扉がまた開いた。トレローニー先生がまるで車輪がついているかのようにすうっと近づいてきた。お祝いの席にふさわしく、スパンコール飾りの緑のドレスを着ている。服のせいでますます、きらめく特大トンボに見えた。

「シビル、これはおめずらしい！」ダンブルドアが立ち上がった。

「校長先生、あたくし水晶玉を見ておりまして」

トレローニー先生がいつもの霧のかなたからのようなか細い声で答えた。

「あたくしも驚きましたわ。一人で昼食をとるという、いつものあたくしをすて、みなさまとご一緒する姿が見えましたの。運命があたくしをうながしているのを拒むことができまして？　あたくし、取り急ぎ塔を離れましたのでございますが、遅れまして、ごめんあそばせ……」

「それは、それは」ダンブルドアはいたずらっぽく目をキラキラさせた。「椅子をご用意いたさねばのう――」

ダンブルドアは杖《つえ》を振り、空中に椅子を描き出した。椅子は数秒間くるくると回転してから、スネイプ先生とマクゴナガル先生の間にトンと落ちた。しかし、トレローニー先生は座ろうとしなかった。巨大な目玉でテーブルをずいっと見渡したとたん、小さくあっと悲鳴のような声をもらした。

「校長先生、あたくし、とても座れませんわ！　あたくしがテーブルに着けば、十三人になってしまいます！　こんな不吉な数はありませんわ！　お忘れになってはいけません。十三人が食事をともにするとき、最初に席を立つ者が最初に死ぬのですわ！」

「シビル、その危険を冒しましょう」マクゴナガル先生はいらいらしていた。

「かまわずお座りなさい。七面鳥が冷えきってしまいますよ」

トレローニー先生は迷った末、空いている席に腰かけた。目を硬く閉じ、口をキッと結んで、まるでいまにもテーブルに雷が落ちるのを予想しているかのようだ。マクゴナガル先生は手近のスープ鍋にさじを突っ込んだ。

「シビル、臓物スープはいかが？」

トレローニー先生は返事をしなかった。目を開け、もう一度周りを見回して尋ねた。

「あら、ルーピン先生はどうなさいましたの？」

「気の毒に、先生はまたご病気での」

ダンブルドアはみんなに食事をするよううながしながら言った。

「クリスマスにこんなことが起こるとは、まったく不幸なことじゃ」

「でも、シビル、あなたはとうにそれをご存じだったはずね？」

マクゴナガル先生は眉根をピクリと持ち上げて言った。

トレローニー先生は冷ややかにマクゴナガル先生を見た。

「もちろん、存じてましたわ、ミネルバ」トレローニー先生は落ち着いていた。

「でも、『すべてを悟れる者』であることを、ひけらかしたりはしないものですわ。あたくし、『内なる眼《め》』を持っていないかのようにふるまうことがたびたびありますのよ。ほかの方たちを怖がらせてはなりませんもの」

「それですべてがよくわかりましたわ！」マクゴナガル先生はピリッと言った。

霧のかなたからだったトレローニー先生の声から、とたんに霧が薄れた。

「ミネルバ、どうしてもとおっしゃるなら、あたくしの見るところ、ルーピン先生はお気の毒に、もう長いことはありません。あの方自身も先が短いとお気づきのようです。あたくしが水晶玉で占って差し上げると申しましたら、まるで逃げるようになさいましたの——」

「そうでしょうとも」マクゴナガル先生はさりげなく辛辣だ。

「いや、まさか——」

ダンブルドアがほがらかに、しかしちょっと声を大きくした。それでマクゴナガル、トレローニー両先生の対話は終わりを告げた。

「——ルーピン先生はそんな危険な状態ではあるまい。セブルス、ルーピン先生にまた薬を作って差し上げたのじゃろう？」

「はい、校長」スネイプが答えた。

「けっこう。それなれば、ルーピン先生はすぐによくなって出ていらっしゃるじゃろう……。デレク、チポラータ・ソーセージを食べてみたかね？　おいしいよ」

一年坊主が、ダンブルドア校長に直接声をかけられて見る見る真っ赤になり、震える手でソーセージの大皿を取った。

トレローニー先生は、二時間後にクリスマス・ディナーが終わるまで、ほとんど普通にふるまった。ごちそうではちきれそうになり、クラッカーから出てきた帽子をかぶったまま、ハリーとロンがまず最初に立ち上がった。トレローニー先生が大きな悲鳴を上げた。

「あなたたち！　どちらが先に席を離れましたの？　どちらが？」

「わかんない」ロンが困ったようにハリーを見た。

「どちらでもたいして変わりはないでしょう」マクゴナガル先生が冷たく言った。

「扉の外に斧《おの》を持った極悪人が待ちかまえていて、玄関ホールに最初に足を踏み入れた者を殺すとでも言うなら別ですが」

これにはロンでさえ笑った。トレローニー先生はいたく侮辱されたという顔をした。

「君も来る？」ハリーがハーマイオニーに声をかけた。

「ううん」ハーマイオニーはつぶやくように言った。「私、マクゴナガル先生にちょっとお話があるの」

「もっとたくさん授業を取りたいとかなんとかじゃないのか？」

玄関ホールへと歩きながら、ロンがあくびまじりに言った。ホールには凶悪な斧男の影すらなかった。

肖像画の穴にたどり着くと、カドガン卿《きょう》が数人の僧侶や、ホグワーツの歴代の校長の何人かと、愛馬の太った仔馬《こうま》を交えてクリスマスパーティに興じているところだった。カドガン卿は鎧仮面の眼《め》の所を上に押し上げ、蜂蜜酒の入っただるま瓶を掲げて二人のために乾杯した。

「メリー――ヒック――クリスマス！　合言葉は？」

「**スカービー・カー。下賤《げせん》な犬め**」ロンが言った。

「貴殿も同じだ！」カドガン卿がわめいた。絵がパッと前に倒れ、二人を中に入れた。

ハリーはまっすぐに寝室に行き、ファイアボルトと、ハーマイオニーが誕生日にくれた「箒磨きセット」を持って談話室に下りてきた。どこか手入れする所はないかと探したが、曲がった小枝がないので切りそろえる必要もなく、柄はすでにピカピカで磨く意味がない。ロンと一緒に、ハリーはただそこに座り込み、あらゆる角度から箒に見とれていた。すると肖像画の穴が開いて、ハーマイオニーが入ってきた。マクゴナガル先生と一緒だった。

マクゴナガル先生はグリフィンドールの寮監だったが、ハリーが談話室で先生の姿を見たのはたった一度、あれはとても深刻な知らせを発表したときだった。ハリーもロンもファイアボルトをつかんだまま先生を見つめた。ハーマイオニーは二人をさけるように歩いていき、座り込み、手近な本を拾い上げてその陰に顔を隠した。

「これが、そうなのですね？」

マクゴナガル先生はファイアボルトを見つめ、暖炉のほうに近づきながら、鋭く目を光らせた。

「ミス・グレンジャーが、たったいま、知らせてくれました。ポッター、あなたに箒が送られてきたそうですね」

ハリーとロンは振り返ってハーマイオニーを見た。額の部分だけが本の上からのぞいていたが、見る見る赤くなり、本は逆さまだった。

「ちょっと、よろしいですか？」

マクゴナガル先生はそう言いながら、答えも待たずにファイアボルトを二人の手から取り上げた。先生は箒の柄から尾の先まで、ていねいに調べた。

「ふーむ。それで、ポッター、なんのメモもついていなかったのですね？　カードは？　何か伝言とか、そういうものは？」

「いいえ」ハリーはポカンとしていた。

「そうですか……」マクゴナガル先生は言葉を切った。

「さて、ポッター、これを預からせてもらいますよ」

「な――なんですって？」ハリーはあわてて立ち上がった。「どうして？」

「呪いがかけられているかどうか調べる必要があります。もちろん、私《わたくし》はくわしくありませんが、マダム・フーチやフリットウィック先生がこれを分解して――」

「分解？」ロンは、オウム返しに聞いた。マクゴナガル先生は正気じゃないと言わんばかりだ。

「数週間もかからないでしょう。なんの呪いもかけられていないと判明すれば返します」

マクゴナガル先生が言った。

「この箒はどこも変じゃありません！」ハリーの声がかすかに震えていた。

「先生、ほんとうです――」

「ポッター、それはわかりませんよ」マクゴナガル先生は親切心からそう言った。

「飛んでみないとわからないでしょう。とにかく、この箒が変に細工されていないということがはっきりするまでは、これで飛ぶことなど論外です。今後の成り行きについてはちゃんと知らせます」

マクゴナガル先生はくるりときびすを返し、ファイアボルトを持って肖像画の穴から出ていった。肖像画がそのあとバタンと閉まった。

ハリーは「高級仕上げ磨き粉」の缶を両手にしっかりつかんだまま、先生のあとを見送って突っ立っていた。

ロンはハーマイオニーに食ってかかった。

「**いったいなんの恨みで、マクゴナガルに言いつけたんだ？**」

ハーマイオニーは本を脇に投げ捨て、まだ顔を赤らめたままだったが、立ち上がり、ロンに向かって敢然と言った。

「私に考えがあったからよ――マクゴナガル先生も私と同じご意見だった――その箒はたぶんシリウス・ブラックからハリーに送られたものだわ！」

第12章　守護霊《パトローナス》

ハーマイオニーは善意でやったことだ。ハリーにもそれはわかっていたが、やはり腹が立った。世界一の箒《ほうき》の持ち主になれたのはほんの数時間。いまはハーマイオニーのおせっかいのおかげで、もう二度とあの箒に会えるかどうかさえわからない。いまならファイアボルトにどこもおかしい所はないとはっきり言えるが、あれやこれやと呪い崩しのテストをかけられたら、どんな状態になってしまうのだろう？

ロンもハーマイオニーにカンカンに腹を立てていた。新品のファイアボルトをバラバラにするなんて、ロンにしてみれば、まさに犯罪的な破壊行為だ。ハーマイオニーはためになることをしたという揺るぎない信念で、やがて談話室をさけるようになった。ハリーとロンは、ハーマイオニーが図書館に避難したのだろうと思い、談話室に戻るよう説得しようともしなかった。結局、年が明けてまもなく、みんなが学校に戻り、グリフィンドール塔がまたガヤガヤと混み合ってきたのが、二人にはうれしいことだった。

学期が始まる前の夜、ウッドがハリーを呼び出した。

「いいクリスマスだったか？」

ウッドが聞いた。そして答えも聞かずに座り込み、声を低くして言った。

「ハリー、俺はクリスマスの間、いろいろ考えてみた。前回の試合のあとだ。わかるだろう。もしも次の試合に吸魂鬼が現れたら……つまり……君があんなことになると――その――」

ウッドは困りはてた顔で言葉を切った。

「僕、対策を考えてるよ」

ハリーが急いで言った。

「ルーピン先生が吸魂鬼防衛術の訓練をしてくれるっておっしゃった。今週中には始めるはずだ。クリスマスのあとなら時間があるっておっしゃってたから」

「そうか」

ウッドの表情が明るくなった。

「うん、それなら――ハリー、俺は、シーカーの君を絶対に失いたくなかったんだ。ところで、新しい箒は注文したか？」

「ううん」

「なに！　早いほうがいいぞ、いいか――レイブンクロー戦で『流れ星《シューティング・スター》』なんかには乗れないぜ！」

「ハリーは、クリスマスプレゼントに『ファイアボルト』をもらったんだ」ロンが言った。

「**ファイアボルト**？　まさか！　ほんとか？　ほ、本物の**ファイアボルト**か？」

「興奮しないで、オリバー」

ハリーの顔が曇った。

「もう僕の手にはないんだ。取り上げられちゃった」

ハリーはファイアボルトが呪い調べを受けるようになった一部始終を説明した。

「呪い？　なんで呪いがかけられるっていうんだ？」

「シリウス・ブラック」

ハリーはうんざりした口調で答えた。

「僕をねらってるらしいんだ。だからマクゴナガル先生が、箒を送ったのはブラックかもしれないって」

「しかし、ブラックがファイアボルトを買えるわけがない！　逃亡中だぞ！　国中がヤツを見張ってるようなもんだ！　『高級クィディッチ用具店』にのこのこ現れて、箒なんか買えるか？」

かの有名な殺し屋が、チームのシーカーをねらっているという話はうっちゃったまま、ウッドが言った。

「僕もそう思う」ハリーが言った。「だけどマクゴナガルは、それでも箒をバラバラにしたいんだって」

ウッドは真っ青になった。

「ハリー、俺が行って話してやる」

ウッドがうけ合った。

「言ってやるぞ。物の道理ってもんがある。……ファイアボルトかぁ……わがチームに、本物のファイアボルトだ……マクゴナガルも俺たちと同じくらい、グリフィンドールに勝たせたいんだ……俺が説得してみせるぞ……**ファイアボルトかぁ**……」

学校は次の週から始まった。震えるような一月の朝に、戸外で二時間の授業を受けるのは、誰だってできれば勘弁してほしい。しかし、ハグリッドは大きなたき火の中に火トカゲ《サラマンダー》をたくさん集めて、生徒を楽しませた。みんなで枯れ木や枯れ葉を集めて、たき火を明々と燃やし続け、炎大好きの火トカゲは白熱した薪が燃え崩れる中をチョロチョロ駆け回り、その日はめずらしく楽しい授業になった。それに引きかえ、占い学の新学期一日目は楽しくはなかった。トレローニー先生は今度は手相を教えはじめたが、いちはやく、これまで見た手相の中で生命線が一番短いとハリーに告げた。

「闇の魔術に対する防衛術」、これこそハリーが始まるのを待ちかねていたクラスだった。ウッドと話をしてからは、一刻も早く吸魂鬼祓《ばら》いの訓練を始めたかった。

授業のあと、ハリーはルーピン先生にこの約束のことを思い出させた。

「ああ、そうだったね。そうだな……木曜の夜、八時からではどうかな？　魔法史の教室なら広さも充分ある。……どんなふうに進めるか、私も慎重に考えないといけないな……本物の吸魂鬼を城の中に連れてきて練習するわけにはいかないし……」

夕食に向かう途中、二人で廊下を歩きながら、ロンが言った。

「ルーピンはまだ病気みたい。そう思わないか？　いったいどこが悪いのか、君、わかる？」

二人のすぐ後ろで、いらいらしたように大きく舌打ちする音が聞こえた。ハーマイオニーだった。鎧《よろい》の足元に座り込んで、本でパンパンになって閉まらなくなった鞄《かばん》を詰めなおしていた。

「なんで僕たちに向かって舌打ちなんかするんだい？」ロンがいらいらしながら言った。

「なんでもないわ」鞄をよいしょと背負いながら、ハーマイオニーがとりすました声で言った。

「いや、なんでもあるよ」

ロンが突っかかった。

「僕が、ルーピンはどこが悪いんだろうって言ったら、君は――」

「あら、そんなこと、**わかりきったことじゃない？**」

しゃくにさわるような優越感を漂わせて、ハーマイオニーが言った。

「教えたくないなら、言うなよ」ロンがピシャッと言った。

「あら、そう」ハーマイオニーは高慢ちきにそう言うと、つんけんと歩き去った。

「知らないくせに」ロンは憤慨して、ハーマイオニーの後ろ姿をにらみつけた。

「あいつ、僕たちにまた口をきいてもらうきっかけが欲しいだけさ」

木曜の夜八時、ハリーはグリフィンドール塔を抜け出し、魔法史の教室に向かった。着いたときには教室は真っ暗で、誰もいなかった。杖《つえ》でランプをつけ、待っていると、ほんの五分ほどでルーピン先生が現れた。荷造り用の大きな箱を抱えている。それをビンズ先生の机によいしょと下ろした。

「なんですか？」ハリーが聞いた。

「またまね妖怪だよ」ルーピン先生がマントを脱ぎながら言った。

「火曜日からずっと、城をくまなく探したら、幸い、こいつがフィルチさんの書類棚の中にひそんでいてね。本物の吸魂鬼に一番近いのはこれだ。君を見たら、こいつは吸魂鬼に変身するから、それで練習できるだろう。使わないときは私の事務室にしまっておけばいい。まね妖怪の気に入りそうな戸棚が、私の机の下にあるから」

「はい」――なんの不安もありません。ルーピン先生が本物のかわりにこんないいものを見つけてくださってうれしいです――ハリーは努めてそんなふうに聞こえるように返事をした。

「さて……」ルーピン先生は自分の杖を取り出し、ハリーにも同じようにするよううながした。

「ハリー、私がこれから君に教えようと思っている呪文は、非常に高度な魔法だ――いわゆる〝標準魔法レベル（O・W・L《ふくろう》）〟資格をはるかに超える。『守護霊の呪文《パトローナス・チャーム》』と呼ばれるものだ」

「どんな力を持っているのですか？」ハリーは不安げに聞いた。

「そう、呪文がうまく効けば、守護霊《パトローナス》が出てくる。いわば、吸魂鬼を祓う者――保護者だ。これが君と吸魂鬼との間で盾になってくれる」

ハリーの頭の中で、とたんに、大きな棍棒《こんぼう》を持って立つハグリッドくらいの巨大な姿と、その陰にうずくまる自分の姿が目に浮かんだ。ルーピン先生が話を続けた。

「守護霊は一種のプラスのエネルギーで、吸魂鬼はまさにそれを貪り食らって生きる――希望、幸福、生きようとする意欲などを。――しかし守護霊は、本物の人間なら感じる『絶望』というものを感じることができない。だから吸魂鬼は守護霊を傷つけることができない。ただし、ハリー、一言言っておかねばならないが、この呪文は君にはまだ高度すぎるかもしれない。一人前の魔法使いでさえ、この魔法にはてこずるほどだ」

「守護霊ってどんな姿をしているのですか？」ハリーは知りたかった。

「それを創り出す魔法使いによって、一つ一つがちがうものになる」

「どうやって創り出すのですか？」

「呪文を唱えるんだ。何か一つ、一番幸せだった思い出を、渾身《こんしん》の力で思いつめたときに、初めてその呪文が効く」

ハリーは幸せな思い出をたどってみた。ダーズリー家でハリーの身に起こったことは、何一つそれに当てはまらないことだけは確かだ。やっと、最初に箒に乗ったときのあの瞬間だ、と決めた。

「わかりました」

ハリーは体を突き抜けるような、あのすばらしい飛翔感をできるだけ忠実に思い浮かべようとした。

「呪文はこうだ――」

ルーピンは咳《せき》払いをしてから唱えた。

「**エクスペクト　パトローナム！　守護霊よ来たれ！**」

「**エクスペクト　パトローナム**」ハリーは小声でくり返した。「**守護霊よ来たれ**」

「幸せな思い出に神経を集中してるかい？」

「ええ――はい――」ハリーはそう答えて、急いであの箒の初乗りの心に戻ろうとした。

「**エクスペクト　パトロノ**――ちがった、**パトローナム**――すみません――**エクスペクト　パトローナム、エクスペクト　パトローナム**――」

杖の先から、何かが急にシューッと噴き出した。一条の銀色の煙のようなものだった。

「見えましたか？」ハリーは興奮した。「何か、出てきた！」

「よくできた」ルーピンがほほえんだ。「よーし、それじゃ――吸魂鬼で練習してもいいかい？」

「はい」

ハリーは杖を固く握りしめ、がらんとした教室の真ん中に進み出た。ハリーは飛ぶことに心を集中させようとした。しかし、何か別のものがしつこく入り込んでくる――また母さんの声が、いまにも聞こえるかもしれない……いまは考えてはいけない、さもないと**どうしても**またあの声が聞こえてしまう。聞きたくない……それとも、聞きたいのだろうか？

ルーピンが箱のふたに手をかけ、引っ張った。

ゆらり、と吸魂鬼が箱の中から立ち上がった。フードに覆われた顔がハリーのほうを向いた。ぬめぬめと光るかさぶただらけの手が一本、マントを握っている。教室のランプが揺らめき、ふつりと消えた。吸魂鬼は箱から出て、音もなくするするとハリーのほうにやってくる。深く息を吸い込むガラガラという音が聞こえる。身を刺すような寒気がハリーを襲った――。

「**エクスペクト　パトローナム！**」ハリーは叫んだ。「**守護霊よ来たれ！　エクスペクト**――」

しかし、教室も吸魂鬼もしだいにぼんやりしてきた……ハリーはまたしても、深い白い霧の中に落ちていった。母親の声がこれまでよりいっそう強く、頭の中で響いた――。

「ハリーだけは！　ハリーだけは！　お願い――私はどうなっても――」

起こったか聞くまでもなかった。

「ハリー！」

ハリーはハッと我に返った。床に仰向けに倒れていた。教室のランプはまた明るくなっている。何が起こったか聞くまでもなかった。

「すみません」

ハリーは小声で言った。起き上がると、めがねの下を冷や汗が滴り落ちるのがわかった。

「大丈夫か？」ルーピンが聞いた。

「ええ……」ハリーは机にすがって立ち上がり、その机に寄りかかった。

「さあ――」ルーピンが「蛙《かえる》チョコレート」をよこした。「これを食べるといい。それからもう一度やろう。一回でできるなんて期待してなかったよ。むしろ、もしできたら、びっくり仰天だ」

「ますますひどくなるんです」

蛙チョコレートの頭をかじりながら、ハリーがつぶやいた。

「母さんの声がますます強く聞こえたんです――それに、あの人――ヴォルデモート――」

ルーピンはいつもよりいっそう青白く見えた。

「ハリー、続けたくないなら、その気持ちは、私にはよくわかるよ――」

「続けます！」

ハリーは残りの蛙チョコを一気に口に押し込み、激しく言った。

「やらなきゃならないんです。レイブンクロー戦にまた吸魂鬼が現れたら、どうなるんです？　また落ちるわけにはいきません！　この試合に負けたら、クィディッチ杯は取れないんです！」

「よーし、わかった……。別な思い出を選んだほうがいいかもしれない。つまり、気持ちを集中できるような幸福なものを……さっきのは充分な強さじゃなかったようだ……」

ハリーはじっと考えた。そして、去年、グリフィンドールが寮対抗杯に優勝したときの気持ちが、とても幸福な思い出にぴったりだと思った。もう一度、杖をギュッと握りしめ、ハリーは教室の真ん中で身がまえた。

「いいかい？」ルーピンが箱のふたをつかんだ。

「いいです」

ハリーはグリフィンドール優勝の幸せな思いで頭をいっぱいにしようと懸命に努力した。箱が開いたら何が起こるかなどという、暗い思いは捨てた。

「それ！」

ルーピンがふたを引っ張った。部屋は再び氷のように冷たく、暗くなった。吸魂鬼がガラガラと息を吸い込み、すべるように進み出た。朽ちた片手がハリーのほうに伸びてきた――。

「**エクスペクト　パトローナム！**」ハリーが叫んだ。「**守護霊よ来たれ、エクスペクト　パト――**」

白い霧がハリーの感覚をもうろうとさせた……大きな、ぼんやりした姿がいくつもハリーの周りを動いている……そして、初めて聞く声、男の声が、引きつったように叫んだ――。

「リリー、ハリーを連れて逃げろ！　あいつだ！　行くんだ！　早く！　僕が食い止める――」

誰かが部屋からよろめきながら出ていく音――ドアがバーンと開く――かん高い笑い声が響く――。

「ハリー！　ハリー……しっかりしろ……」

ルーピンがハリーの顔をピシャピシャたたいていた。なぜほこりっぽい床に倒れているのか、今度はそれがわかるまで少し時間がかかった。

「父さんの声が聞こえた」ハリーは口ごもった。「父さんの声は初めて聞いた――母さんが逃げる時間をつくるのに、一人でヴォルデモートと対決しようとしたんだ……」

ハリーは突然、冷や汗に混じって涙がほおを伝うのに気づいた。ハリーはできるだけ顔を低くして、靴のひもを結んでいるふりをしながら、涙をローブでぬぐい、ルーピンに気づかれないようにした。

「ジェームズの声を聞いた？」ルーピンの声に不思議な響きがあった。

「ええ……」涙をふき、ハリーは上を見た。「でも――先生は僕の父をご存じない、でしょう？」

「わ――私は、実は知っている。ホグワーツでは友達だった。さあ、ハリー――今夜はこのぐらいでやめよう。この呪文はとてつもなく高度だ……。言うんじゃなかった、君にこんなことをさせるなんて……」

「ちがいます！」ハリーは再び立ち上がった。「僕、もう一度やってみます！　僕の考えたことは、充分に幸せなことじゃなかったんです。きっとそうです……ちょっと待って……」

ハリーは必死で考えた。ほんとうに、ほんとうに幸せな思い出……しっかりした、強い守護霊に変えることができる思い出……。

初めて自分が魔法使いだと知ったとき、ダーズリー家を離れてホグワーツに行くとわかったとき！あの思い出が幸せと言えないなら、何が幸せと言えよう……。プリベット通りを離れられるとわかったときのあの気持ちに全神経を集中させ、ハリーは立ち上がって、もう一度箱と向き合った。

「いいんだね？」

ルーピンは、やめたほうがよいのでは、という思いをこらえているような顔だった。

「気持ちを集中させたね？　行くよ――それ！」

ルーピンは三度、箱のふたを開けた。吸魂鬼が中から現れた。部屋が冷たく暗くなった――。

「**エクスペクト　パトローナム！**」ハリーは声を張り上げた。「**守護霊よ来たれ！　エクスペクト　パトローナム！**」

ハリーの頭の中で、また悲鳴が聞こえはじめた――しかし、今度は、周波数の合わないラジオの音のようだ。低く、高く、また低く……しかも、ハリーにはまだ吸魂鬼が見えていた……吸魂鬼が立ち止まった……そして、大きな、銀色の影がハリーの杖の先から飛び出し、吸魂鬼とハリーの間に漂った。足の感覚はなかったが、ハリーはまだ立っている……あとどのくらい持ちこたえられるかはわからない……。

「**リディクラス！**」ルーピンが飛び出してきて叫んだ。

バチンと大きな音がして、吸魂鬼が消え、もやもやしたハリーの守護霊も消えた。ハリーは椅子にくずおれた。足は震え、何キロも走ったあとのようにつかれきっていた。見るともなく見ていると、ルーピン先生が自分の杖で、まね妖怪を箱に押し戻しているところだった。まね妖怪は、また銀色の玉に変わっていた。

「よくやった！」

へたり込んでいるハリーの所へ、ルーピン先生が大股で歩いてきた。

「よくできたよ、ハリー！　立派なスタートだ！」

「もう一回やってもいいですか？　もう一度だけ？」

「いや、いまはダメだ」ルーピンがきっぱり言った。「ひと晩にしては充分すぎるほどだ。さあ――」

ルーピンは「ハニーデュークス菓子店」の大きな最高級板チョコを一枚、ハリーに渡した。

「全部食べなさい。そうしないと、私はマダム・ポンフリーにこっぴどくおしおきされてしまう。来週、また同じ時間でいいかな？」

「はい」ハリーはチョコレートをかじりながら、ルーピンがランプを消すのを見ていた。吸魂鬼が消えると、ランプには元どおりに灯がともっていたのだ。

「ルーピン先生？」ハリーがあることを思いついた。「僕の父をご存じなら、シリウス・ブラックのこともご存じなのでしょう」

ルーピンがぎくりと振り返った。

「どうしてそう思うんだね？」きつい口調だった。

「別に――ただ、僕、父とブラックもホグワーツで友達だったと知ったものですから」

ルーピンの表情がやわらいだ。

「ああ、知っていた」さらりとした答えだ。「知っていると思っていた、と言うべきかな。ハリー、もう帰ったほうがいい。だいぶ遅くなった」

ハリーは教室を出て、廊下を歩き、角を曲がり、そこで寄り道をして甲冑《かっちゅう》の陰に座った。鎧の台座に腰かけ、チョコレートの残りを食べながら、ハリーはブラックのことなど言わなければよかったと思った。ルーピンがこの話題をさけているのは明らかだった。それからハリーの心はまた父と母のことに流れていった……。

チョコレートをいっぱい食べたのに、ハリーはつかれはて、言い知れない空虚な気持ちだった。頭の中で、両親の最後の瞬間の声がくり返されるのは、確かに恐ろしいが、幼いころから一度も両親の声を聞いたことがないハリーには、この時だけが声を聞けるチャンスなのだ。しかし、また両親の声を聞きたいと心のどこかで思っていたのでは、けっしてちゃんとした守護霊を創り出すことなどできない……。

「二人とも死んだんだ」

ハリーはきっぱりと自分に言い聞かせた。

「死んだんだ。二人の声のこだまを聞いたからって、父さんも、母さんも帰ってはこない。クィディッチ優勝杯が欲しいなら、ハリー、しっかりしろ」

ハリーはすっくと立った。チョコレートの最後のひとかけらを口に押し込み、ハリーはグリフィンドール塔に向かった。

レイブンクロー対スリザリン戦が、学期が始まってから一週目に行われた。スリザリンが勝った――僅差だったが。ウッドによれば、これはグリフィンドールには喜ばしいことだった。グリフィンドールがレイブンクローを破れば、グリフィンドールが二位に浮上する。そこでウッドはチーム練習を週五日に増やした。こうなると、ルーピンの吸魂鬼祓いの練習――これだけでクィディッチの練習六回分より消耗する――を加えると、ハリーは残るひと晩で一週間の宿題全部をこなさなければならなかった。

それでも、ハーマイオニーのストレスに比べれば、ハリーのはさほど表に出ていなかった。さすがのハーマイオニーも、膨大な負担がついにこたえはじめた。毎晩、必ず、談話室の片隅にハーマイオニーの姿があった。テーブルをいくつも占領し、教科書やら、数占い表、古代ルーン文字の辞書やらマグルが重いものを持ち上げる図式、それに細かく書き込んだノートの山また山を広げていた。ほとんど誰とも口をきかず、邪魔されるとどなった。

「いったいどうやってるんだろ？」

ある晩、ハリーがスネイプの「検出できない毒薬」のやっかいなレポートを書いているとき、ロンがハリーに向かってつぶやいた。ハリーは顔を上げた。うずたかく積まれたいまにも崩れそうな本の山に隠れて、ハーマイオニーの姿はほとんど見えない。

「何を？」

「あんなにたくさんの授業をさ」ロンが言った。

「今朝、ハーマイオニーが数占いのベクトル先生と話してるのを聞いちゃったんだ。きのうの授業のことを話してるのをさ。だけど、ハーマイオニーはきのう、その授業に出られるはずないよ。だって、僕たちと一緒に魔法生物飼育学にいたんだから。それに、アーニー・マクミランが言ってたけど、マグル学のクラスも休んだことがないって。だけど、そのうち半分は占い学とおんなじ時間なんだぜ。こっちも皆勤じゃないか！」

その時ハリーには、ハーマイオニーの不可解な時間割の秘密を深く考える余裕はなかった。スネイプの宿題をせっせと片づけなければならなかった。ところが、そのすぐあと、また邪魔が入った。今度はウッドだ。

「ハリー、悪い知らせだ。マクゴナガル先生にファイアボルトのことで話をしにいってきた。先生は――その――ちょっと俺に対しておかんむりでな。俺が本末転倒だって言うんだ。君が生きるか死ぬかより、クィディッチ優勝杯のほうが大事だと思ってるんじゃないかって言われちまった。俺はただ、スニッチを捕まえたあとだったら、君が箒から振り落とされたってかまわないって、そう言っただけなんだぜ」

ウッドは信じられないというように首を振った。

「まったくマクゴナガルのどなりようったら……まるで俺が何かひどいことを言ったみたいじゃないか。そこで俺は、あとどのくらい長く箒を押さえておくつもりかって先生に聞いてみた……」

ウッドは顔をしかめて、マクゴナガル先生の厳しい声をまねした。

「『ウッド、必要なだけ長くです』……ハリー、いまや新しい箒を注文すべき時だな。『賢い箒の選び方』の本の後ろに注文書がついてるぞ……ニンバス２００１なんかどうだ。マルフォイと同じやつ」

「マルフォイがいいと思ってるやつなんか、僕、買わない」ハリーはきっぱり言った。

知らぬ間に一月が過ぎ、二月になった。相変わらず厳しい寒さが続いた。レイブンクロー戦がどんどん近づいてきたが、ハリーはまだ新しい箒を注文していなかった。変身術の授業のあとで、ハリーは毎回、マクゴナガル先生にファイアボルトがどうなったか尋ねるようになっていた。ロンはもしやの期待を込めてハリーのかたわらに立ち、ハーマイオニーはそっぽを向いて急いでその脇を通り過ぎた。

「いいえ、ポッター、まだ返すわけにはいきません」

十二回もそんなことがあったあと、マクゴナガル先生は、ハリーがまだ口を開きもしないうちにそう答えた。

「普通の呪いは大方調べ終わりました。ただし、フリットウィック先生が、あの箒には『うっちゃりの呪い』がかけられているかもしれないとお考えです。調べ終わったら、私《わたくし》からあなたに**お教え**します。しつこく聞くのは、もういいかげんにおやめなさい」

さらに悪いことに、吸魂鬼祓いの訓練は、なかなかハリーが思うようにうまくは進まなかった。何回か訓練が続き、ハリーはボガート・吸魂鬼が近づくたびに、もやもやした銀色の影を創り出せるようになっていた。しかし、ハリーの守護霊は吸魂鬼を追い払うにはあまりにはかなげだった。せいぜい半透明の雲のようなものが漂うだけで、なんとかその形をそこにとどめようとがんばると、ハリーはすっかりエネルギーを消耗してしまうのだった。ハリーは自分自身に腹が立った。両親の声をまた聞きたいと密《ひそ》かに願っていることを恥じていた。

「高望みしてはいけない」四週目の訓練のとき、ルーピン先生が厳しくたしなめた。

「十三歳の魔法使いにとっては、たとえぼんやりとした守護霊でも大変な成果だ。もう気を失ったりはしないだろう？」

「僕、守護霊が――吸魂鬼を追い払うか、それとも」ハリーががっかりして言った。「連中を消してくれるかと――そう思っていました」

「ほんとうの守護霊ならそうする。しかし、君は短い間にずいぶんできるようになった。次のクィディッチ試合に吸魂鬼が現れたとしても、しばらく遠ざけておいて、その間に地上に降りることができるはずだ」

「あいつらがたくさんいたら、もっと難しくなるって、先生がおっしゃいました」

「君なら絶対大丈夫だ」ルーピンがほほえんだ。

「さあ――ごほうびに飲むといい。『三本の箒』のだよ。いままで飲んだことがないはずだ――」

ルーピンは鞄から瓶を二本取り出した。

「バタービールだ！」ハリーは思わず口がすべった。「ウワ、僕大好き！」

ルーピンの眉が不審そうに動いた。

「あの――ロンとハーマイオニーがホグズミードから少し持ってきてくれたので」

ハリーはあわてて取りつくろった。

「そうか」ルーピンはそれでもまだ腑《ふ》に落ちない様子だった。

「それじゃ――レイブンクロー戦でのグリフィンドールの勝利を祈って！　おっと、先生がどっちかに味方してはいけないな……」ルーピンが急いで訂正した。

二人はだまってバタービールを飲んでいたが、ハリーが口を開いた。気になっていたことだった。

「吸魂鬼の頭巾の下には何があるんですか？」

ルーピン先生は考え込むように、手にしたビール瓶を置いた。

「うーん……ほんとうのことを知っている者は、もう口がきけない状態になっている。つまり、吸魂鬼が頭巾を下ろすときは、最後の最悪の武器を使うときなんだ」

「どんな武器ですか？」

「『吸魂鬼《ディメンター》の接吻《キス》』と呼ばれている」ルーピンはちょっと皮肉な笑みを浮かべた。

「吸魂鬼は、徹底的に破滅させたい者に対してこれを実行する。たぶんあの下には口のようなものがあるのだろう。やつらは獲物の口を自分の上下のあごではさみ、そして――餌食の魂を吸い取る」

ハリーは思わずバタービールを吐き出した。

「えっ――殺す――？」

「いや、そうじゃない。もっとひどい。魂がなくても生きられる。脳や心臓がまだ動いていればね。しかし、もはや自分が誰なのかわからない。記憶もない、まったく……なんにもない。回復の見込みもない。ただ――存在するだけだ。からっぽの抜け殻となって。魂は永遠に戻らず……失われる」

ルーピンはまたひと口バタービールを飲み、先を続けた。

「シリウス・ブラックを待ち受ける運命がそれだ。今朝の『日刊予言者新聞』にのっていたよ。魔法省が吸魂鬼に対して、ブラックを見つけたらそれを執行することを許可したようだ」

魂を口から吸い取られる――それを思うだけで、ハリーは一瞬ぼうぜんとした。それからブラックのことを考えた。

「当然の報いだ」ハリーが出し抜けに言った。

「そう思うかい？」ルーピンはさらりと言った。「そうされるのが当然の報いと言える人間がほんとうにいると思うかい？」

「はい」ハリーは挑戦するように言った。「そんな……そんな場合もあります……」

ハリーはルーピンに話してしまいたかった。「三本の箒」でもれ聞いてしまったブラックについての会話のこと、そして、ブラックが自分の父と母を裏切ったことを。しかし、それを打ち明ければ、許可なしにホグズミードに行ったことがわかってしまう。ルーピンはそれを知ったら感心しないだろうと、ハリーはわかっていた。ハリーはバタービールを飲み干し、ルーピンにお礼を言って魔法史の教室を離れた。

吸魂鬼の頭巾の下には何があるかの答えがあまりにも恐ろしく、ハリーは聞かなければよかったと、半ば後悔した。魂を吸い取られるのはどんな感じなのだろうと、気の滅入るような想像に没頭していたので、階段の途中で、マクゴナガル先生にもろにぶつかってしまった。

「ポッター、どこを見て歩いているんですか！」

「すみません、先生――」

「グリフィンドールの談話室に、あなたを探しにいってきたところです。さあ、受け取りなさい。私たちに考えつくかぎりのことはやってみましたが、どこもおかしな所はないようです――どうやら、ポッター、あなたはどこかによい友達をお持ちのようね……」

ハリーはポカンと口を開けた。先生がファイアボルトを差し出している。以前と変わらぬすばらしさだ。

「返していただけるんですか？」ハリーはおずおずと言った。「ほんとに？」

「ほんとうです」マクゴナガル先生は、なんと笑みを浮かべている。

「たぶん、土曜日の試合までに乗り心地を試す必要があるでしょう？　それに、ポッター――**がんばって**、勝つんですよ。いいですね？　さもないと、わが寮は八年連続で優勝戦から脱落です。つい昨夜、スネイプ先生が、ご親切にもそのことを思い出させてくださいましたしね……」

ハリーは言葉も出ず、ファイアボルトを抱え、グリフィンドール塔へと階段を上った。角を曲がったとき、ロンが全速力でこちらに走ってくるのが見えた。顔中で笑っている。

「マクゴナガルがそれを君に？　最高！　ねえ、僕、一度乗ってみてもいい？　あした？」

「ああ……なーんだっていいよ……」

ハリーはここ一か月でこんなに晴れ晴れとした気持ちになったことはなかった。

「そうだ――僕たち、ハーマイオニーと仲直りしなくちゃ。僕のことを思ってやってくれたことなんだから……」

「うん、わかった」ロンが言った。「いま、談話室にいるよ――勉強してるよ、めずらしく」

二人がグリフィンドール塔に続く廊下にたどり着くと、そこにネビル・ロングボトムがいた。カドガン卿《きょう》に必死に頼み込んでいるが、どうしても入れてくれないらしい。

「書きとめておいたんだよ」ネビルが泣きそうな声で訴えていた。「でも、それをどっかに落としちゃったにちがいないんだ！」

「下手な作り話だ！」カドガン卿がわめいた。それからハリーとロンに気づいた。

「こんばんは。お若い騎兵のお二人！　この不埒《ふらち》者に足枷《あしかせ》をはめよ。内なる部屋に押し入ろうと図りし者なり！」

「いいかげんにしてよ」ロンが言った。ハリーとロンは、ネビルのそばまで来ていた。

「僕、合言葉をなくしちゃったの！」ネビルが情けなさそうに言った。

「今週どんな合言葉を使うのか、この人に教えてもらってみんな書いておいたの。だって、どんどん合言葉を変えるんだもの。なのに、メモをどうしたのか、わからなくなっちゃった！」

「**オヅボディキンズ**」

ハリーがカドガン卿に向かってそう言うと、残念無念という顔でカドガン卿の絵はしぶしぶ前に開き、三人を談話室に入れた。みんながいっせいにこちらを向き、急に興奮したざわめきが起こった。次の瞬間、ハリーは、ファイアボルトに歓声を上げる寮生に取り囲まれてしまった。

「ハリー、どこで手に入れたんだい？」

「僕にも乗せてくれる？」

「もう乗ってみた、ハリー？」

「レイブンクローに勝ち目はなくなったね。みんな『クリーンスイープ7号』に乗ってるんだもの！」

「ハリー、**持つだけ**だから、いい？」

それから十分ほど、ファイアボルトは手から手へと渡され、あらゆる角度からほめそやされた。ようやくみんなが離れたとき、ハリーとロンはハーマイオニーの姿をしっかりとらえた。たった一人、二人のそばに駆け寄らなかったハーマイオニーは、かじりつくようにして勉強を続け、二人と目を合わさないようにしていた。ハリーとロンがテーブルに近づくと、ハーマイオニーがやっと目を上げた。

「返してもらったんだ」ハリーがニッコリしてファイアボルトを持ち上げて見せた。

「**言っただろう？　ハーマイオニー**。**なーんにも変なところはなかったんだ！**」ロンが言った。

「あら――あった**かもしれない**じゃない！」ハーマイオニーが言い返した。「つまり、少なくとも、安全だってことがいまはわかったわけでしょ！」

「うん、そうだね。僕、寝室に持っていくよ」ハリーが言った。

「僕が持っていく！」ロンはうずうずしていた。「スキャバーズにネズミ栄養ドリンクを飲ませないといけないし」

ロンはファイアボルトをまるでガラス細工のように捧げ持ち、男子寮への階段を上っていった。

「座ってもいい？」ハリーがハーマイオニーに聞いた。

「かまわないわよ」ハーマイオニーは椅子にうずたかく積まれた羊皮紙の山をどけた。

ハリーは散らかったテーブルを見回した。生乾きのインクが光っている数占いの長いレポートと、もっと長いマグル学の作文（「マグルはなぜ電気を必要とするか説明せよ」）、それに、ハーマイオニーがいま格闘中の古代ルーン文字の翻訳。

「こんなにたくさん、いったいどうやってできるの？」ハリーが聞いた。

「え、ああ——そりゃ——一生懸命やるだけよ」ハーマイオニーが答えた。そばで見ると、ハーマイオニーはルーピンと同じくらいつかれて見えた。

「いくつかやめればいいんじゃない？」ハーマイオニーがルーン文字の辞書を探して、あちらこちら教科書を持ち上げているのを見ながら、ハリーが言った。

「そんなことできない！」ハーマイオニーはとんでもないとばかり目をむいた。

「数占いって大変そうだね」ハリーはひどく複雑そうな数表をつまみ上げながら言った。

「あら、そんなことないわ。すばらしいのよ！」

ハーマイオニーは熱を込めて言った。

「私の好きな科目なの。だって——」

数占いのどこがどうすばらしいのか、ハリーはついに知る機会を失った。ちょうどその時、押し殺したような叫び声が男子寮の階段を伝って響いてきたのだ。談話室がいっせいにシーンとなり、石になったようにみんなの目が階段に釘《くぎ》づけになった。あわただしい足音が聞こえてきた。だんだん大きくなる——やがて、ロンが飛び込んできた。ベッドのシーツを引きずっている。

「**見ろ！**」

ハーマイオニーのテーブルに荒々しく近づき、ロンが大声を出した。

「**見ろよ！**」

ハーマイオニーの目の前でシーツを激しく振り、ロンが叫んだ。

「ロン、どうしたの――？」

「**スキャバーズが！　見ろ！　スキャバーズが！**」

ハーマイオニーはまったくわけがわからず、のけぞるようにロンから離れた。ハリーはロンのつかんでいるシーツを見下ろした。何か赤いものがついている。恐ろしいことに、それはまるで――。

「**血だ！**」

ぼうぜんとして言葉もない部屋に、ロンの叫びだけが響いた。

「**スキャバーズがいなくなった！　床に何があったかわかるか？**」

「い、いいえ」ハーマイオニーの声は震えていた。

ロンはハーマイオニーの翻訳文の上に何かを投げつけた。ハーマイオニーとハリーがのぞき込んだ。奇妙なとげとげした文字の上に落ちていたのは、数本の長いオレンジ色の猫の毛だった。

第13章　グリフィンドール対レイブンクロー

ロンとハーマイオニーの友情もこれまでかと思われた。互いに相手に対してカンカンになっていたので、もう仲直りの見込みがないのではないかとハリーは思った。

クルックシャンクスがスキャバーズを食ってしまおうとしているのに、ハーマイオニーはそのことを一度も真剣に考えず、猫を見張ろうともしなかった、とロンは激怒した。さらに、この期におよんでハーマイオニーがクルックシャンクスの無実を装い、男子寮のベッドの下を全部探してみたら、などとうそぶいていると、ロンはますます怒りをつのらせた。

一方ハーマイオニーは、クルックシャンクスがスキャバーズを食べてしまったという証拠がない、オレンジ色の毛はクリスマスからずっとそこにあったのかもしれない、その上、ロンは「魔法動物ペットショップ」でクルックシャンクスがロンの頭に飛び降りたときから、ずっとあの猫に偏見を持っている、と猛烈に主張した。

ハリー自身はクルックシャンクスがスキャバーズを食ってしまったにちがいないと思った。ハーマイオニーに、状況証拠ではそうなると言うと、ハーマイオニーはハリーにまでかんしゃくを起こした。

「いいわよ。ロンに味方しなさい。どうせそうすると思ってたわ！」

ハーマイオニーはヒステリー気味だ。

「最初はファイアボルト、今度はスキャバーズ。みんな私が悪いってわけね！　ほっといて、ハリー。私、とっても忙しいんだから！」

ロンはペットを失ったことで、心底打ちのめされていた。

「元気出せ、ロン。スキャバーズなんてつまんないやつだって、いつも言ってたじゃないか」

フレッドが元気づけるつもりで言った。

「それに、ここんとこずっと弱ってきてた。一度にパッといっちまったほうがよかったかもしれないぜ。パクッ――きっとなんにも感じなかったさ」

「**フレッドったら！**」

ジニーが憤慨した。

「あいつは食って寝ることしか知らないって、ロン、おまえそう言ってたじゃないか」

ジョージだ。

「僕たちのために、一度ゴイルにかみついた！」ロンがみじめな声で言った。「覚えてるよね、ハリー？」

「うん、そうだったね」ハリーが答えた。

「やつのもっとも華やかなりしころだな」

フレッドはまじめくさった顔をさっさとかなぐり捨てた。

「ゴイルの指に残りし傷痕よ、スキャバーズの思い出とともに永遠なれ。さあ、さあ、ロン、ホグズミードに行って、新しいネズミを買えよ。めそめそしててなんになる？」

ロンを元気づける最後の手段で、ハリーはレイブンクロー戦を控えたグリフィンドール・チームの最後の練習にロンを誘い、練習のあとでファイアボルトに乗ってみたら、と言った。これはロンの気持ちをわずかの間スキャバーズから離れさせたようだ（「やった！　それに乗ってゴールに二、三回シュートしてみていい？」）。そこで二人で一緒にクィディッチ競技場に向かった。

フーチ先生は、ハリーを見守るため、いまだにグリフィンドールの練習を監視していたが、生徒に負けず劣らずファイアボルトに感激した。練習開始前に箒《ほうき》を両手に取り、プロとしてのうんちくを傾けた。

「このバランスのよさはどうです！　ニンバス系の箒に問題があるとすれば、それは尾の先端にわずかな傾斜があることですね――数年もたつと、これが抵抗になってスピードが落ちることがあります。柄の握りも改善されていますね。クリーンスイープ系より少し細身で、昔の『銀の矢《シルバー・アロー》』系を思い出しますね――なんで生産中止になったのか、残念です。私はあれで飛ぶことを覚えたのですよ。あれはとてもいい箒だったわねぇ……」

こんな調子で延々と続いたあと、ウッドがついに言った。

「あの――フーチ先生？　ハリーに箒を返していただいてもいいですか？　実は練習をしないといけないんで……」

「ああ――そうでした――はい、ポッター。それじゃ、私はむこうでウィーズリーと一緒に座っていましょう……」

フーチ先生はロンと一緒にピッチを離れ、観客席に座った。グリフィンドール・チームはウッドの周りに集まり、明日の試合に備えてウッドの最後の指示を聞いた。

「ハリー、たったいま、レイブンクローのシーカーが誰だか聞いた。チョウ・チャンだ。四年生で、これがかなりうまい……けがをして問題があるということだったので、実は俺としては治っていなければいいと思っていたのだが……」

チョウ・チャンが完全に回復したことが気に入らず、ウッドは顔をしかめた。

「しかしだ、チョウ・チャンの箒は『コメット２６０号』。ファイアボルトと並べばまるでおもちゃだ」

ウッドはハリーの箒に熱い視線を投げ、それから一声、「ウッス、みんな、行くぞ――」

そして、ついに、ハリーはファイアボルトに乗り、地面を蹴った。

なんてすばらしい。想像以上だ。軽く触れるだけでファイアボルトは向きを変えた。柄の操作よりハリーの思いのとおりに反応しているかのようだ。ピッチを横切るスピードの速さときたら、競技場が草色と灰色にかすんで見えた。すばやくターンしたとき、その速さにアリシア・スピネットが悲鳴を上げた。それから急降下。完全にコントロールがきく。ピッチの芝生をサッとつま先でかすり、それから急上昇。十メートル、十五、二十――。

「ハリー、スニッチを放すぞ！」ウッドが呼びかけた。

ハリーは向きを変え、ゴールに向かってブラッジャーと競うようにして飛んだ。やすやすとブラッジャーを追い抜き、ウッドの背後から矢のように飛び出したスニッチを見つけ、十秒後にはそれをしっかり握りしめていた。

チーム全員がやんやの歓声を上げた。ハリーはスニッチを放し、先に飛ばして、一分後に全速力で追いかけた。ほかの選手の間を縫うように飛び、ケイティ・ベルのひざ近くに隠れているスニッチを見つけ、らくらく回り込んでまたそれを捕まえた。

練習はこれまでで最高の出来だった。ファイアボルトがチームの中にあるというだけで、みんなの意気が上がり、それぞれが完璧な動きを見せたのだ。みんなが地上に降り立つと、ウッドは一言も文句をつけなかった。ジョージ・ウィーズリーが、こんなことは前代未聞だと言った。

「明日は、当たる所敵なしだ！」

ウッドが言った。

「ただし、ハリー、吸魂鬼問題は解決ずみだろうな？」

「うん」

ハリーは、自分の創る弱々しい守護霊のことを思い出し、もっと強ければいいのにと思った。

「吸魂鬼はもう現れっこないよ、オリバー。ダンブルドアがカンカンになるからね」

フレッドは自信たっぷりだ。

「まあ、そう願いたいもんだ」

ウッドが言った。

「とにかく――上出来だ、諸君。塔に戻るぞ――早く寝よう……」

「僕、もう少し残るよ。ロンがファイアボルトを試したがってるから」

ハリーはウッドにそう断り、ほかの選手がロッカールームに引っ込んだあと、意気揚々とロンのほうに行った。ロンはスタンドの柵を飛び越えてハリーの所にやってきた。フーチ先生は観客席で眠り込んでいた。

「さあ、乗って」

ハリーがロンにファイアボルトを渡した。

ロンは夢見心地の表情で箒にまたがり、暗くなりかけた空に勢いよく舞い上がった。ハリーはピッチの縁を歩きながらロンを見ていた。フーチ先生がハッと目を覚ましたのは、夜の帳《とばり》が下りてからで、なぜ起こさなかったのかと二人を叱り、城に帰りなさいときつい口調で言った。

ハリーはファイアボルトを担ぎ、ロンと並んで、暗くなった競技場を出た。道々二人は、ファイアボルトのすばらしくなめらかな動き、驚異的な加速、寸分の狂いもない方向転換などをさんざんしゃべり合った。城までの道を半分ほど歩いたところで、ちらっと左側を見たハリーは、心臓がひっくり返るようなものをそこに見た――暗闇の中でギラッと光る二つの目。

ハリーは立ちすくんだ。心臓が肋骨《ろっこつ》をバンバンたたいている。

「どうかした？」ロンが聞いた。

ハリーが指差した。ロンは杖《つえ》を取り出して「**ルーモス！　光よ！**」と唱えた。

一条の光が、芝生を横切って流れ、木の根元に当たって、枝を照らし出した。芽吹きの中に丸くなっているのは、クルックシャンクスだった。

「失《う》せろ！」

ロンは吠《ほ》えるような声でそう言うと、かがんで芝生に落ちていた石をつかんだ。

しかし、何もしないうちに、クルックシャンクスは長いオレンジ色のしっぽをシュッとひと振りして消えてしまった。

「見たか？」

ロンは石をポイッと捨て、怒り狂って言った。

「ハーマイオニーはいまでもあいつを勝手にふらふらさせておくんだぜ——おそらく鳥を二、三羽食って、前に食っておいたスキャバーズをしっかり胃袋に流し込んだ、ってとこだ……」

ハリーは何も言わなかった。安心感が体中に染み渡り、深呼吸した。

一瞬、あの目は死神犬の目にちがいないと思ったのだ。二人はまた城に向かって歩きだした。恐怖感にとらわれたことがちょっと恥ずかしく、ハリーはそのことをロンに一言も言わなかった——そればかりか、灯《あか》りの煌々《こうこう》とともる玄関ホールに着くまで、ハリーは右も左も見なかった。

翌朝、ハリーは同室の寮生に伴われて朝食に下りていった。みんな、ファイアボルトは名誉の護衛がつくに値すると思ったらしい。ハリーが大広間に入ると、みんなの目がファイアボルトに向けられ、興奮したささやき声があちこちから聞こえた。スリザリン・チームが全員雷に打たれたような顔をしたので、ハリーは大満足だった。

「やつの顔を見た？」ロンがマルフォイのほうを振り返って、狂喜した。

「信じられないって顔だ！　すっごいよ！」

ウッドもファイアボルトの栄光の輝きに浸っていた。

「ハリー、ここに置けよ」

ウッドはファイアボルトをテーブルの真ん中に置き、銘の刻印されているほうをていねいに上に向けた。レイブンクローやハッフルパフのテーブルからは、次々とみんなが見にきた。セドリック・ディゴリーは、ハリーの所にやってきて、ニンバスのかわりにこんなすばらしい箒を手に入れておめでとうと祝福した。パーシーのガールフレンドでレイブンクローのペネロピー・クリアウォーターは、ファイアボルトを手に取ってみてもいいかと聞いた。

「ほら、ほら、ペニー、壊すつもりじゃないだろうな」

ファイアボルトをとっくり見ているペネロピーに、パーシーが楽しそうに言った。

「ペネロピーと僕とで賭けたんだ」

パーシーがチームに向かって言った。

「試合の勝敗に金貨で十ガリオン賭けたぞ！」

ペネロピーはファイアボルトをテーブルに置き、ハリーに礼を言って自分のテーブルに戻った。

「ハリー――絶対勝てよ」

パーシーがせっぱつまったようにささやいた。

「**僕、十ガリオンなんて持ってないんだ**――うん、いま行くよ、ペニー！」

そしてパーシーはあたふたとペネロピーの所へ行き、一緒にトーストを食べた。

「その箒、乗りこなす自信があるのかい、ポッター？」冷たい、気取った声がした。ドラコ・マルフォイが、近くで見ようとやってきた。クラッブとゴイルがすぐ後ろにくっついている。

「ああ、そう思うよ」ハリーがさらりと言った。

「特殊機能がたくさんあるんだろう？」マルフォイの目が、意地悪く光っている。「パラシュートがついてないのが残念だなぁ――吸魂鬼がそばまで来たときのためにね」

クラッブとゴイルがクスクス笑った。

「君こそ、もう一本手をくっつけられないのが残念だな、マルフォイ」ハリーが言った。「そうすりゃ、その手がスニッチを捕まえてくれるかもしれないのに」

グリフィンドール・チームが大声で笑った。マルフォイの薄青い目が細くなり、それから、肩をいからせてゆっくり立ち去った。マルフォイがスリザリン・チームの所に戻ると、選手全員が額を寄せ合った。マルフォイに、ハリーの箒が本物のファイアボルトだったかどうかを尋ねているにちがいない。

十一時十五分前、グリフィンドール・チームは更衣室に向かって出発した。天気は、対ハッフルパフ戦のときとはまるでちがう。からりと晴れ、ひんやりとした日で、弱い風が吹いている。今回は視界の問題はまったくないだろう。ハリーは神経がピリピリしてはいたが、クィディッチの試合だけが感じさせてくれる、あの興奮を感じはじめていた。学校中が競技場の観客席に向かう音が聞こえてきた。ハリーは黒のローブを脱ぎ、ポケットから杖を取り出し、クィディッチ・ユニフォームの下に着るTシャツの胸元に差し込んだ。使わないですめばいいけれどと思った。急に、ルーピン先生は観客の中で見守っているだろうか、とも思った。

「何をすべきか、わかってるな」

選手がもう更衣室から出ようというときに、ウッドが言った。

「この試合に負ければ、我々は優勝戦線から脱落だ。とにかく――とにかく、きのうの練習どおりに飛んでくれ。そうすりゃ、いただきだ！」

ピッチに出ると、割れるような拍手が沸き起こった。レイブンクロー・チームはブルーのユニフォームを着て、もうピッチの真ん中で待っていた。シーカーのチョウ・チャンがただ一人の女性だ。ハリーより頭一つ小さい。緊張していたのに、ハリーはチョウ・チャンがとてもかわいいことに気づかないわけにはいかなかった。

キャプテンを先頭に選手がずらりと並んだとき、チョウ・チャンがハリーにほほえんだ。とたんにハリーの胃のあたりがかすかに震えた。これは緊張とは無関係だとハリーは思った。

「ウッド、デイビース、握手して」

フーチ先生がきびきびと指示し、ウッドはレイブンクローのキャプテンと握手した。

「箒に乗って……ホイッスルの合図を待って……三――二――一！」

ハリーは地を蹴った。ファイアボルトはほかのどの箒よりも速く、高く上昇した。ハリーは競技場のはるか上空を旋回し、スニッチを探して目を凝らし、その間ずっと実況放送に耳を傾けていた。解説者は双子のウィーズリーの仲良し、リー・ジョーダンだ。

「全員飛び立ちました。今回の試合の目玉は、なんといってもグリフィンドールのハリー・ポッター乗るところのファイアボルトでしょう。『賢い箒の選び方』によれば、ファイアボルトは今年の世界選手権大会ナショナル・チームの公式箒になるとのことです――」

「ジョーダン、試合のほうがどうなっているか解説してくれませんか？」

マクゴナガル先生の声が割り込んだ。

「了解です。先生――ちょっと背景の説明をしただけで。ところでファイアボルトは、自動ブレーキが組み込まれており、さらに――」

「ジョーダン！」

「オッケー、オッケー。クアッフルはグリフィンドールのケイティ・ベルがゴールを目指しています……」

ハリーはケイティと行きちがいになる形で猛スピードで反対方向に飛び、キラリと金色に輝くものがないかと目を凝らしてあたりを見た。するとチョウ・チャンがすぐ後ろについてきているのに気づいた。確かに飛行の名手だ――たびたびハリーの進路をふさぐように横切り、方向を変えさせた。

「ハリー、チョウに加速力を見せつけてやれよ！」フレッドが、アリシアをねらったブラッジャーを追いかける途中、ハリーのそばをシュッと飛びながら叫んだ。

チョウとハリーがレイブンクローのゴールを回り込んだとき、ハリーはファイアボルトを加速し、チョウを振り切った。ケイティが初ゴールを決め、観客席のグリフィンドール側がどっと歓声を上げたちょうどその時、ハリーは見つけた――スニッチが、地上近く、観客席を仕切る柵のそばをひらひらしている。

ハリーは急降下した。チョウはハリーの動きを見て、すばやく後ろにつけてきた。ハリーはスピードを上げた。血がたぎった。急降下は十八番《おはこ》だ。あと三メートル――。

その時、レイブンクローのビーターが打ったブラッジャーが、ふいに突進してきた。ハリーは間一髪でブラッジャーをよけたが、コースをそれてしまった。そのほんの数秒、決定的な数秒の間に、スニッチは消え去った。

グリフィンドールの応援席から、「あぁぁぁぁぁぁー」とがっくりした声が上がったが、レイブンクロー側は、チームのビーターに拍手喝采した。ジョージ・ウィーズリーは腹いせにもう一個のブラッジャーを、相手チームのビーターめがけてたたきつけた。標的のビーターは、それをよけるのに、やむなく空中で一回転した。

「グリフィンドールのリード。八〇対〇。それに、あのファイアボルトの動きをご覧ください！　ポッター選手、あらゆる動きを見せてくれています。どうです、あのターン――チャン選手のコメット号はとうていかないません。ファイアボルトの精巧なバランスが実に目立ちますね。この長い――」

「**ジョーダン！　いつからファイアボルトの宣伝係にやとわれたのですか？　まじめに実況放送を続けなさい！**」

レイブンクローが巻き返してきた。三回ゴールを決め、グリフィンドールとの差を五〇点に縮めた――チョウがハリーより先にスニッチを捕れば、レイブンクローが勝つことになる。ハリーは高度を下げ、レイブンクローのチェイサーと危うくぶつかりそうになりながら、必死でピッチを見渡した。キラリ。小さな翼が羽ばたいている――スニッチがグリフィンドールのゴールの柱の周りを回っている……。

ハリーは、砂粒のような金色の光をしっかり見つめて加速した――しかし、次の瞬間、ふいにチョウが現れて行く手をさえぎった――。

「**ハリー、紳士面してる場合じゃないぞ！**」

ハリーが衝突をさけて急にコースを変えると、ウッドが吠えた。

「**チョウを箒からたたき落とせ。やるときゃやるんだ！**」

ハリーが振り向くと、チョウの顔が目に入った。得意げな笑みを浮かべている。スニッチはまたしても見えなくなった。ハリーはファイアボルトを上に向け、たちまちほかの選手たちより六メートルも上に出た。チョウがあとを追ってくるのがちらりと見えた……自分でスニッチを探すよりハリーをマークすることに決めたのだ。ようし……僕についてくるつもりなら、それなりの覚悟をしてもらおう……。

ハリーはまた急降下した。チョウはハリーがスニッチを見つけたものと思い、あとを追おうとした。ハリーが突然急上昇に転じた。チョウはそのまま急降下していった。ハリーは弾丸のようにすばやく上昇し、そして、見つけた。三度目の正直だ。スニッチはレイブンクロー側のピッチの上空をキラリキラリ、輝きながら飛んでいた。

ハリーはスピードを上げた。何メートルも下のほうでチョウも加速した。僕は勝てる。刻一刻とスニッチに近づいていく――すると――。

「あっ！」

チョウが一点を指差して叫んだ。

ハリーはつられて下を見た。

吸魂鬼が三人、頭巾をかぶった三つの背の高い黒い姿がハリーを見上げていた。

ハリーは迷わなかった。手をユニフォームの首の所から突っ込み、杖をサッと取り出し、大声で叫んだ。

「エクスペクト　パトローナム！　守護霊よ来たれ！」

白銀色の、何か大きなものが、杖の先から噴き出した。それが吸魂鬼を直撃したことが、ハリーにはわかったが、それを見ようともしなかった。不思議に意識がはっきりしていた。まっすぐ前を見た――もう少しだ。ハリーは杖を持ったまま手を伸ばし、逃げようともがく小さなスニッチを、やっと指で包み込んだ。

フーチ先生のホイッスルが鳴った。ハリーが空中で振り返ると、六つのぼやけた紅の物体がハリーめがけて迫ってくるのが見えた。次の瞬間、チーム全員がハリーを抱きしめていた。その勢いで、ハリーは危うく箒から引き離されそうになった。下の観衆の中で、グリフィンドールがひときわ大歓声を上げているのが、ハリーの耳に聞こえてきた。

「よくやった！」

ウッドは叫びっぱなしだ。アリシアも、アンジェリーナも、ケイティもハリーにキスした。フレッドががっちり羽交いじめに抱きしめたので、ハリーは首が抜けるかと思った。

上を下への大混乱のまま、チーム全員がなんとかかんとか地上に戻った。箒を降りて目を上げると、大騒ぎのグリフィンドール応援団が、ロンを先頭に、ピッチに飛び込んでくるのが見えた。あっという間にハリーはみんなの喜びの声に取り囲まれた。

「イエーイ！」

ロンはハリーの手を高々と差し上げた。

「エイ！　エイ！」

「**よくやってくれた、**ハリー！」

パーシーは大喜びだった。

「十ガリオン勝った！　ペネロピーを探さなくちゃ。失敬――」

「よかったなあ、ハリー！」

シェーマス・フィネガンが叫んだ。

「てえしたもんだ！」

群れをなして騒ぎ回るグリフィンドール生の頭上で、ハグリッドの声がとどろいた。

「立派な守護霊だったよ」と言う声が聞こえて、ハリーは振り返った。

ルーピン先生が、混乱したような、うれしそうな複雑な顔をしていた。

「吸魂鬼の影響はまったくありませんでした！」ハリーは興奮して言った。

「僕、平気でした！」

「それは、たぶん、実はあいつらは――ウム――吸魂鬼じゃなかったんだ」

ルーピン先生が言った。

「来て見てごらん――」

ハリーを人垣から連れ出し、ルーピンはピッチの端が見える所までハリーを連れていった。

「君はマルフォイ君をずいぶん怖がらせたようだよ」ルーピンが言った。

ハリーは目を丸くした。

マルフォイ、クラッブ、ゴイル、それにスリザリン・チームのキャプテンのマーカス・フリントが、折り重なるようにして地面に転がっていた。頭巾のついた長い黒いローブを脱ごうとしてみんなバタバタしていた。マルフォイはゴイルに肩車されていたようだ。四人を見下ろすように、憤怒《ふんぬ》の形相もすさまじく、マクゴナガル先生が立っていた。

「浅ましいいたずらです！」

先生が叫んだ。

「グリフィンドールのシーカーに危害を加えようとは、下劣な卑しい行為です！　みんな処罰します。さらに、スリザリン寮は五〇点減点！　このことはダンブルドア先生にお話しします。まちがいなく！　あぁ、うわさをすればいらっしゃいました！」

グリフィンドールの勝利に完璧な落ちがつけられたとすれば、それはまさにこの場の光景だ。マルフォイがローブから脱出しようともたもたもがき、ゴイルの頭はまだローブに突っ込まれたままだ。ロンはハリーに近づこうと人混みをかき分けて出てきたが、ハリーと二人でこのありさまを見て、腹を抱えて笑った。

「来いよ、ハリー！」

ジョージもこちらへ来ようと人混みをかき分けながら呼びかけた。

「パーティだ！　グリフィンドールの談話室で、すぐにだ！」

「オッケー」

ここしばらくなかったような幸せな気分をかみしめながら、ハリーが答えた。まだ紅色のユニフォームを着たままの選手全員とハリーとを先頭にして、一行は競技場を出て城への道を戻った。

まるで、もうクィディッチ優勝杯を取ったかのようだった。パーティはそれから一日中、そして夜になっても続いた。フレッドとジョージ・ウィーズリーは一、二時間いなくなったかと思うと、両手いっぱいに、バタービールの瓶やら、かぼちゃフィズ、ハニーデュークス店の菓子の詰まった袋を数個、抱えて戻ってきた。

ジョージががまがえるミントをみんなの上からばらまきはじめたとき、アンジェリーナ・ジョンソンがかん高い声で聞いた。

「いったいどうやったの？」

「ちょっと助けてもらったのさ。ムーニー、ワームテール、パッドフット、プロングズにね」

フレッドがハリーの耳にこっそりささやいた。

たった一人、祝宴に参加していない生徒がいた。なんと、ハーマイオニーは隅のほうに座って分厚い本を読もうとしていた。本の題は『イギリスにおける、マグルの家庭生活と社会的慣習』だ。テーブルではフレッドとジョージがバタービールの瓶で曲芸を始めたので、ハリーは一人そこを離れ、ハーマイオニーのそばに行った。

「試合にも来なかったのかい？」

ハリーが聞いた。

「行きましたとも」

ハーマイオニーは目を上げもせず、妙にキンキンした声で答えた。

「それに、私たちが勝ってとってもうれしいし、あなたはとてもよくやったわ。でも私、これを月曜までに読まないといけないの」

「いいから、ハーマイオニー、こっちへ来て何か食べるといいよ」

ハリーはロンのほうを見て、矛を収めそうないいムードになっているかな、と考えた。

「無理よ、ハリー。あと四百二十二ページも残ってるの！」

ハーマイオニーは今度は少しヒステリー気味に言った。

「どっちにしろ……」

ハーマイオニーもロンをちらりと見た。

「**あの人**が私に来てほしくないでしょ」

これには議論の余地がなかった。ロンがこの瞬間を見計らったように、聞こえよがしに言った。

「スキャバーズが**食われちゃって**いなければなぁ。ハエ形ヌガーがもらえたのに。あいつ、これが好物だった――」

ハーマイオニーはワッと泣きだした。ハリーがおろおろ何もできないでいるうちに、ハーマイオニーは分厚い本をわきに抱え、すすり泣きながら女子寮への階段のほうに走っていき、姿を消した。

「もう許してあげたら？」

ハリーは静かにロンに言った。

「だめだ」

ロンはきっぱり言った。

「あいつがごめんねっていう態度ならいいよ――でもあいつ、ハーマイオニーのことだもの、自分が悪いって絶対認めないだろうよ。あいつったら、スキャバーズが休暇でいなくなっただけみたいな、いまだにそういう態度なんだ」

グリフィンドールのパーティがついに終わったのは、午前一時。マクゴナガル先生がタータンチェックの部屋着に、頭にヘアネットという姿で現れ、もう全員寝なさいと命令したときだ。

ハリーとロンは寝室への階段を上るときも、まだ試合の話をしていた。ぐったりつかれて、ハリーはベッドに上がり、四本柱にかかったカーテンを引き、ベッドに射《さ》し込む月明かりが入らないようにした。横になると、たちまち眠りに落ちていくのを感じた……。


とても奇妙な夢を見た。ハリーはファイアボルトを担いで、何か銀色に光る白いものを追って森を歩いていた。その何かは前方の木立の中へ、くねくねと進んでいった。葉の陰になって、チラチラとしか見えない。追いつきたくて、ハリーはスピードを上げた。自分が速く歩くと、先を行く何かもスピードを上げる。ハリーは走りだした。前方にひづめの音が聞こえる。だんだん速くなる。ハリーは全速力で走っていた。前方のひづめの音が疾走するのが聞こえた。ハリーは角を曲がって、空き地に出た。そして――。

「**ああああああああああアアアアアアアアアアアっっっッッッッッ！　やめてぇぇぇぇぇぇぇぇぇぇぇぇぇぇぇぇ！**」

顔面にパンチを受けたような気分で、ハリーは突然目を覚ました。真っ暗な中で方向感覚を失い、ハリーはカーテンを闇雲に引っ張った――周りで人が動く音が聞こえ、部屋のむこうからシェーマス・フィネガンの声がした。

「何事だ?」

ハリーは寝室のドアがバタンと閉まる音を聞いたような気がした。やっとカーテンの端を見つけて、ハリーはカーテンをバッと開けた。同時にディーン・トーマスがランプをつけた。

ロンがベッドに起き上がっていた。カーテンが片側から切り裂かれ、ロンは恐怖で引きつった顔をしていた。

「ブラックだ! シリウス・ブラックだ! ナイフを持ってた!」

「**エーッ?**」

「ここに! たったいま! カーテンを切ったんだ! それで目が覚めたんだ!」

「夢でも見たんじゃないのか、ロン?」ディーンが聞いた。

「カーテンを見てみろ! ほんとだ。ここにいたんだ!」

みんな急いでベッドから飛び出した。ハリーが一番先にドアの所に行き、みんな階段を転がるように走った。後ろのほうでドアがいくつも開く音が聞こえ、眠そうな声が追いかけてきた。

「叫んだのは誰なんだ?」

「君たち、何してるんだ?」

談話室は消えかかった暖炉の残り火がほの明るく、まだパーティの残骸が散らかっていた。誰もいない。

「ロン、**ほんとに**、夢じゃなかった?」

「ほんとだってば。ブラックを見たんだ！」

「なんの騒ぎ？」

「マクゴナガル先生が寝なさいっておっしゃったでしょう！」

女子寮から、何人かがガウンを引っかけ、あくびをしながら階段を下りてきた。男子寮からも何人か出てきた。

「いいねえ。また続けるのかい？」フレッド・ウィーズリーが陽気に言った。

「みんな、寮に戻るんだ！」

パーシーが急いで談話室に下りてきた。そう言いながら、首席バッジをパジャマにとめつけている。

「パース——シリウス・ブラックだ！」

ロンが弱々しく言った。

「僕たちの寝室に！　ナイフを持って！　僕、起こされた！」

談話室がシーンとなった。

「ナンセンス！」

パーシーはとんでもないという顔をした。

「ロン、食べすぎたんだろう——悪い夢でも——」

「ほんとうなんだ——」

「おやめなさい！　まったく、いいかげんになさい！」

マクゴナガル先生が戻ってきた。肖像画のドアをバタンといわせて談話室に入ってくると、怖い顔でみんなをにらみつけた。

「グリフィンドールが勝ったのは、私《わたくし》もうれしいです。でもこれでは、はしゃぎすぎです。パーシー、あなたがもっとしっかりしなければ！」

「先生、僕はこんなこと、許可していません」パーシーは憤慨して体をふくれ上がらせた。

「僕はみんなに寮に戻るように言っていただけです。弟のロンが悪い夢にうなされて――」

「悪い夢なんかじゃない！」

ロンが叫んだ。

「先生、僕、目が覚めたら、シリウス・ブラックが、ナイフを持って、僕の上に立ってたんです！」

マクゴナガル先生はロンをじっと見すえた。

「ウィーズリー、冗談はおよしなさい。肖像画の穴をどうやって通過できたというんです？」

「あの人に聞いてください！」

ロンはカドガン卿《きょう》の絵の裏側を震える指で示した。

「あの人が見たかどうか聞いてください――」

ロンを疑わしそうな目でにらみながら、マクゴナガル先生は肖像画を裏から押して、外に出ていった。

談話室にいた全員が、息を殺して耳をそばだてた。

「カドガン卿、いましがた、グリフィンドール塔に男を一人通しましたか？」

「通しましたぞ、ご婦人！」

カドガン卿が叫んだ。

談話室の外と中とが、同時に愕然《がくぜん》として沈黙した。

「と――**通した？**」

マクゴナガル先生の声だ。

「あ——合言葉は！」

「持っておりましたぞ！」

カドガン卿は誇らしげに言った。

「ご婦人、一週間分全部持っておりました。小さな紙切れを読み上げておりました！」

マクゴナガル先生は肖像画の穴から戻り、みんなの前に立った。驚いて声もないみんなの前で、先生は血の気の失せた、ろうのような顔だった。

「誰ですか」

先生の声が震えている。

「今週の合言葉を書き出して、その辺に放っておいた、底抜けの愚か者は、誰です？」

咳《せき》払い一つない静けさを破ったのは、「ヒッ」という小さな悲鳴だった。ネビル・ロングボトムが、頭のてっぺんから、ふわふわのスリッパに包まれた足のつま先まで、ガタガタ震えながら、そろそろと手を挙げていた。

第14章　スネイプの恨み

その夜、グリフィンドール塔では誰も眠れなかった。再び城が捜索されているのをみんな知っていた。全員が談話室でまんじりともせずに、ブラック逮捕の知らせを待った。マクゴナガル先生が明け方に戻ってきて、ブラックがまたもや逃げおおせたと告げた。

次の日、どこもかしこも警戒が厳しくなっていた。フリットウィック先生は入口のドアというドアに、シリウス・ブラックの大きな写真を見せて、人相を覚え込ませていた。フィルチは急に気ぜわしく廊下を駆けずり回り、小さなすきまからネズミの出入口まで、穴という穴に板を打ちつけていた。カドガン卿《きょう》はクビになり、元いた八階のさびしい踊り場に戻された。「太った婦人《レディ》」が帰ってきた。絵は見事な技術で修復されていたが、婦人はまだ神経をとがらせていて、護衛が強化されることを条件に、やっと職場復帰を承知した。婦人の警備に無愛想なトロールが数人雇われた。トロールは組になって廊下を往《い》ったり来たりしてあたりを威嚇し、ブーブー唸《うな》りながら、互いの棍棒《こんぼう》の太さを競っていた。

四階の隻眼の魔女像が、警備もされず、ふさがれてもいないことが、ハリーは気になっていた。この像の内側に隠れた抜け道があることを知っているのは、フレッドとジョージの言うとおり、双子のウィーズリー――それにいまではハリー、ロン、ハーマイオニーも入るが――だけだったということになる。

「誰かに教えるべきなのかなぁ？」ハリーがロンに聞いた。

「ハニーデュークス店から入ってきたんじゃないって、わかってるじゃないか」ロンはまともに取り合わなかった。「店に侵入したんだったら、うわさが僕たちの耳に入ってるはずだろ」

ハリーはロンがそういう考え方をしたのがうれしかった。もし隻眼の魔女までふさがれてしまったら、二度とホグズミードには行けなくなってしまう。

ロンはにわかに英雄になった。ハリーではなくロンのほうに注意が集まるのは、ロンにとって初めての経験だ。ロンがそれをかなり楽しんでいるのは明らかだった。あの夜の出来事で、ロンはまだひどくショックを受けたままだったが、聞かれれば誰にでも、うれしそうに、微に入り細をうがって語って聞かせた。

「……僕が寝てたら、ビリビリッて何かを引き裂く音がして、僕、夢だろうって思ったんだ。だってそうだよね？　だけど、すきま風がサーッときて……僕、目が覚めた。ベッドのカーテンの片側が引きちぎられてて……僕、寝返りを打ったんだ……そしたら、ブラックが僕の上に覆いかぶさるように立ってたんだ……まるでドロドロの髪を振り乱した骸骨みたいだった……こーんなに長いナイフを持ってた。刃渡り三十センチぐらいはあったな……それで、あいつは僕を見た。僕もあいつを見た。そして僕が叫んで、あいつは逃げていった」

「だけど、どうしてかなぁ？」

怖がりながらもロンの話に聞きほれていた二年生の女子学生がいなくなってから、ロンはハリーに向かって言った。

「どうしてトンズラしたんだろう？」

ハリーも同じことを疑問に思っていた。ねらうベッドをまちがえたなら、ロンの口を封じて、それからハリーに取りかかればいいのに、どうしてだろう？　ブラックが罪もない人を殺しても平気なのは、十二年前の事件で証明ずみだ。今度はたかが男の子五人。武器も持っていない。しかもそのうち四人は眠っていたじゃないか。ハリーは考えながら答えた。

「君が叫んで、みんなを起こしてしまったら、城を出るのがひと苦労だってわかってたんじゃないかな。肖像画の穴を通って出るのに、ここの寮生をみな殺しにしなけりゃならなかったかもしれない……そのあとは、先生たちに見つかってしまったかもしれない……」

ネビルは面目丸つぶれだった。マクゴナガル先生の怒りはすさまじく、今後いっさいホグズミードに行くことを禁じ、罰を与え、ネビルには合言葉を教えてはならないとみんなに言い渡した。哀れなネビルは、毎晩誰かが一緒に入れてくれるまで、談話室の外で待つはめになり、その間、警備のトロールがじろっじろっとうさんくさそうに横目でネビルを見た。

しかし、それもこれも、ネビルのばあちゃんから届いたものに比べれば、物の数ではなかった。ブラック侵入の二日後、ばあちゃんは、朝食時に生徒が受け取る郵便物の中でも最悪のものをネビルに送ってよこした――「吠《ほ》えメール」だ。

いつものように、学校のふくろうたちが郵便物を運んで大広間にスイーッと舞い降りてきた。一羽の大きなメンフクロウが、真っ赤な封筒をくちばしにくわえてネビルの前に降りたとき、ネビルはほとんど息もできなかった。ネビルのむかい側に座っていたハリーとロンには、それが吠えメールだとすぐわかった――ロンも去年一度、母親から受け取ったことがある。

「ネビル、逃げろ」ロンが忠告した。

言われるまでもなくネビルは封筒を引っつかみ、まるで爆弾を捧げ持つように腕を伸ばして手紙を持ち、全速力で大広間から出ていった。見ていたスリザリンのテーブルからは大爆笑が起こった。玄関ホールで吠えメールが爆発するのが聞こえてきた――ネビルのばあちゃんの声が、魔法で百倍に拡大され、「なんたる恥さらし。一族の恥」とガミガミどなっている。

ネビルをかわいそうに思うあまり、ハリーは自分にも手紙が来ていることに気づかなかった。ヘドウィグがハリーの手首を鋭くかんで注意をうながした。

「あいたっ！　あ、ヘドウィグ、ありがとう」

封筒を破る間、ヘドウィグはネビルのコーンフレークを勝手についばみはじめた。メモが入っていた。

ハリー、ロン、元気か？

今日六時ごろ、お茶を飲みに来んか？　俺が城まで迎えにいく。玄関ホールで待つんだぞ。二人だけで出ちゃなんねえ。

そんじゃな。

ハグリッド

「きっとブラックのことが聞きたいんだ！」ロンが言った。

そこで、六時に、ハリーとロンはグリフィンドール塔を出て、警備のトロールの脇を駆け抜け、玄関ホールに向かった。

ハグリッドはもうそこで待っていた。

「まかしといてよ、ハグリッド」ロンが言った。「土曜日の夜のことを聞きたいんだろ？　ね？」

「そいつはもう全部聞いちょる」ハグリッドは玄関の扉を開け、二人を外に連れ出しながら言った。

「そう」ロンはちょっとがっかりしたようだった。

ハグリッドの小屋に入ったとたん、目についたのは、バックビークだった。ハグリッドのベッドで、パッチワーク・キルトのベッドカバーの上に寝そべり、巨大な翼をぴっちりたたんで、大皿に盛った死んだイタチのごちそうに舌つづみを打っていた。あまり見たくないので目をそらしたハリーは、ハグリッドのたんすの扉の前にぶら下がっている洋服を見つけた。毛のもこもことした巨大な茶の背広と、真っ黄色とだいだい色のひどくやぼったいネクタイだ。

「ハグリッド、これ、いつ着るの？」ハリーが聞いた。

「バックビークが『危険生物処理委員会』の裁判にかけられる」ハグリッドが答えた。

「金曜日だ。俺と二人でロンドンに行く。夜の騎士《ナイト》バスにベッドをふたっつ予約した……」

ハリーは申し訳なさに胸がうずいた。バックビークの裁判がこんなに迫っていたのをすっかり忘れていた。ロンのバツの悪そうな顔を見ると、ロンも同じ気持ちらしい。バックビークの弁護の準備を手伝うという約束を忘れていた。ファイアボルトの出現で、すっかり頭から吹っ飛んでしまっていた。

ハグリッドが紅茶をいれ、干しブドウ入りのバース風菓子パンを勧めたが、二人とも食べるのは遠慮した。ハグリッドの料理は充分に経験ずみだ。

「二人に話してえことがあってな」ハグリッドは二人の間に座り、柄にもなく真剣な顔をした。

「なんなの？」ハリーが尋ねた。

「ハーマイオニーのことだ」ハグリッドが言った。

「ハーマイオニーがどうかしたの？」ロンが聞いた。

「あの子はずいぶん気が動転しとる。クリスマスからこっち、ハーマイオニーはよーくここに来た。さびしかったんだな。最初はファイアボルトのことで、おまえさんらはあの子と口をきかんようになった。今度はあの子の猫が――」

「――スキャバーズを食ったんだ！」ロンが怒ったように口をはさんだ。

「あの子の猫が猫らしくふるまったからっちゅうてだ」ハグリッドはねばり強く話し続けた。

「しょっちゅう泣いとったぞ。いまあの子は大変な思いをしちょる。手に負えんぐれえ、いっぺー背負い込みすぎちまったんだな、ウン。勉強をあんなにたーくさん。そんでも時間を見っけて、バックビークの裁判の手伝いをしてくれた。ええか……俺のために、ほんとに役立つやつを見っけてくれた……バックビークは今度は勝ち目があると思うぞ……」

「ハグリッド、僕たちも手伝うべきだったのに――ごめんなさい――」

ハリーはバツの悪い思いで謝りはじめた。

「おまえさんを責めているわけじゃねえ！」ハグリッドは手を振ってハリーの弁解をさえぎった。「おまえさんにも、やることがたくさんあったのは、俺もよーくわかっちょる。おまえさんが四六時中クィディッチの練習をしてたのを俺は見ちょった――ただ、これだけは言わにゃなんねえ。おまえさんら二人なら、箒《ほうき》やネズミより友達のほうを大切にすると、俺はそう思っとったぞ。言いてえのはそれだけだ」

ハリーとロンはお互いに気まずそうに目を見合わせた。

「心底心配しちょったぞ、あの子は。ロン、おまえさんが危うくブラックに刺されそうになったときにな。ハーマイオニーの心はまっすぐだ、あの子はな。だのに、おまえさんら二人は、あの子と口もきかん――」

「ハーマイオニーがあの猫をどっかにやってくれたら、僕、また口をきくのに」ロンは怒った。「なのに、ハーマイオニーは頑固に猫をかばってるんだ！　あの猫は狂ってる。なのに、ハーマイオニーは猫の悪口はまるで受けつけないんだ」

「ああ、ウン。ペットのこととなると、みんなちいっとバカになるからな」

ハグリッドは悟ったように言った。その背後で、バックビークがイタチの骨を二、三本、ハグリッドの枕にプイッと吐き出した。

それからあとは、グリフィンドールがクィディッチ優勝杯を取る確率が高くなったという話で盛り上がった。

九時に、ハグリッドが二人を城まで送った。

談話室に戻ると、掲示板の前にかなりの人垣ができていた。

「今度の週末はホグズミードだ！」

ロンがみんなの頭越しに首を伸ばして、新しい掲示を読み上げた。

「どうする？」腰かける場所を探しながら、ロンがこっそりハリーに聞いた。

「そうだな。フィルチはハニーデュークス店への通路にはまだなんにも手出ししてないし……」

ハリーがさらに小さな声で答えた。

「ハリー！」

ハリーの右耳に声が飛び込んできた。驚いてきょろきょろあたりを見回すと、ハーマイオニーが目に入った。二人のすぐ後ろのテーブルに座っていたのに、本の壁に隠れて見えなかったのだ。その壁にすきまを開けてハーマイオニーがのぞいていた。

「ハリー、今度ホグズミードに行ったりしたら……私、マクゴナガル先生にあの地図のことお話しするわ！」

「ハリー、誰か何か言ってるのが聞こえるかい？」

ロンはハーマイオニーを見もせずに唸った。

「ロン、あなた、ハリーを連れていくなんてどういう神経？　シリウス・ブラックが**あなたに**あんなことをしたあとで！　本気よ。私、言うから――」

「そうかい。君はハリーを退学にさせようってわけだ！」ロンが怒った。「今学期、こんなに犠牲者を出しても、まだ足りないのか？」

ハーマイオニーは口を開いて何か言いかけたが、その時、小さな鳴き声を上げ、クルックシャンクスがひざに飛びのった。ハーマイオニーは一瞬ドキリとしたようにロンの顔色をうかがい、サッとクルックシャンクスを抱きかかえると、急いで女子寮のほうに去っていった。

「それで、どうするんだい？」ロンは、まるで何事もなかったかのようにハリーに聞いた。「行こうよ。この前は、君、ほとんどなんにも見てないんだ。『ゾンコ』の店に入ってもいないんだぜ！」

ハリーは振り返り、ハーマイオニーがもう声の聞こえない所まで行ってしまったことを確かめた。

「オッケー。だけど、今度は透明マントを着ていくよ」

土曜日の朝、ハリーは透明マントを鞄《かばん》に詰め、忍びの地図をポケットにすべり込ませて、みんなと一緒に朝食に下りていった。ハーマイオニーがテーブルのむこうからちらりちらりと疑わしげにハリーをうかがい続けた。ハリーはその視線をさけ、みんなが正面扉に向かったときも、自分が玄関ホールの大理石の階段を逆戻りするところを、ハーマイオニーにしっかり確認させるようにした。

「じゃあ！」ハリーがロンに呼びかけた。「帰ってきたらまた！」

ロンはニヤッと片目をつぶって見せた。

ハリーは忍びの地図をポケットから取り出しながら、急いで四階に上がった。隻眼の魔女の裏にうずくまり、地図を広げると、小さな点がこっちへ向かってくるのが見えた。ハリーは目を凝らした。点のそばの細かい文字は、「ネビル・ロングボトム」と読める。

ハリーは急いで杖《つえ》を取り出し、「**ディセンディウム！　降下！**」と唱えて鞄を像の中に突っ込んだ。しかし自分が入り込む前に、ネビルが角を曲がって現れた。

「ハリー！　君もホグズミードに行かなかったんだね。僕、忘れてた！」

「やあ、ネビル」ハリーは急いで像から離れ、地図をポケットに押し込んだ。「何してるんだい？」

「別に」ネビルは肩をすくめた。「爆発スナップ・ゲームして遊ぼうか？」

「ウーン――あとでね――僕、図書館に行ってルーピンの『吸血鬼』のレポートを書かなきゃ――」

「僕も行く！」ネビルは生き生きと言った。「僕もまだなんだ！」

「ア――ちょっと待って――あぁ、忘れてた。僕、きのうの夜、終わったんだっけ！」

「すごいや。なら、手伝ってよ！」ネビルの丸顔が不安げだった。「僕、あのニンニクのこと、さっぱりわからないんだ――食べなきゃならないのか、それとも――」

ネビルは「アッ」と小さく息をのみ、ハリーの肩越しに後ろのほうを見つめた。

スネイプだった。ネビルはあわててハリーの後ろに隠れた。

「ほう？　二人ともここで何をしているのかね？」スネイプは足を止め、二人の顔を交互に見た。

「奇妙な所で待ち合わせるものですな――」

スネイプの暗い目がサッと走り、二人の両側の出入口、それから隻眼の魔女の像に移ったので、ハリーは気が気ではなかった。

「僕たち――待ち合わせしたのではありません。ただ――ここでばったり出会っただけです」

ハリーが言った。

「ほーう？　ポッター。君はどうも予期せぬ場所に現れるくせがあるようですな。しかもほとんどの場合、何も理由なくしてその場にいるということはない……。二人とも、自分のおるべき場所、グリフィンドール塔に戻りたまえ」

ハリーとネビルはそれ以上何も言わずにその場を離れた。角を曲がるときにハリーが振り返ると、スネイプは隻眼の魔女の頭を手でなぞり、念入りに調べていた。

太った婦人の肖像画の所でネビルに合言葉を教え、吸血鬼のレポートを図書館に置き忘れたと言い訳して、ハリーはやっとネビルを振り切り、もう一度、元来た道を戻った。

警備トロールの目の届かない所まで来ると、ハリーはまた地図を引っ張り出し、顔にくっつくぐらいそばに引き寄せてよくよく見た。

四階の廊下には誰もいないようだ。地図の隅々まで念入りに調べ、「セブルス・スネイプ」と書いてある小さな点が自分の研究室に戻っていることがわかり、ハリーはようやくホッとした。

ハリーは大急ぎで隻眼の魔女像まで取って返し、こぶを開けて中に入り、石の斜面をすべり降りて、先に落としておいた鞄を拾った。忍びの地図を白紙に戻してから、ハリーは駆けだした。


透明マントにすっぽり隠れたままで、ハリーはさんさんと陽《ひ》の当たる「ハニーデュークス」の店の前にたどり着き、ロンの背中をちょんとつついた。

「僕だよ」ハリーがささやいた。

「遅かったな。どうしたんだい？」ロンがささやき返した。

「スネイプがうろうろしてたんだ……」

二人は中心街のハイストリート通りを歩いた。

「どこにいるんだい？」ロンはほとんど唇を動かさずに話しかけて、何度も確かめた。

「そこにいるのかい？　なんだか変な気分だ……」

郵便局にやってきた。ハリーがゆっくり眺められるよう、ロンはエジプトにいる兄のビルに送るふくろう便の値段を確かめているようなふりをした。少なくとも三百羽くらいのふくろうがとまり木からハリーのほうを見下ろして、ホーホーとやわらかな鳴き声を上げていた。大型の灰色ふくろうもいれば、ハリーの手のひらにおさまりそうな小型のコノハズク（近距離専用便）もいた。

次に「ゾンコ」の店に行くと、生徒たちでごった返していた。誰かの足を踏んづけて大騒動を引き起こさないよう、ハリーは細心の注意を払わなければならなかった。いたずらの仕掛けや道具が並び、フレッドやジョージの極めつきの夢でさえ叶えられそうだった。ハリーはロンにヒソヒソ声で自分の買いたいものを伝え、透明マントの下からこっそり金貨を渡した。「ゾンコ」の店を出たときは、二人とも入ったときよりだいぶ財布が軽くなり、かわりにポケットのほうは、クソ爆弾、しゃっくり飴《あめ》、カエル卵石けん、それに一人一個ずつ買った鼻食いつきティーカップなどでふくれ上がっていた。

よい天気で風はそよぎ、二人とも建物の中にばかりいたくなかったので、パブ「三本の箒」の前を通り、坂道を上り、英国一の呪われた館「叫びの屋敷」を見にいった。屋敷は村はずれの小高い所に建っていて、窓には板が打ちつけられ、庭は草ぼうぼうで湿っぽく、昼日中でも薄気味悪かった。

「ホグワーツのゴーストでさえ近寄らないんだ」

二人で垣根に寄りかかり、屋敷を見上げながら、ロンが言った。

「僕、『ほとんど首なしニック』に聞いたんだ……そしたら、ものすごく荒っぽい連中がここに棲《す》みついていると聞いたことがあるってさ。だーれも入れやしない。フレッドとジョージは、当然、やってみたけど、入口は全部密封状態だって……」

坂を上ったので暑くなり、ハリーがちょっとの間、透明マントを脱ごうかと考えていたちょうどその時、近くで人声がした。誰かが丘の反対側から屋敷のほうに上ってくる。まもなくマルフォイの姿が現れた。クラッブとゴイルが後ろにべったりくっついていて、マルフォイが何か話している。

「……父上からのふくろう便がもう届いてもいいころだ。僕の腕のことで聴聞会に出席なさらなければならなかったんだ……三か月も腕が使えなかった事情を話すのに……」

クラッブとゴイルがクスクス笑った。

「あの毛むくじゃらのウスノロデカがなんとか自己弁護しようとするのを聞いてみたいよ……『こいつは何も悪さはしねえです。ほんとですだ――』とか……あのヒッポグリフはもう死んだも同然だよ――」

マルフォイは突然ロンの姿に気づいた。青白いマルフォイの顔がニヤリと意地悪くゆがんだ。

「ウィーズリー、何してるんだい？」

マルフォイはロンの背後にあるボロ屋敷を見上げた。

「さしずめ、ここに住みたいんだろうねえ。ウィーズリー、ちがうかい？　自分の部屋が欲しいなんて夢見てるんだろう？　君の家じゃ、全員がひと部屋で寝るって聞いたけど――ほんとかい？」

ハリーはロンのローブの後ろをつかんで、マルフォイに飛びかかろうとするロンを止めた。

「僕に任せてくれ」ハリーはロンの耳元でささやいた。

こんなに完璧なチャンスを逃す手はない。ハリーはそっとマルフォイ、クラッブ、ゴイルの背後に回り込み、しゃがんで地べたの泥を片手にたっぷりすくった。

「僕たち、ちょうど君の友人のハグリッドのことを話してたところだよ」マルフォイが言った。

「『危険生物処理委員会』でいまあいつが何を言ってるだろうってね。委員たちがヒッポグリフの首をちょん切ったら、あいつは泣くかなあ――」


ベチャッ！

泥が命中し、マルフォイの頭がグラッと前に傾いた。シルバーブロンドの髪から突如、泥がポタポタ落ちはじめた。

「な、なんだ――？」

ロンは垣根につかまらないと立っていられないほど笑いこけた。マルフォイ、クラッブ、ゴイルはそこいら中をきょろきょろ見回しながら、ばかみたいに同じ所をぐるぐる回り、マルフォイは髪の泥を落とそうと躍起になっていた。

「いったいなんだ？　誰がやったんだ？」

「このあたりはなかなか呪われ模様ですね？」ロンは天気の話をするような調子で言った。

クラッブとゴイルはビクビクしていた。筋骨隆々もゴーストには役に立たない。マルフォイは、周りには誰もいないのに、狂ったようにあたりを見回していた。

ハリーは、ひどくぬかるんで悪臭を放っている、緑色のヘドロの所まで忍び足で移動した。

ベチャッ！

今度はクラッブとゴイルに命中だ。ゴイルはその場でピョンピョン飛び上がり、小さなどんよりした目をこすってヘドロをふき取ろうとした。

「あそこから来たぞ！」

マルフォイも顔をぬぐいながら、ハリーから左に二メートルほど離れた一点をにらんだ。

クラッブが長い両腕をゾンビのように突き出して、危なっかしい足取りで前進した。ハリーは身をかわし、棒切れを拾ってクラッブの背中にポーンと投げつけた。クラッブが、いったい誰が投げたのかと、バレエのピルエットのようにつま先立ちで回転するのを見て、ハリーは声を立てずに腹を抱えて笑った。クラッブにはロンしか見えないので、ロンにつかみかかろうとしたが、ハリーが突き出した足につまずいた――クラッブのばかでかい偏平足《へんぺいそく》が、ハリーの透明マントのすそを踏んづけ、マントがギュッと引っ張られるのを感じたとたん、頭からマントがすべり落ちた。

ほんの一瞬、マルフォイが目を丸くしてハリーを見た。

「**ギャアアア！**」

ハリーの生首を指差して、マルフォイが叫んだ。それからくるりと背を向け、死に物狂いで丘を走り下っていった。クラッブとゴイルもあとを追った。

ハリーは透明マントを引っ張り上げたが、もうあとの祭りだった。

「ハリー！」ロンがよろよろと進み出て、ハリーの姿が消えたあたりを絶望的な目で見つめた。「逃げたほうがいい！　マルフォイが誰かに告げ口したら――君は城に帰ったほうがいい。急げ――」

「じゃあ」ハリーはそれだけ言うと、ホグズミード村への小道を一目散に駆け戻った。

マルフォイは自分の見たものを信じるだろうか？　マルフォイの言うことを誰かが信じるだろうか？　透明マントのことは誰も知らない――ダンブルドア以外は。ハリーは胃がひっくり返る思いだった――マルフォイが何か言ったら、何が起きたか、ダンブルドアだけははっきりわかるはずだ――。

ハニーデュークス店に戻り、地下室への階段を下り、石の床を渡り、床の隠し扉を抜け――ハリーは透明マントを脱いで小脇に抱え、トンネルをひた走りに走った……。マルフォイのほうが先に戻るだろう……先生を探すのにどのくらいかかるだろう？　息せき切って走り、脇腹が刺し込むように痛んだが、ハリーは石のすべり台にたどり着くまで速度をゆるめなかった。透明マントはここに置いていくほかないだろう。もしマルフォイが先生に告げ口したとなれば、このマントが動かぬ証拠になってしまう。ハリーはマントを薄暗い片隅に隠し、できるだけ急いですべり台を上りはじめた。手すりをつかむ手が汗ですべった。魔女の背中のこぶの内側にたどり着き、杖で軽くたたき、頭を突き出し、体を持ち上げて外に出た。こぶが閉じた。銅像の陰からハリーが飛び出したとたん、急ぎ足で近づく足音が聞こえてきた。

スネイプだった。黒いローブのすそをひるがえし、すばやくハリーに近づき、ハリーの真正面で足を止めた。

「さてと」スネイプが言った。

スネイプは、勝ち誇る気持ちを無理に抑えつけたような顔をしていた。ハリーはなんにもしてません、という表情をしてみたものの、顔から汗が噴き出し、両手は泥んこなのが自分でもよくわかっていた。

ハリーは急いで手をポケットに突っ込んだ。

「ポッター、一緒に来たまえ」スネイプが言った。

ハリーはスネイプの後ろについて階段を下り、スネイプに気づかれないようにポケットの中で手をぬぐおうとした。二人は地下牢《ろう》教室へと階段を下り、それからスネイプの研究室に入った。

ハリーはここに一度だけ来たことがあったが、その時もひどく面倒なことに巻き込まれていた。あれ以来、スネイプは気味の悪いぬめぬめしたものの瓶づめをまたいくつか増やしていた。机の後ろの棚にずらりと並び、暖炉の火を受けてキラリ、キラリと光って、威圧的なムードを盛り上げている。

「座りたまえ」

ハリーは腰かけたが、スネイプは立ったままだった。

「ポッター、マルフォイ君がたったいま、我輩に奇妙な話をしてくれた」

ハリーはだまっていた。

「その話によれば、『叫びの屋敷』まで上っていったところ、ウィーズリーに出会ったそうだ——一人でいたらしい」

ハリーはまだだまったままだった。

「マルフォイ君の言うには、ウィーズリーと立ち話をしていたら、大きな泥の塊が飛んできて、頭の後ろに当たったそうだ。そのようなことがどうやって起こりうるか、おわかりかな？」

「僕、わかりません、先生」ハリーは少し驚いた顔をしてみせた。

スネイプの目が、ハリーの目をぐりぐりとえぐるように迫った。まるでヒッポグリフとのにらめっこ状態だった。ハリーは瞬《まばた》きをしないようがんばった。

「マルフォイ君はそこで異常な幻を見たと言う。それがなんであったのか、ポッター、想像がつくかな？」

「いいえ」今度はむじゃきに興味を持ったふうに聞こえるよう努力した。

「ポッター、君の首だった。空中に浮かんでいた」

長い沈黙が流れた。

「マルフォイはマダム・ポンフリーの所に行ったほうがいいんじゃないでしょうか。変なものが見えるなんて――」

「ポッター、君の首はホグズミードでいったい何をしていたのだろうねえ？」

スネイプの口調はやわらかだ。

「君の首はホグズミードに行くことを許されてはいない。君の体のどの部分も、ホグズミードに行く許可を受けていないのだ」

「わかっています」一点の罪の意識も恐れも顔に出さないよう、ハリーは突っ張った。「マルフォイはたぶん幻覚を――」

「マルフォイは幻覚など見てはいない」

スネイプは歯をむき出し、ハリーの座っている椅子の左右のひじかけに手をかけて顔を近づけた。顔と顔が三十センチの距離に迫った。

「君の首がホグズミードにあったなら、体のほかの部分もあったのだ」

「僕、ずっとグリフィンドール塔にいました。先生に言われたとおり――」

「誰か証人がいるのか？」

ハリーは何も言えなかった。スネイプの薄い唇がゆがみ、恐ろしい笑みが浮かんだ。

「なるほど」スネイプはまた体を起こした。

「魔法大臣はじめ、誰もかれもが、有名人のハリー・ポッターをシリウス・ブラックから護《まも》ろうとしてきた。しかるに、有名なハリー・ポッターは自分自身が法律だとお考えのようだ。一般の輩《やから》はハリー・ポッターの安全のために勝手に心配すればよい！　有名人ハリー・ポッターは好きな所へ出かけて、その結果どうなるかなぞ、おかまいなしというわけだ」

ハリーはだまっていた。スネイプはハリーを挑発して白状させようとしている。その手に乗るもんか。スネイプには証拠がない――まだ。

「ポッター、なんと君の父親に恐ろしくそっくりなことよ」

スネイプの目がギラリと光り、唐突に話が変わった。

「君の父親もひどく傲慢だった。少しばかりクィディッチの才能があるからといって、自分がほかの者より抜きん出た存在だと考えていたようだ。友人や取り巻きを連れていばりくさって歩き……瓜《うり》二つで薄気味悪いことよ」

「父さんは**いばって**歩いたりしなかった」思わず声が出た。「僕だってそんなことしない」

「君の父親も、規則を歯牙にもかけなかった」優位に立ったスネイプは、細長い顔に悪意をみなぎらせ、言葉を続けた。「規則なぞ、つまらん輩のもので、クィディッチ杯の優勝者のものではないと。はなはだしい思い上がりの……」

「**だまれ！**」

ハリーは突然立ち上がった。プリベット通りをあとにしたあの晩以来の激しい怒りが、体中を怒涛《どとう》のように駆けめぐった。スネイプの顔が硬直しようが、暗い目が危険な輝きを帯びようが、かまうものか。

「**我輩に向かって、なんと言ったのかね、ポッター？**」

「だまれって言ったんだ、父さんのことで！」ハリーは叫んだ。「僕はほんとうのことを知ってるんだ。いいですか？　父さんはあなたの命を救ったんだ！　ダンブルドアが教えてくれた！　父さんがいなきゃ、あなたはここにこうしていることさえできなかったんだ！」

スネイプの土気色の顔が、くさった牛乳の色に変わった。

「それで、校長は、君の父親がどういう状況で我輩の命を救ったのかも教えてくれたのかね？」

スネイプはささやくように言った。

「それとも、校長は、詳細なる話が、大切なポッターの繊細なお耳にはあまりに不快だと思《おぼ》し召したかな？」

ハリーは唇をかんだ。いったい何が起こったのか、ハリーは知らなかったし、知らないと認めるのはいやだった――しかし、スネイプの推量は確かに当たっていた。

「君がまちがった父親像を抱いたままこの場を立ち去ると思うと、ポッター、虫酸《むしず》が走る。我輩が許さん」スネイプは顔をゆがめ、恐ろしい笑みを浮かべた。

「輝かしい英雄的行為でも想像していたのかね？　なればご訂正申し上げよう――君の聖人君子の父上は、友人と一緒に我輩に大いに楽しいいたずらを仕掛けてくださった。それは我輩を死に至らしめるようなものだったが、君の父親が土壇場で弱気になった。君の父親の行為のどこが勇敢なものか。我輩の命を救うと同時に、自分の命運も救ったわけだ。あのいたずらが成功していたら、あいつはホグワーツを追放されていたはずだ」

スネイプは黄色い不ぞろいの歯をむき出した。

「ポッター、ポケットをひっくり返したまえ！」

突然吐き捨てるような言い方だった。

ハリーは動かなかった。耳の奥でドクンドクンと音がする。

「ポケットをひっくり返したまえ。それともまっすぐ校長の所へ行きたいのか！　ポッター、ポケットを裏返すんだ！」

恐怖に凍りつき、ハリーはのろのろとゾンコ店のいたずらグッズの買い物袋と忍びの地図を引っ張り出した。

スネイプはゾンコ店の袋をつまみ上げた。

「ロンにもらいました」

スネイプがロンに会う前に、ロンに知らせるチャンスがありますように、とハリーは祈った。

「ロンが――この前ホグズミードから持ってきてくれました――」

「ほう？　それ以来ずっと持ち歩いていたというわけだ。なんとも泣かせてくれますな……ところでこっちは？」

スネイプが地図を取り上げた。ハリーは平然とした顔を保とうと、ありったけの力を振りしぼった。

「余った羊皮紙の切れっぱしです」ハリーはなんでもないというふうに肩をすくめた。

スネイプはハリーを見すえたまま羊皮紙を裏返した。

「こんな**古ぼけた**切れっぱし、当然君には必要ないだろう？　我輩が――捨ててもかまわんな？」

スネイプの手が暖炉のほうへ動いた。

「やめて！」ハリーはあわてた。

「ほう！」スネイプは細長い鼻の穴をひくつかせた。

「これもまたウィーズリー君からの大切な贈り物ですかな？　それとも――何か別物かね？　もしや、手紙かね？　透明インクで書かれたとか？　それとも――吸魂鬼のそばを通らずにホグズミードに行く案内書か？」

ハリーは瞬きをし、スネイプの目が輝いた。

「なるほど、なるほど……」

ブツブツ言いながらスネイプは杖を取り出し、地図を机の上に広げた。

「**汝《なんじ》の秘密を現せ！**」

杖で羊皮紙に触れながらスネイプが唱えた。

何事も起こらない。ハリーは手の震えを抑えようと、ギュッと拳を握りしめた。

「**正体を現せ！**」鋭く地図をつつきながらスネイプが唱えた。

白紙のままだ。ハリーは気を落ち着かせようと深呼吸した。

「**ホグワーツ校教師、セブルス・スネイプ教授が汝に命ず。汝の隠せし情報を差し出すべし！**」

スネイプは杖で地図を強くたたいた。

まるで見えない手が書いているかのように、なめらかな地図の表面に文字が現れた。

「**私《わたくし》、ミスター・ムーニーからスネイプ教授にご挨拶申し上げる。他人事に対する異常なおせっかいはお控えくださるよう、切にお願いいたすしだい**」

スネイプは硬直した。ハリーはあぜんとして文字を見つめた。地図のメッセージはそれでおしまいではなかった。最初の文字の下から、またまた文字が現れた。

「**私、ミスター・プロングズもミスター・ムーニーに同意し、さらに、申し上げる。スネイプ教授はろくでもない、いやなやつだ**」

状況がこんなに深刻でなければ、おかしくて噴き出すところだ。しかも、まだ続く……。

「**私、ミスター・パッドフットは、かくも愚かしき者が教授になれたことに、驚きの意を記すものである**」

ハリーはあまりの恐ろしさに目をつぶった。目を開けると、地図が最後の文字をつづっていた。

「**私、ミスター・ワームテールがスネイプ教授にご挨拶を申し上げ、その薄汚いどろどろ頭を洗うようご忠告申し上げる**」

ハリーは最後の審判を待った。

「ふむ……」スネイプが静かに言った。「片をつけよう……」

スネイプは暖炉に向かって大股に歩き、暖炉の上の瓶からキラキラする粉をひと握りつかみ取り、炎の中に投げ入れた。

「ルーピン！」スネイプが炎に向かって叫んだ。「話がある！」

何がなんだかわからないまま、ハリーは炎を見つめた。何か大きな姿が、急回転しながら炎の中に現れた。やがて、ルーピン先生が、くたびれたローブから灰を払い落としながら、暖炉から這《は》い出てきた。

「セブルス、呼んだかい？」ルーピンがおだやかに言った。

「いかにも」怒りに顔をゆがめ、机のほうに戻りながら、スネイプが答えた。

「いましがた、ポッターにポケットの中身を出すように言ったところ、こんなものを持っていた」

スネイプは羊皮紙を指差した。ムーニー、ワームテール、パッドフット、プロングズの言葉が、まだ光っていた。ルーピンは奇妙な、うかがい知れない表情を浮かべた。

「それで？」スネイプが言った。

ルーピンは地図を見つめ続けている。ハリーは、ルーピン先生がとっさの機転をきかそうとしているような気がした。

「**それで？**」再びスネイプがうながした。

「この羊皮紙にはまさに『闇の魔術』が詰め込まれている。ルーピン、君の専門分野だと拝察するが。ポッターがどこでこんなものを手に入れたと思うかね？」

ルーピンが顔を上げ、ほんのわずか、ハリーのほうに視線を送り、だまっているようにと警告した。

「『闇の魔術』が詰まっている？」ルーピンが静かにくり返した。「セブルス、ほんとうにそう思うのかい？　私が見るところ、無理に読もうとする者を侮辱するだけの羊皮紙にすぎないように見えるが。子供だましだが、けっして危険じゃないだろう？　ハリーはいたずら専門店で手に入れたのだと思うよ──」

「そうかね？」スネイプは怒りであごがこわばっていた。「いたずら専門店でこんなものをポッターに売ると、そう言うのか？　むしろ、**直接に製作者から**入手した可能性が高いとは思わんのか？」

ハリーにはスネイプの言っていることがわからなかった。ルーピンもわかっていないように見えた。

「ミスター・ワームテールとか、この連中の誰かからという意味か？　ハリー、この中に誰か知っている人はいるかい？」ルーピンが聞いた。

「いいえ」ハリーは急いで答えた。

「セブルス、聞いただろう？」ルーピンはスネイプのほうを見た。「私には『ゾンコ』の商品のように見えるがね──」

合図を待っていたかのように、ロンが研究室に息せき切って飛び込んできた。スネイプの机の真ん前で止まり、胸を押さえながら、とぎれとぎれにしゃべった。

「それ——僕が——ハリーに——あげたんです」ロンはむせ込んだ。「『ゾンコ』で——ずいぶん前に——それを——買いました……」

「ほら！」ルーピンは手をポンとたたき、機嫌よく周りを見回した。

「どうやらこれではっきりした！　セブルス、これは私が引き取ろう。いいね？」

ルーピンは地図を丸めてローブの中にしまい込んだ。

「ハリー、ロン、おいで。吸血鬼のレポートについて話があるんだ。セブルス、失礼するよ」

研究室から出るとき、ハリーはとてもスネイプを見る気にはなれなかった。ハリー、ロン、ルーピンは黙々と玄関ホールまで歩いて、そこで初めて口をきいた。ハリーがルーピンを見た。

「先生、僕——」

「事情を聞こうとは思わない」

ルーピンは短く答えた。それからがらんとした玄関ホールを見回し、声をひそめて言った。

「何年も前にフィルチさんがこの地図を没収したことを、私はたまたま知っているんだ。そう、私はこれが地図だということを知っている」

ハリーとロンの驚いたような顔を前にルーピンは話した。

「これがどうやって君のものになったのか、私は知りたくはない。ただ、君がこれを提出しなかったのには、私は**大いに**驚いている。先日も、生徒の一人がこの城の内部情報を不用意に放っておいたことで、あんなことが起こったばかりじゃないか。だから、ハリー、これは返してあげるわけにはいかないよ」

ハリーはそれを覚悟していた。しかも、聞きたいことがたくさんあって、抗議をするどころではなかった。

「スネイプは、どうして僕がこれを製作者から手に入れたと思ったのでしょう？」

「それは……」

ルーピンは口ごもった。

「それは、この地図の製作者だったら、君を学校の外へ誘い出したいと思ったかもしれないからだよ。連中にとって、それがとてもおもしろいことだろうからね」

「先生は、この人たちを**ご存じ**なんですか？」ハリーは感心して尋ねた。

「会ったことがある」

ぶっきらぼうな答えだった。ルーピンはこれまでに見せたことがないような真剣なまなざしでハリーを見た。

「ハリー、この次はかばってあげられないよ。私がいくら説得しても、君は納得して、シリウス・ブラックのことを深刻に受け止めるようにはならないだろう。しかし、吸魂鬼が近づいたときに君が聞いた声こそ、君にもっと強い影響を与えているはずだと思ったんだがね。君のご両親は、君を生かすために自らの命を捧げたんだよ、ハリー。それに報いるのに、これではあまりにお粗末じゃないか――たかが魔法のおもちゃひと袋のために、ご両親の犠牲の賜物《たまもの》を危険にさらすなんて」

ルーピンが立ち去った。ハリーはいっそうみじめな気持ちになった。スネイプの部屋にいたときでさえ、こんなみじめな気持ちにはならなかった。

ハリーとロンはゆっくりと大理石の階段を上った。隻眼の魔女像の所まで来たとき、ハリーは透明マントのことを思い出した――まだこの下にある。しかし、取りに下りる気にはなれなかった。

「僕が悪いんだ」ロンが突然口をきいた。

「僕が君に行けって勧めたんだ。ルーピン先生の言うとおりだ。バカだったよ。僕たち、こんなこと、すべきじゃなかった——」

ロンが口を閉じた。二人は警護のトロールが往き来している廊下にたどり着いた。すると、ハーマイオニーがこちらに向かって歩いてきた。ハーマイオニーを一目見たとたん、もう事件のことは聞いたにちがいないと、ハリーは確信した。ハリーは心臓がドサッと落ち込むような気がした——マクゴナガル先生にもう言いつけたのだろうか?

「さぞご満悦だろうな?」

ハーマイオニーが二人の真ん前で足を止めたとき、ロンがぶっきらぼうに言った。

「それとも告げ口しに行ってきたところかい?」

「ちがうわ」

ハーマイオニーは両手で手紙を握りしめ、唇をわなわなと震わせていた。

「あなたたちも知っておくべきだと思って……ハグリッドが敗訴したの。バックビークは処刑されるわ」

第15章　クィディッチ優勝戦《ファイナル》

「これを――これをハグリッドが送ってきたの」ハーマイオニーは手紙を突き出した。

ハリーがそれを受け取った。羊皮紙は湿っぽく、大粒の涙であちこちインクがひどくにじみ、とても読みにくい手紙だった。

ハーマイオニーへ

俺たちが負けた。バックビークはホグワーツに連れて帰るのを許された。処刑日はこれから決まる。

ビーキーはロンドンを楽しんだ。

おまえさんが俺たちのためにいろいろ助けてくれたことは忘れねえ。

ハグリッドより

「こんなことってないよ」ハリーが言った。「こんなことできるはずないよ。バックビークは危険じゃないんだ」

「マルフォイのお父さんが委員会を脅してこうさせたの」ハーマイオニーは涙をぬぐった。

「あの父親がどんな人か知ってるでしょう。委員会は、老いぼれのよぼよぼのバカばっかり。みんな怖《お》気《け》づいたんだわ。そりゃ、控訴の道はあるわ。普通ならね。でも、望みはないと思う……なんにも変わりはしない」

「いや、変わるとも」ロンが力を込めて言った。「ハーマイオニー、今度は君一人で全部やらなくてもいい。僕が手伝う」

「ああ、ロン！」

ハーマイオニーはロンの首に抱きついてワッと泣きだした。ロンはおたおたして、ハーマイオニーの頭を不器用になでた。しばらくして、ハーマイオニーがやっとロンから離れた。

「ロン、スキャバーズのこと、ほんとに、ほんとにごめんなさい……」

ハーマイオニーがしゃくり上げながら謝った。

「ああ——ウン——あいつは年寄りだったし」

ロンはハーマイオニーが離れてくれて、心からホッとしたような顔で言った。

「それに、あいつ、ちょっと役立たずだったしな。パパやママが、今度は僕にふくろうを買ってくれるかもしれないじゃないか」

ブラックの二度目の侵入事件以来、生徒は厳しい安全対策を守らなければならず、ハリーもロンもハーマイオニーも、日が暮れてからハグリッドを訪ねるのは不可能だった。話ができるのは魔法生物飼育学の授業中しかなかった。

ハグリッドは判決を受けたショックで放心状態だった。

「みんな俺が悪いんだ。舌がもつれっちまって。みんな黒いローブを着込んで座ってて、そんでもって俺はメモをぼろぼろ落としっちまって、ハーマイオニー、おまえさんがせっかく探してくれたいろんなもんの日付は忘れっちまうし。そんで、そのあとルシウス・マルフォイが立ち上がって、やつの言い分をしゃべって、そんで、委員会は、あいつに『やれ』って言われたとおりにやったんだ……」

「まだ控訴がある！」ロンが熱を込めて言った。「まだあきらめないで。僕たち、準備してるんだから！」

四人はクラスのほかの生徒たちと一緒に、城に向かって歩いているところだった。前のほうに、クラッブとゴイルを引き連れたマルフォイの姿が見えた。ちらちらと後ろを振り返っては、小ばかにしたように笑っている。

「ロン、そいつぁダメだ」城の石段までたどり着いたとき、ハグリッドが悲しそうに言った。「あの委員会はルシウス・マルフォイの言うなりだ。俺はただ、ビーキーの残された時間を思いっきり幸せなもんにしてやるんだ。俺は、そうしてやらにゃ……」

ハグリッドはきびすを返し、ハンカチに顔をうずめて、急いで小屋に戻っていった。

「見ろよ、あの泣き虫！」

マルフォイ、クラッブ、ゴイルが城の扉のすぐ裏側で聞き耳を立てていたのだ。

「あんなに情けないものを見たことがあるかい」マルフォイが言った。「しかも、あいつが僕たちの先生だって！」

ハリーもロンもカンカンに怒って、マルフォイに向かって手を上げた。が、ハーマイオニーのほうが早かった――。

バシッ！

ハーマイオニーがあらんかぎりの力を込めてマルフォイの横っ面を張った。マルフォイがよろめいた。ハリーも、ロンも、クラッブもゴイルも、びっくり仰天してその場に棒立ちになった。ハーマイオニーがもう一度手を上げた。

「ハグリッドのことを情けないだなんて、**よくもそんなことを**。この汚らわしい――この悪党――」

「ハーマイオニー！」

ロンがおろおろしながら、ハーマイオニーが大上段に振りかぶった手を押さえようとした。

「放して！ ロン！」

ハーマイオニーが杖《つえ》を取り出した。マルフォイはあとずさりし、クラッブとゴイルはまったくお手上げ状態で、マルフォイの命令をあおいだ。

「行こう」

マルフォイがそうつぶやくと、三人はたちまち地下牢《ろう》に続く階段を下り、姿を消した。

「ハーマイオニー！」

ロンがびっくりするやら、感動するやらで、また呼びかけた。

「ハリー、クィディッチの優勝戦で、何がなんでもあいつをやっつけて！」

ハーマイオニーが上ずった声で言った。

「絶対に、お願いよ。スリザリンが勝ったりしたら、私、とってもがまんできないもの！」

「もう呪文学の時間だ。早く行かないと」

ロンはまだハーマイオニーをしげしげと眺めながらうながした。

三人は急いで大理石の階段を上り、フリットウィック先生の教室に向かった。

「二人とも、遅刻だよ！」

ハリーが教室のドアを開けると、フリットウィック先生がとがめるように言った。

「早くお入り。杖を出して。今日は『元気の出る呪文』の練習だよ。もう二人ずつペアになっているからね――」

ハリーとロンは急いで後ろのほうの机に行き、鞄《かばん》を開けた。

「ハーマイオニーはどこに行ったんだろ？」振り返ったロンが言った。

ハリーもあたりを見回した。ハーマイオニーは教室に入ってこなかった。でもドアを開けたときは、自分のすぐ横にいたのを、ハリーは知っている。

「変だなぁ」ハリーはロンの顔をじっと見た。「きっと――トイレとかに行ったんじゃないかな？」

しかし、ハーマイオニーはずっと現れなかった。

「ハーマイオニーも『元気の出る呪文』が必要だったのに」

授業が終わって、全員がニコニコしながら昼食を食べに出ていくとき、ロンが言った。「元気呪文」の余韻でクラス全員が大満足の気分に浸っていた。

ハーマイオニーは昼食にも来なかった。アップルパイを食べ終えるころ、「元気呪文」の効き目も切れてきて、ハリーもロンも少し心配になってきた。

「マルフォイがハーマイオニーに何かしたんじゃないだろうな？」

グリフィンドール塔への階段を急ぎ足で上りながら、ロンが心配そうに言った。

二人は警備のトロールのそばを通り過ぎ、太った婦人《レディ》に暗号を言い（「**フリバティジベット**」）肖像画の裏の穴をくぐり、談話室に入った。

ハーマイオニーはテーブルに数占い学の教科書を開き、その上に頭をのせて、ぐっすり眠り込んでいた。二人はハーマイオニーの両側に腰かけ、ハリーがそっとつついてハーマイオニーを起こした。

「ど――どうしたの？」

ハーマイオニーは驚いて目を覚まし、あたりをきょろきょろと見回した。

「もう、授業に行く時間？　今度は、な――なんの授業だっけ？」

「占い学だ。でもあと二十分あるよ。ハーマイオニー、どうして呪文学に来なかったの？」ハリーが聞いた。

「えっ？　あーっ！」ハーマイオニーが叫んだ。「呪文学に行くのを忘れちゃった！」

「だけど、忘れようがないだろう？　教室のすぐ前まで僕たちと一緒だったのに！」

「なんてことを！」ハーマイオニーは涙声になった。

「フリットウィック先生、怒ってらした？　ああ、マルフォイのせいよ。あいつのことを考えてたら、ごちゃごちゃになっちゃったんだわ！」

「ハーマイオニー、言ってもいいかい？」

ハーマイオニーが枕がわりに使っていた分厚い数占い学の本を見下ろしながら、ロンが言った。

「君はパンク状態なんだ。あんまりいろんなことをやろうとして」

「そんなことないわ！」

ハーマイオニーは目の上にかかった髪をかき上げ、絶望したような目で鞄を探した。

「ちょっとミスしたの。それだけよ！　私、いまからフリットウィック先生の所へ行って、謝ってこなくちゃ……。占い学のクラスでまたね！」

二十分後、ハーマイオニーはトレローニー先生の教室に登るはしごの所に現れた。ひどく悩んでいる様子だった。

「『元気の出る呪文』の授業に出なかったなんて、私としたことが！　きっと、これ、試験に出るわよ。フリットウィック先生がそんなことをちらっとおっしゃったもの！」

三人は一緒にはしごを登り、薄暗いむっとするような塔教室に入った。小さなテーブルの一つ一つに真珠色の靄《もや》が詰まった水晶玉が置かれ、ぼうっと光っていた。ハリー、ロン、ハーマイオニーは、脚のぐらぐらしているテーブルに一緒に座った。

「水晶玉は来学期にならないと始まらないと思ってたけどな」

トレローニー先生がすぐそばに忍び寄ってきていないかどうか、あたりを警戒するように見回しながら、ロンがヒソヒソ言った。

「文句言うなよ。これで手相術が終わったってことなんだから」ハリーもヒソヒソ言った。「僕の手相を見るたびに、先生がぎくっと身を引くのには、もううんざりしてたんだ」

「みなさま、こんにちは！」

おなじみの霧のかなたの声とともに、トレローニー先生がいつものように薄暗がりの中から芝居がかった登場をした。パーバティとラベンダーが興奮して身震いした。二人の顔が、ほの明るい乳白色の水晶玉の光に照らし出された。

「あたくし、計画しておりましたより少し早めに水晶玉をお教えすることにしましたの」

トレローニー先生は暖炉の火を背にして座り、あたりを凝視した。

「六月の試験は玉に関するものだと、運命があたくしに知らせましたの。それで、あたくし、みなさまに充分練習させてさしあげたくて」

ハーマイオニーがフンと鼻を鳴らした。

「あーら、まあ……『運命が知らせましたの』……どなたさまが試験をお出しになるの？　あの人自身じゃない！　なんて驚くべき予言でしょ！」

ハーマイオニーは声を低くする配慮もせず言いきった。

トレローニー先生の顔は暗がりに隠れているので、聞こえたのかどうかわからなかった。ただ、聞こえなかったかのように、話を続けた。

「水晶占いは、とても高度な技術ですのよ」夢見るような口調だ。

「玉の無限の深奥をのぞき込んだとき、みなさまが初めから何かを『見る』ことは期待しておりませんわ。まず意識と、外なる眼《め》とをリラックスさせることから練習を始めましょう」

ロンはクスクス笑いがどうしても止まらなくなり、声を殺すのに、握り拳を自分の口に突っ込むありさまだった。

「そうすれば『内なる眼』と超意識とが現れましょう。幸運に恵まれれば、みなさまの中の何人かは、この授業が終わるまでには『見える』かもしれませんわ」

そこでみんなが作業に取りかかった。少なくともハリーは、水晶玉をじっと見つめていることがとてもアホらしく感じられた。心をからにしようと努力しても、「こんなこと、くだらない」という思いがしょっちゅう頭をもたげた。しかも、ロンがしょっちゅうクスクス忍び笑いをするわ、ハーマイオニーは舌打ちばかりしているわで、どうしようもない。

「何か見えた？」十五分ほどだまって水晶玉を見つめたあと、ハリーが二人に聞いた。

「ウン。このテーブル、焼け焦げがあるよ」ロンは指差した。「誰かろうそくをたらしたんだろな」

「まったく時間の無駄よ」ハーマイオニーが歯を食いしばったまま、いまいましそうに言った。「もっと役に立つことを練習できたのに。『元気の出る呪文』の遅れを取り戻すことだって――」

トレローニー先生が衣ずれの音とともにそばを通り過ぎた。

「玉の内なる、影のような予兆をどう解釈するか、あたくしに助けてほしい方、いらっしゃること？」腕輪をチャラつかせながら、トレローニー先生がつぶやくように言った。

「僕、助けなんかいらないよ」ロンがささやいた。「見りゃわかるさ。今夜は霧が深いでしょう、ってとこだな」

ハリーもハーマイオニーも噴き出した。

「まあ、なんということを！」

先生の声と同時に、みんながいっせいに三人のほうを振り向いた。パーバティとラベンダーは「なんて破廉恥な」という目つきをしていた。

「あなたがたは、未来を透視する神秘の震えを乱していますわ！」

トレローニー先生は三人のテーブルに近寄り、水晶玉をのぞき込んだ。ハリーは気が重くなった。これから何が始まるか、自分にはわかる……。

「ここに、何かありますわ！」トレローニー先生は低い声でそう言うと、水晶玉の高さまで顔を下げた。玉は巨大なめがねに写って二つに見えた。

「何かが動いている……でも、何かしら？」

何かはわからないが、絶対によいことではない。賭けてもいい。ハリーの持っているものを全部、ファイアボルトもひっくるめて全部賭けてもいい。そして、やっぱり……。

「まあ、あなた……」トレローニー先生はハリーの顔をじっと見つめて、ホーッと息を吐いた。

「ここに、これまでよりはっきりと……ほら、こっそりとあなたのほうに忍び寄り、だんだん大きく……死神犬のグ——」

「**いいかげんにしてよ！**」ハーマイオニーが大声を上げた。「**また**、あのバカバカしい死神犬じゃないでしょうね！」

トレローニー先生は巨大な目を上げ、ハーマイオニーを見た。パーバティがラベンダーに何事かささやき、二人もハーマイオニーをにらんだ。トレローニー先生が立ち上がり、紛れもなく怒りを込めて、ハーマイオニーを眺め回した。

「まあ、**あなた**。こんなことを申し上げるのはなんですけど、あなたがこのお教室に最初に現れたときから、はっきりわかっていたことでございますわ。あなたには『占い学』という高貴な技術に必要なものが備わっておりませんの。まったく、こんなに救いようのない『俗』な心を持った生徒に、いまだかつてお目にかかったことがありませんわ」

一瞬の沈黙。そして――。

「けっこうよ！」

ハーマイオニーが唐突にそう言うと、立ち上がり、『未来の霧を晴らす』の本を鞄に詰め込みはじめた。

「けっこうですとも！」再びそう言うと、ハーマイオニーは鞄を振り回すようにして肩にかけ、危うくロンを椅子からたたき落としそうになった。

「やめた！　私、出ていくわ！」

クラス中があっけに取られる中を、ハーマイオニーは威勢よく出口へと歩き、跳ね上げ戸を足で蹴飛ばして開け、はしごを下りて姿が見えなくなった。

全生徒が落ち着きを取り戻すまで、数分かかった。トレローニー先生は死神犬のことをころっと忘れてしまったようだ。ぶっきらぼうにハリーとロンのいる机を離れ、透きとおったショールをしっかり体に引き寄せながら、かなり息を荒らげていた。

「おぉぉぉぉぉ！」突然ラベンダーが声を上げ、みんなびっくりした。

「おぉぉぉぉぉ、トレローニー先生。私、いま思い出しました。ハーマイオニーが去る姿を、もうご覧になっていたのですね？　そうでしょう、先生？　『**イースターのころ、誰か一人が永久に去るでしょう！**』先生は、**ずいぶん前に**そうおっしゃいました！」

トレローニー先生は、ラベンダーに向かって、はかなげにほほえんだ。

「ええ、そうよ。ミス・グレンジャーがクラスを去ることは、あたくし、わかっていましたの。でも、『兆《しるし》』を読みちがえていればよいのにと願うこともありますのよ……『内なる眼』が重荷になることがありますわ……」

ラベンダーとパーバティは深く感じ入った顔つきで、トレローニー先生が自分たちのテーブルに移ってきて座れるよう、場所をあけた。

「ハーマイオニーったら、今日は大変な一日だよ。な？」

ロンが恐れをなしたようにハリーにつぶいた。

「ああ……」

ハリーは水晶玉をちらりとのぞいた。白い霧が渦巻いているだけだ。トレローニー先生はほんとうにまた死神犬を見たのだろうか？　自分も見るのだろうか？　クィディッチ優勝戦が刻々と近づいている。あんな死ぬような目にあう事故だけは絶対に起こってほしくない。

イースター休暇はのんびり、というわけにはいかなかった。三年生はかつてないほどの宿題を出された。ネビル・ロングボトムはほとんどノイローゼだったし、ほかの生徒も似たりよったりだった。

「これが休暇だってのかい！」

ある昼下がり、シェーマス・フィネガンが談話室で吠《ほ》えた。

「試験はまだずーっと先だってのに、先生方は何を考えてるんだ？」

それでも、ハーマイオニーほど抱え込んだ生徒はいなかった。占い学はやめたものの、ハーマイオニーは誰よりもたくさんの科目を取っていた。夜はだいたい談話室に最後までねばっていたし、朝は誰よりも早く図書館に来ていた。目の下にルーピン先生なみのくまができて、いつ見ても、いまにも泣きだしそうな雰囲気だった。

ロンはバックビークの控訴の準備を引き継いで、宿題に取り組む時間以外は巨大な本を調べあげていた。『ヒッポグリフの心理』とか、『鳥か盗りか？』、『ヒッポグリフの残忍性に関する研究』などを夢中で読みふけり、クルックシャンクスに当たり散らすことさえ忘れていた。

一方ハリーは、毎日続くクィディッチの練習に加えて、ウッドとのはてしない作戦会議の合間に、なんとか宿題をやっつけなければならなかった。グリフィンドール対スリザリンの試合が、イースター休暇明けの最初の土曜日に迫っていた。スリザリンはリーグ戦できっちり二〇〇点リードしていた。ということは、（ウッドが耳にタコができるほど選手に言い聞かせていたが）優勝杯を手にするには、それ以上の点を挙げて勝たなければならない。つまり、勝敗はハリーの双肩にかかっていた。スニッチをつかむことで一五〇点獲得できるからだ。

「いいか。スニッチをつかむのは、**必ず**、チームが五〇点**以上**差をつけたあとだぞ」

ウッドは口をすっぱくしてハリーに言った。

「ハリー、俺たちが五〇点以上取ったらだ。さもないと、試合に勝っても優勝杯は逃してしまう。わかるか。わかるな？　スニッチをつかむのは、必ず、俺たちが――」

「**わかってるったら、オリバー！**」ハリーが大声を出した。

グリフィンドール寮全体が、来るべき試合に取り憑《つ》かれていた。グリフィンドールが最後に優勝杯を取ったのは、伝説の人物、チャーリー・ウィーズリー（ロンの二番目の兄）がシーカーだったときだ。

勝ちたいという気持ちでは、寮生の誰も、ウッドでさえも、自分にはかなわないだろうとハリーは思った。ハリーとマルフォイの敵意はいよいよ頂点に達していた。マルフォイはホグズミードでの泥投げ事件をいまだに根に持っていたし、それ以上に、ハリーが処罰を受けずにうまくすり抜けたことで怒り狂っていた。ハリーはレイブンクローとの試合でマルフォイが自分を破滅させようとしたことも忘れてはいなかったが、全校の面前でマルフォイをやっつけてやると決意したのは、なんといってもバックビークのことがあるからだった。

試合前にこんなに熱くなったのは、誰の記憶にも初めてのことだった。休暇が終わったころは、チーム同士、寮同士の緊張が爆発寸前まで高まっていた。廊下のあちこちで小競り合いが散発し、ついにその極限で一大騒動が起こり、グリフィンドールの四年生と、スリザリンの六年生が耳からネギを生やして、入院する騒ぎになった。

ハリーは特にひどい目にあっていた。教室に行く途中では、スリザリン生が足を突き出してハリーを引っかけようとするし、クラッブとゴイルはハリーの行く先々に突然現れ、ハリーが大勢に取り囲まれているのを見ては、残念そうにのっそりと立ち去るのだった。スリザリン生がハリーをつぶそうとするかもしれないと、ウッドは、どこに行くにもハリーを一人にしないよう指令を出していた。グリフィンドールは、寮を挙げてこの使命を熱く受け止めたので、ハリーはいつもわいわいガヤガヤと大勢に取り囲まれてしまい、時間どおりに教室に着くことさえできなかった。ハリーは自分の身よりファイアボルトが心配で、飛行していないときはトランクにしっかりしまい込み、休み時間になるとグリフィンドール塔に飛んで帰って、ちゃんとそこにあるかどうか確かめることもしばしばだった。

試合前夜、グリフィンドールの談話室では、いつもの活動がいっさい放棄された。ハーマイオニーでさえ本を手放した。

「勉強できないわ。とても集中できない」ハーマイオニーはピリピリしていた。

やたら騒がしかった。フレッドとジョージはプレッシャーをはねのけるため、いつもよりやかましく、元気がよかった。オリバー・ウッドは隅のほうでクィディッチ・ピッチの模型の上にかがみ込み、杖で選手の人形をつつきながら、一人でブツブツ言っていた。アンジェリーナ、アリシア、ケイティの三人は、フレッドとジョージが飛ばす冗談で笑っている。ハリーは騒ぎの中心から離れた所で、ロン、ハーマイオニーと一緒に座り、明日のことは考えないようにしていた。何しろ、考えるたびに、何かとても大きなものが胃袋から逃げ出したがっているような恐ろしい気分になるからだ。

「絶対、大丈夫よ」ハーマイオニーはそう言いながら、怖くてたまらない様子だ。

「君には**ファイアボルト**があるじゃないか！」ロンが言った。

「うん……」そう言いながらハリーは胃がよじれるような気分だった。

ウッドが急に立ち上がり、ひと声叫んだのが救いだった。

「選手！　寝ろ！」

ハリーは浅い眠りに落ちた。

まず、寝過ごした夢を見た。ウッドが叫んでいる。「いったいどこにいたんだ。かわりにネビルを使わなきゃならなかったんだぞ！」

次に、マルフォイやスリザリン・チーム全員がドラゴンに乗って試合にやってきた夢を見た。マルフォイの乗ったドラゴンが火を吐き、それをよけてハリーは猛スピードで飛んでいた。が、ファイアボルトを忘れたことに気づいた。ハリーは落下し、驚いて目を覚ました。

数秒たって、やっと、ハリーは試合がまだ始まっていないこと、自分が安全にベッドに寝ていること、スリザリン・チームがドラゴンに乗ってプレーするなど、絶対許されるはずがないことなどに気づいた。とてものどが渇いていた。ハリーはできるだけそっと四本柱のベッドを抜け出し、窓の下に置いてある銀の水差しから水を飲もうと窓辺に近寄った。

校庭はしんと静まり返っていた。「禁じられた森」の木々の梢《こずえ》はそよともせず、「暴れ柳」は何食わぬ様子で、じっと動かない。どうやら、試合の天候は完璧のようだ。

ハリーはコップを置き、ベッドに戻ろうとした。その時、何かが目を引いた。銀色の芝生を動物らしいものが一匹うろついている。

ハリーは全速力でベッドに戻り、めがねを引っつかんでかけ、急いで窓際に戻った。死神犬であるはずがない──いまはダメだ──試合の直前だというのに──。

ハリーはもう一度校庭をじっと見た。一分ほど必死で見回し、その姿を見つけた。今度は森の際に沿って歩いている……。死神犬とはまったくちがう……猫だ……瓶洗いブラシのようなしっぽを確認して、ハリーはホッと窓台を握りしめた。ただのクルックシャンクスだ……。

いや、**ほんとうにただの**クルックシャンクスだったろうか？　ハリーは窓ガラスに鼻をぴったり押しつけ、目を凝らした。クルックシャンクスが立ち止まったように見えた。何か、木々の影の中で動いているものがほかにいる。ハリーには確かにそれが見えた。

次の瞬間、それが姿を現した。もじゃもじゃの毛の巨大な黒い犬だ。それは音もなく芝生を横切り、クルックシャンクスがその脇をトコトコ歩いている。ハリーは目を見張った。いったいどういうことなんだろう？　クルックシャンクスにもあの犬が見えるなら、あの犬がハリーの死の予兆だと言えるのだろうか？

「ロン！」ハリーは声を殺して呼んだ。「ロン！　起きて！」

「ウーン？」

「君にも何か見えるかどうか、見てほしいんだ！」

「まだ真っ暗だよ、ハリー」ロンがどんよりとつぶやいた。「何を言ってるんだい？」

「こっちに来て――」

ハリーは急いで振り返り、窓の外を見た。

クルックシャンクスも犬も消え去っていた。ハリーは窓台によじ登って、真下の城影の中をのぞき込んだが、そこにもいなかった。いったいどこに行ったのだろう？

大きないびきが聞こえた。ロンはまた寝入ったらしい。

翌日、ハリーはほかのグリフィンドール・チームの選手と一緒に、割れるような拍手に迎えられて大広間に入った。レイブンクローとハッフルパフのテーブルからも拍手が上がるのを見て、ハリーは自分の顔がほころぶのを止められなかった。スリザリンのテーブルからは、選手が通り過ぎるとき、いやみなヤジが飛んだ。マルフォイがいつにも増して青い顔をしているのに、ハリーは気づいた。

ウッドは朝食の間ずっと、選手に「食え、食え」と勧め、自分はなんにも口にしなかった。それから、ほかのグリフィンドール生がまだ誰も食べ終わらないのに、状態をつかんでおくためにピッチに行け、と選手を急《せ》かした。選手が大広間を出ていくとき、またみんなが拍手した。

「ハリー、がんばってね！」チョウ・チャンの声に、ハリーは顔が赤くなるのを感じた。

「よーし……風らしい風もなし……太陽は少しまぶしいな。目がくらむかもしれないから用心しろよ……グラウンドはかなりしっかりしてる。よし、キック・オフはいい蹴りができる……」

ウッドは後ろにチーム全員を引き連れ、ピッチを往《い》ったり来たりしてしっかり観察した。遠くのほうで、ついに城の正面扉が開くのが見えた。学校中が芝生にあふれ出した。

「更衣室へ」ウッドがきびきびと言った。

真紅のローブに着替える間、選手は誰も口をきかなかった。みんな、僕と同じ気分なのだろうか、とハリーは思った。朝食に、やけにもぞもぞ動くものを食べたような気分だ。あっという間に時が過ぎ、ウッドの声が響いた。

「よーし、時間だ。行くぞ……」

怒涛《どとう》のような歓声の中、選手がピッチに出ていった。観衆の四分の三は真紅のバラ飾りを胸につけ、グリフィンドールのシンボルのライオンを描いた真紅の旗を振るか、「行け！　グリフィンドール！」とか「ライオンに優勝杯を！」などと書かれた横断幕を打ち振っている。しかし、スリザリンのゴール・ポストの後ろでは、二百人の観衆が緑のローブを着て、スリザリンの旗に、シンボルの銀色の蛇をきらめかせていた。スネイプ先生は最前列に陣取り、みんなと同じ緑をまとい、暗い笑みを漂わせていた。

「さあ、グリフィンドールの登場です！」

いつものように解説役のリー・ジョーダンの声が響いた。

「ポッター、ベル、ジョンソン、スピネット、ウィーズリー、ウィーズリー、そしてウッド。ホグワーツに何年に一度出るか出ないかの、ベスト・チームと広く認められています――」

リーの解説は、スリザリン側からの嵐のようなブーイングでかき消された。

「そして、こちらはスリザリン・チーム。率いるはキャプテンのフリント。メンバーを多少入れ替えたようで、腕よりデカさをねらったものかと――」

スリザリンからまたブーイングが起こった。しかし、ハリーはリーの言うとおりだと思った。スリザリン・チームでは、どう見てもマルフォイが一番小さく、あとは巨大な猛者《もさ》ばかりだ。

「キャプテン、握手して！」フーチ先生が合図した。

フリントとウッドが歩み寄って互いの手をきつく握りしめた。まるで互いの指をへし折ろうとしているかのようだった。

「箒《ほうき》に乗って！」フーチ先生の号令だ。

「三――二――一！」

十四本の箒がいっせいに飛び上がり、ホイッスルの音は歓声でかき消された。ハリーは前髪が額から後ろへとかき上げられるのを感じた。飛ぶことで心が躍り、不安が吹き飛んだ。周りを見ると、マルフォイがすぐ後ろにくっついていた。ハリーはスニッチを探してスピードを上げた。

「さあ、グリフィンドールの攻撃です。グリフィンドールのアリシア・スピネット選手、クアッフルを取り、スリザリンのゴールにまっしぐら。いいぞ、アリシア！　アーッと、だめか――クアッフルがワリントンに奪われました。スリザリンのワリントン、猛烈な勢いでフィールドを飛んでます――**ガッツン！**――ジョージ・ウィーズリーのすばらしいブラッジャー打ちで、ワリントン選手、クアッフルを取り落としました。拾うは――ジョンソン選手です。グリフィンドール、再び攻撃です。行け、アンジェリーナ――モンタギュー選手をうまくかわしました――**アンジェリーナ、ブラッジャーだ。かわせ！――ゴール！　一〇対〇、グリフィンドール得点！**」

アンジェリーナがピッチの端からぐるりと旋回しながら、ガッツポーズをした。下のほうで、真紅のじゅうたんが歓声を上げた。

「**あいたっ！**」

マーカス・フリントがアンジェリーナに体当たりをかまし、アンジェリーナが危うく箒から落ちそうになった。

観衆が下からブーイングした。

「悪い！　わりいな、見えなかったんだ！」フリントが言った。

次の瞬間、フレッド・ウィーズリーがビーターの棍棒《こんぼう》をフリントの後頭部に投げつけ、フリントはつんのめって箒の柄にぶつかり、鼻血を出した。

「それまで！」

フーチ先生がひと声叫び、二人の間に飛び込んだ。

「グリフィンドール、相手のチェイサーに不意打ちを食らわせたペナルティ！　スリザリン、**相手の**チェイサーに故意にダメージを与えたペナルティ！」

「そりゃ、ないぜ。先生！」

フレッドがわめいたが、フーチ先生はホイッスルを鳴らし、アリシアがペナルティ・スローのために前に出た。

「行け！　アリシア！」競技場がいっせいに沈黙に覆われる中、リー・ジョーダンが叫んだ。「**やったー！　キーパーを破りました！　二〇対〇、グリフィンドールのリード！**」

ハリーはファイアボルトを急旋回させ、フリントを見守った。まだ鼻血を出しながら、フリントがスリザリン側のペナルティ・スローのために前に飛んだ。ウッドがグリフィンドールのゴールの前に浮かび、歯を食いしばっている。

「なんてったって、ウッドはすばらしいキーパーであります！」

フリントがフーチ先生のホイッスルを待つ間、リー・ジョーダンが観衆に語りかけた。

「すーばらしいのです！　キーパーを破るのは難しいのです――まちがいなく難しい――**やったー！　信じらんねえぜ！　ゴールを守りました！**」

ハリーはホッとしてその場を飛び去り、あたりに目を配ってスニッチを探した。その間もリーの解説を一言も聞きもらさないように注意した。グリフィンドールが五〇点の差をつけるまではマルフォイをスニッチに近づけないようにすることが肝心だ。

「グリフィンドールの攻撃、いや、スリザリンの攻撃——いや！——グリフィンドールがまたクアッフルを取り戻しました。グリフィンドールのケイティ・ベルです。グリフィンドールがクアッフルを取りました。ピッチを矢のように飛んでいます——**あいつめ、わざとやりやがった！**」

スリザリンのチェイサー、モンタギューがケイティの前方に回り込み、クアッフルを奪うかわりにケイティの頭をむんずとつかんだ。ケイティは空中でもんどり打ったが、なんとか箒からは落ちずにすんだ。しかし、クアッフルは取り落とした。

フーチ先生のホイッスルがまた鳴り響き、先生が下からモンタギューのほうに飛び上がって叱りつけた。一分後、ケイティがスリザリンのキーパーを破ってペナルティを決めた。

「**三〇対〇！ ざまぁ見ろ、汚い手を使いやがって。卑怯者《ひきょう》——**」

「ジョーダン、公平中立な解説ができないなら——！」

「先生、ありのまま言ってるだけです！」

ハリーは興奮でドキッとした。スニッチを見つけたのだ——グリフィンドールの三本のゴール・ポストの一本の根元で、かすかに光っている——まだつかむわけにはいかない。しかしもし、マルフォイが気づいたら……。

急に何かに気を取られたふりをして、ハリーはファイアボルトの向きを変え、スピードを上げてスリザリンのゴールのほうに飛んだ。うまくいった。マルフォイは、ハリーがそっちにスニッチを見つけたと思ったらしく、あとをつけて疾走してきた……。

ヒューッ。

ブラッジャーがハリーの右耳をかすめて飛んでいった。スリザリンのデカブツビーター、デリックが打った球だ。

ヒューッ。

もう一個のブラッジャーがハリーのひじをこすった。もう一人のビーター、ボールが迫っていた。

ハリーは、ボールとデリックが棍棒を振り上げ、自分めがけて飛んでくるのをちらりと目にした──。

ぎりぎりのところで、ハリーはファイアボルトを上に向けた。ボールとデリックがボクッといやな音を立てて正面衝突した。

「ハッハーだ！」

スリザリンのビーター二人が、頭を抱えてふらふらと離れるのを見て、リー・ジョーダンが叫んだ。

「お気の毒さま！　ファイアボルトに勝てるもんか。顔を洗って出なおせ！　さて、またまたグリフィンドールのボールです。ジョンソンがクアッフルを手にしています──フリントがマークしています──アンジェリーナ、やつの目をつついてやれ！──あ、ほんの冗談です、先生。冗談ですよ──ああ、ダメだ──フリントがクアッフルを取りました。フリント、グリフィンドールのゴールめがけて飛びます。それっ、ウッド、ブロックしろ！──」

しかし、フリントが得点し、スリザリン側から大きな歓声が巻き起こった。リーがさんざん悪態をついたので、マクゴナガル先生は魔法のマイクをリーからひったくろうとした。

「すみません、先生。すみません！　二度と言いませんから！　さて、グリフィンドール、三〇対一〇でリードです。ボールはグリフィンドール側──」

試合はハリーがいままで参加した中で最悪の泥仕合となった。グリフィンドールが早々とリードを奪ったことで頭にきたスリザリンは、たちまち、クアッフルを奪うためには手段を選ばない戦法に出た。

ボールはアリシアを棍棒でなぐり、「ブラッジャーとまちがえた」と言い逃れようとした。仕返しに、ジョージ・ウィーズリーがボールの横っ面にひじ鉄を食らわせた。フーチ先生は両チームからペナルティを取り、ウッドが二度目のファイン・プレーで、スコアは四〇対一〇、グリフィンドールのリードだ。

スニッチはまた見えなくなった。ハリーは試合の渦中から離れて舞い上がり、スニッチを探したが、マルフォイはまだハリーに密着していた――ここでグリフィンドールがいったん、五〇点の差をつけたら……。

ケイティが得点し、五〇対一〇。スリザリンが得点の仕返しをしかねないと、フレッドとジョージ・ウィーズリーが棍棒を振り上げてケイティの周りを飛び回った。ボールとデリックが双子のいないすきを突き、ブラッジャーでウッドをねらい撃ちした。二個とも続けてウッドの腹に命中し、ウッドは「ウッ」と言って宙返りし、かろうじて箒にしがみついた。

フーチ先生が怒りでぶっとんだ。

「クアッフルがゴールエリアに入っていないのにキーパーを襲うとは何事ですか！」

フーチ先生がボールとデリックに向かって叫んだ。

「ペナルティ・スロー！　グリフィンドール！」

アンジェリーナが得点。六〇対一〇。その直後、フレッド・ウィーズリーがブラッジャーをワリントンにめがけて強打し、ワリントンは持っていたクアッフルを取り落とし、それをアリシアが奪ってゴールを決めた。七〇対一〇。

観客席ではグリフィンドール応援団が声をからして叫んでいる――グリフィンドール六〇点のリード。ここでもしハリーがスニッチをつかめば、優勝杯はいただきだ。ほかの選手より一段高い所で、マルフォイにマークされながらフィールドを飛び回っているハリーを、何百という目が追っている。ハリーはその視線を感じた。

そして、見つけた。スニッチが自分の六、七メートル上でキラキラしているのを、ハリーは見つけた。ハリーはスパートをかけた。耳元で風が唸《うな》った。ハリーは手を伸ばした。ところが、急にファイアボルトのスピードが落ちた――。

ハリーは愕然《がくぜん》としてあたりを見回した。マルフォイが前に身を乗り出してファイアボルトの尾を握りしめ、引っ張っているではないか。

「こいつーっ」

怒りのあまり、ハリーはマルフォイをなぐりたかったが、届かない。マルフォイはファイアボルトにしがみつきながら息を切らしていたが、目だけはらんらんと輝いていた。マルフォイのねらいどおりになった――スニッチはまたしても姿をくらましたのだ。

「ペナルティ！　グリフィンドールにペナルティ・スロー！　こんな手口は見たことがない！」

フーチ先生が、金切り声を上げながら飛んできた。マルフォイは自分のニンバス２００１の上にするすると戻るところだった。

「**このゲス野郎！**」

リー・ジョーダンがマクゴナガル先生の手の届かない所へと躍り出ながら、マイクに向かって叫んでいる。

「**このカス、卑怯者、この――**」

マクゴナガル先生はリーのことを叱るどころではなかった。自分もマルフォイに向かって拳を振り、帽子は頭から落ち、怒り狂って叫んでいた。

アリシアがペナルティでゴールをねらったが、怒りで手元が狂い、一、二メートルはずれてしまった。グリフィンドール・チームは乱れて集中力を失い、逆にスリザリン・チームはマルフォイがハリーに仕掛けたファウルで活気づき、有頂天だった。

「スリザリンのボールです。スリザリン、ゴールに向かう——モンタギューのゴール——」リーがうめいた。「七〇対二〇でグリフィンドールのリード……」

今度はハリーがマルフォイをマークした。ぴったり張りついたので、互いのひざが触れるほどだった。マルフォイなんかを絶対にスニッチに近づかせてなるものか……。

「どけよ、ポッター！」

ターンしようとしてハリーにブロックされ、マルフォイがいらいらして叫んだ。

「アンジェリーナ・ジョンソンがグリフィンドールにクアッフルを取りました。行け、アンジェリーナ。**行けーっ！**」

ハリーはあたりを見回した。マルフォイ以外のスリザリン選手は、ゴール・キーパーもふくめて全員、アンジェリーナを追って疾走していた——全員でアンジェリーナをブロックする気だ——。

ハリーはくるりとファイアボルトの向きを変え、箒の柄にぴったり張りつくように身をかがめ、前方めがけてキックした。まるで弾丸のように、ハリーはスリザリン・チームに突っ込んだ。

「**アアアアアアーーーッ！**」

ファイアボルトが突っ込んでくるのを見て、スリザリン・チームは散り散りになった。アンジェリーナはノー・マーク状態になった。

「**アンジェリーナ、ゴール！　アンジェリーナ、決めました！**　グリフィンドールのリード、八〇対二〇！」

ハリーはスタンドに真正面から突っ込みそうになったが、空中で急停止し、旋回してピッチの中心に向かって急いだ。

その時、ハリーは心臓が止まるようなものを見た。マルフォイが勝ち誇った顔で急降下している――あそこだ。芝生の一、二メートル上に、小さな金色にきらめくものが。

ハリーはファイアボルトを駆って降下した。しかし、マルフォイがはるかにリードしている。

「行け！　行け！　行け！」ハリーは箒を鞭打《むちう》った。マルフォイに近づいていく……ボールがハリーめがけてブラッジャーを打ち込んだ。ハリーは箒の柄にぴったり身を伏せた……マルフォイのかかとまで追いついた……並んだ――。

ハリーは両手を箒から放し、思いっきり身を乗り出した。マルフォイの手を払いのけた。そして――。

「やった！」

ハリーは急降下から反転し、空中高く手を突き出した。競技場が爆発した。ハリーは観衆の上を高々と飛んだ。耳の中が奇妙にジンジン鳴っている。しっかり握りしめた手の中で、小さな金色のボールが羽をばたつかせてもがいているのを、指で感じた。

ウッドがハリーのほうに飛んできた。涙でほとんど目が見えなくなっている。ハリーの首を抱きしめ、ハリーの肩に顔をうずめて、ウッドはとめどなく泣きに泣いた。ハリーはバシリ、バシリと二度たたかれるのを感じた。フレッドとジョージだった。それから、アンジェリーナ、アリシア、ケイティの声が聞こえた。

「**優勝杯よ！　私たちが優勝よ！**」

腕をからませ、抱き合い、もつれ合い、声をからして叫びながら、グリフィンドール・チームは地上に向かって降下していった。

真紅の応援団が柵を乗り越えて、波のようにピッチになだれ込んだ。選手は雨あられと背中をたたかれた。ごった返しの中で、大勢が大騒ぎでドッと押し寄せてくるのをハリーは感じた。次の瞬間、ハリーもほかの選手も、みんなに肩車されていた。肩車の上で光を浴び、ハリーはハグリッドの姿を見た。真紅のバラ飾りをべたべたつけている――。

「やっつけたぞ、ハリー。おまえさんがやつらをやっつけた！　バックビークに早く教えてやんねえと！」

パーシーもいつもの尊大ぶりはどこへやら、狂ったようにピョンピョン飛びはねている。マクゴナガル先生はウッド顔負けの大泣きで、巨大なグリフィンドールの寮旗で目をぬぐっていた。そして、ハリーに近づこうと必死に人群れをかき分ける、ロンとハーマイオニーの姿があった。二人とも言葉が出ない。肩車でスタンドのほうに運ばれていくハリーに、二人はただニッコリと笑いかけた。その先ではダンブルドアが大きなクィディッチ優勝杯を持って待っている。

もし、いま、吸魂鬼がそのあたりにいたら……ウッドがしゃくり上げながら優勝杯をハリーに渡し、ハリーがそれを天高く掲げたとき……、いまなら世界一すばらしい守護霊を創り出せる、とハリーは思った。

第16章　トレローニー先生の予言

クィディッチ杯をついに勝ち取ったという夢見心地は少なくとも一週間続いた。天気さえも祝ってくれているようだった。六月が近づき、空は雲一つなく、蒸し暑い日が続いた。誰もが何もする気になれず、ただ校庭をぶらぶらしては芝生にべったりと腰を下ろし、冷たい魔女かぼちゃジュースをたっぷり飲むとか、ゴブストーン・ゲームにたわいなく興ずるとか、湖上を眠たそうに泳ぐ大イカを眺めるとかして過ごしたいと思った。

ところがそうはいかない。試験が迫っていた。戸外で息抜きするどころか、みんな無理やり城の中にとどまって、窓から漂ってくる魅惑的な夏のにおいをかぎながら、脳みそに気合を入れて集中させなければならなかった。

フレッドとジョージでさえ勉強しているのを見かけることがあった。二人ともO・W・L《ふくろう》（標準魔法レベル）試験を控えていた。

パーシーはN・E・W・T《イモリ》（めちゃくちゃつかれる魔法テスト）という、ホグワーツ校が授与する最高の資格テストを受ける準備をしていた。パーシーは魔法省に就職希望だったので、最高の成績を取る必要があった。

パーシーは日増しにとげとげしくなり、談話室の夜の静寂を乱す者があれば、誰かれ容赦なく厳しい罰を与えた。ただ一人ハーマイオニーだけが、パーシーより気が立っているようだった。

ハリーもロンも、ハーマイオニーがどうやって同時に複数のクラスに出席しているのか、聞くのをあきらめていた。しかし、ハーマイオニーが自分で書いた試験の予定表を見て、どうしてもがまんできなくなった。最初の予定はこうだ。

月曜日	九時 数占い		一時 呪文学
	九時 変身術	ランチ	一時 古代ルーン文字学

「ハーマイオニー？」

ロンがおずおずと話しかけた。近ごろ、ハーマイオニーは邪魔されるとすぐ爆発するからだ。

「あの――この時間表、写しまちがいじゃないのかい？」

「なんですって？」

ハーマイオニーはキッとなって予定表を取り上げ、確かめた。

「大丈夫よ」

「どうやって同時に二つのテストを受けるのか、聞いてもしょうがないよね？」ハリーが聞いた。

「しょうがないわ」にべもない答えだ。

「あなたたち、私の『数秘学と文法学』の本、見なかった？」

「ああ、見ましたとも。寝る前の軽い読書のためにお借りしましたよ」

ロンがちゃかしたが、至極小さな声だった。

ハーマイオニーは本を探して、テーブルの上の羊皮紙の山をガサゴソ動かしはじめた。そのとき、窓辺で羽音がしたかと思うと、ヘドウィグがくちばしにしっかりとメモをくわえて舞い降りてきた。

「ハグリッドからだ」

ハリーは急いでメモを開いた。

「バックビークの控訴――六日に決まった」

「試験が終わる日だわ」

ハーマイオニーが、数占いの教科書をまだあちこち探しながら言った。

「みんなが裁判のためにここにやってくるらしい」ハリーは手紙を読みながら言った。「魔法省からの誰かと――死刑執行人が」

ハーマイオニーが驚いて顔を上げた。

「控訴に死刑執行人を連れてくるの！　それじゃ、まるで判決が決まってるみたいじゃない！」

「ああ、そうだね」ハリーは考え込んだ。

「そんなこと、させるか！」ロンが叫んだ。「僕、あいつのために**ながーいこと**資料を探したんだ。それを全部無視するなんて、そんなことさせるか！」

しかし、「危険生物処理委員会」がマルフォイ氏の言うなりで、もう意思を固めたのでは、と、ハリーはいやな予感でぞっとした。

クィディッチ優勝戦でグリフィンドールが勝って以来、ドラコは目に見えておとなしくしていたが、ここ数日は、昔のいばりくさった態度をやや取り戻したようだった。バックビークは必ず殺されると自信たっぷりで、自分がそのようにしむけたことがゆかいでたまらないとマルフォイがあざけっていたことを、ハリーは人づてに聞いた。そんな時、ハリーは、ハーマイオニーにならってマルフォイの横っ面を張り倒したい衝動を、やっとこらえた。

最悪なのは、ハグリッドを訪ねる時間もチャンスもないことだった。厳重な警戒体制はまだ解かれていないし、ハリーは隻眼の魔女の像の下から透明マントを取り戻してくる気にはとてもなれなかった。

試験が始まり、週明けの城は異様な静けさに包まれた。

月曜日の昼食時、三年生は変身術の教室から、血の気も失《う》せ、よれよれになって出てきて、結果を比べ合ったり、試験の課題が難しすぎたと嘆いたりしていた。ティーポットを陸亀に変えるという課題もその一つだった。ハーマイオニーは自分のが陸亀というより海亀に見えたとやきもきして、みんなをいらだたせた。ほかの生徒は、そんな些細《ささい》なことまで心配するどころではなかった。

「僕のはしっぽの所がポットの注ぎ口のままさ。悪夢だよ……」

「亀って、**そもそも**口から湯気を出すんだっけ？」

「僕のなんか、甲羅に柳模様がついたまんまだったんだ。ねえ、減点されるかなぁ？」

あわただしい昼食のあと、すぐに教室に上がって呪文学の試験だ。ハーマイオニーの言うとおりだった。フリットウィック先生はやっぱり「元気の出る呪文」をテストに出した。ハリーは緊張して少しやりすぎてしまい、相手のロンは笑いの発作が止まらなくなり、静かな部屋に隔離され、一時間休んでからテストを受ける始末だった。夕食後、みんな急いで談話室に戻ったが、のんびりするためではなく、次の試験科目、魔法生物飼育学、魔法薬学、天文学の復習をするためだった。

次の日の午前中、魔法生物飼育学の試験監督はハグリッドだったが、よほどの心配事がある様子で、まったく心ここにあらずだった。取れたばかりのレタス食い虫《フロバーワーム》を大きな盥《たらい》いっぱいに入れ、一時間後に自分のレタス食い虫がまだ生きていたらテストは合格だと言い渡した。レタス食い虫は放っておくと最高に調子がよいので、こんな楽な試験はまたとなかった。ハリー、ロン、ハーマイオニーにとっては、ハグリッドと話をするいいチャンスになった。

「ビーキーは少し滅入っとる」

ハリーの虫がまだ生きているかどうか調べるふりをして、かがみ込みながら、ハグリッドが三人に話しかけた。

「長いことと狭いとこに閉じ込められてるしな。そんでもまだ……あさってにははっきりする――どっちかにな」

午後は魔法薬学で、完璧な大失敗だった。どうがんばっても、ハリーの「混乱薬」は濃くならず、スネイプは、そばに立って、恨みを晴らすかのようにそれを楽しんで見ていたが、次の生徒の所に行く前に、どうやらゼロのような数字をノートに書き込んだ。

次は真夜中に一番高い塔に登って天文学だった。

水曜の朝は魔法史。中世の魔女狩について、フローリアン・フォーテスキュー店のおやじさんが教えてくれたことすべてを書き綴《つづ》りながら、ハリーは、この息の詰まるような教室で、いま、あの店のチョコ・ナッツサンデーが食べられたらどんなにいいだろうと思った。

水曜の午後は、焼けつくような太陽の下で温室に入り、薬草学だった。みんな首筋を日焼けでヒリヒリさせながら談話室に戻り、すべてが終わる次の日のいまごろを待ち焦がれた。

最後から二番目のテストは木曜の午前中、「闇の魔術に対する防衛術」だった。ルーピン先生はこれまで誰も受けたことがないような、独特の試験を出題した。戸外での障害物競走のようなもので、水魔のグリンデローが入った深いプールを渡り、赤帽鬼のレッドキャップがいっぱいひそんでいる穴だらけの場所を横切り、道に迷わせようと誘うおいでおいで妖怪のヒンキーパンクをかわして沼地を通り抜け、最後に、最近捕まったまね妖怪、ボガートが閉じ込められている大きなトランクに入り込んで戦うというものだ。

「上出来だ、ハリー」

ハリーがニッコリしながらトランクから出てくると、ルーピンが低い声で「満点」と言った。

うまくいったことで気分が高揚し、ハリーはしばらくそこでロンとハーマイオニーの様子を見た。ロンはヒンキーパンクの所まではうまくやったが、ヒンキーパンクにまどわされて泥沼に腰まで沈んでしまった。ハーマイオニーはすべて完璧にこなし、まね妖怪がひそむトランクに入ったが、一分ほどして叫びながら飛び出してきた。

「ハーマイオニー！」ルーピンが驚いて声をかけた。「どうしたんだ？」

「マ、マ、マクゴナガル先生が！　先生が、私、全科目落第だって！」ハーマイオニーはトランクを指して絶句した。

ハーマイオニーを落ち着かせるのにしばらく時間がかかった。ようやくいつもの自分に戻ったところで、ハーマイオニーはハリー、ロンと連れ立って城へと向かった。ロンはハーマイオニーのまね妖怪騒ぎをまだちょっとからかっていたが、口げんかにならずにすんだのは、正面玄関の石段のてっぺんにいる人物を目にしたからだった。

コーネリウス・ファッジが細縞《ほそじま》のマントを着て、汗をかきながら校庭を見つめていた。ハリーの姿を見つけ、ファッジはぎくりとしたように動いた。

「やあ、ハリー！　試験を受けてきたのかね？　そろそろ試験も全部終わりかな？」

「はい」

ハリーが答えた。ハーマイオニーとロンは魔法大臣と親しく話すような仲ではないので、後ろのほうでなんとなくうろうろしていた。

「いい天気だ」

ファッジは湖のほうを見やった。

「それなのに……それなのに」

ファッジは深いため息をつくと、ハリーを見下ろした。

「ハリー、あまりうれしくないお役目で来たんだがね。『危険生物処理委員会』が私に狂暴なヒッポグリフの処刑に立ち会ってほしいと言うんだ。ブラック事件の状況を調べるのにホグワーツに来る必要もあったので、ついでに立ち会ってくれというわけだ」

「もう控訴裁判は終わったということですか？」ロンが思わず進み出て口をはさんだ。

「いや、いや。今日の午後の予定だがね」ファッジは興味深げにロンを見た。

「それだったら、処刑に立ち会う必要なんか全然なくなるかもしれないじゃないですか！」

ロンが頑として言った。

「ヒッポグリフは自由になるかもしれない！」

ファッジが答える前に、その背後の扉を開けて、城の中から二人の魔法使いが現れた。一人はよぼよぼで、見ている目の前でしなびはてていくような大年寄り、もう一人は真っ黒な細い口ひげを生やした、がっしりと大柄の魔法使いだ。「危険生物処理委員会」の委員たちなのだろうとハリーは思った。大年寄りが目をしょぼつかせてハグリッドの小屋のほうを見ながら、か細い声でこう言ったからだ。

「やーれ、やれ。わしゃ、年じゃで、こんなことはもう……ファッジ、二時じゃったかな？」

黒ひげの男はベルトにはさんだ何かを指でいじっていた。ハリーがよく見ると、太い親指でピカピカの斧《おの》の刃をなで上げていた。ロンが口を開いて何か言いかけたが、ハーマイオニーがロンの脇腹をこづいて玄関ホールのほうへとあごでうながした。

「なんで止めたんだ？」

昼食を食べに大広間に入りながら、ロンが怒って聞いた。

「あいつら、見たか？　斧まで用意してきてるんだぜ。どこが公正裁判だって言うんだ！」

「ロン、あなたのお父様、魔法省で働いてるんでしょ？　お父様の上司に向かって、そんなこと言えないわよ！」

ハーマイオニーはそう言いながらも、自分も相当まいっているようだった。

「ハグリッドが今度は冷静になって、ちゃんと弁護しさえすれば、バックビークを処刑できるはずないじゃない……」

ハーマイオニー自身、自分の言っていることを信じてはいないことが、ハリーにはよくわかった。周りではみんなが昼食を食べながら、午後には試験が全部終わるのを楽しみに、興奮してはしゃいでいた。しかし、ハリーとロン、ハーマイオニーは、ハグリッドとバックビークのことが心配で、とてもはしゃぐ気にはなれなかった。

ハリーとロンの最後の試験は占い学、ハーマイオニーのはマグル学だった。大理石の階段を三人で一緒に上り、二階の廊下でハーマイオニーが去り、ハリーとロンは八階まで上がった。トレローニー先生の教室に上る螺旋《らせん》階段にはクラスのほかの生徒が大勢腰かけ、最後の詰め込みをしていた。

二人が座ると、「一人一人試験するんだって」と隣のネビルが教えた。ネビルのひざには、『未来の霧を晴らす』の教科書が置かれ、水晶玉のページが開かれていた。

「君たち、水晶玉の中に、**なんでもいいから**、何か見えたことある？」

ネビルはみじめそうに聞いた。

「ないさ」

ロンは気のない返事をした。しょっちゅう時計を気にしている。バックビークの控訴裁判の時間まであとどのくらいあるかを気にしているのだと、ハリーにはわかった。

教室の外で待つ列は、なかなか短くならなかった。銀色のはしごを一人一人下りてくるたびに、待っている生徒が小声で聞いた。

「先生になんて聞かれた？　たいしたことなかった？」

全員が答えを拒否した。

「もしそれを君たちにしゃべったら、僕、ひどい事故にあうって、トレローニー先生が水晶玉にそう出てるって言うんだ！」

ネビルがはしごを下り、順番が進んで踊り場の所まで来ていたハリーとロンのほうにやってきて、かん高い声でそう言った。

「勝手なもんだよな」

ロンがフフンと鼻を鳴らした。

「ハーマイオニーが当たってたような気がしてきたよ」

ロンは頭上の跳ね戸に向かって親指を突き出した。

「まったくインチキばあさんだ」

「まったくだ」

ハリーも自分の時計を見た。もう二時だった。

「急いでくれないかなぁ……」

パーバティが誇らしげに顔を輝かせてはしごを下りてきた。

「私、本物の占い師としての素質をすべて備えてるんですって」

ハリーとロンにそう告げた。

「私、**いろーんなもの**が見えたわ……じゃ、がんばってね！」

パーバティは螺旋階段を下り、急いでラベンダーのほうに行った。

「ロナルド・ウィーズリー」

聞きなれた、あの霧のかなたの声が、頭の上から聞こえてきた。ロンはハリーに向かってしかめっ面をして見せ、それから銀のはしごを登って姿が見えなくなった。ハリーが最後の一人だった。床に座り、背中を壁にもたせかけ、夏の陽射《ひざ》しを受けた窓辺でハエがブンブン飛び回る音を聞きながら、ハリーの心は校庭のむこうのハグリッドの所に飛んでいた。

二十分もたったろうか。やっとロンの大足がはしごの上に現れた。

「どうだった？」

ハリーは立ち上がりながら聞いた。

「あほくさ。なんにも見えなかったからでっち上げたよ。先生が納得したとは思わないけどさ……」

トレローニー先生の声が「ハリー・ポッター！」と呼んだ。

「談話室で会おう」

ハリーが小声で言った。

塔のてっぺんの部屋はいつもよりいっそう暑かった。カーテンは閉めきられ、火は燃え盛り、いつものむっとするような香りでむせて咳《せ》き込みながら、ハリーは大きな水晶玉の前で待っているトレローニー先生の所まで、椅子やテーブルでごった返している部屋をつまずきながら進んだ。

「こんにちは。いい子ね」先生は静かに言った。「この玉をじっと見てくださらないこと……ゆっくりでいいのよ……それから、中に何が見えるか、教えてくださいましな……」

ハリーは水晶玉に覆いかぶさるようにしてじっと見た。白い靄《もや》が渦巻いている以外に何か見えますようにと、必死で見つめた。しかし、何も起こりはしない。

「どうかしら？」

トレローニー先生がそれとなくうながした。

「何か見えて？」

暑くてたまらない。それに、すぐ脇の暖炉から煙とともに漂ってくる香りが、ハリーの鼻の穴を刺激する。ハリーはロンがいましがた言ったことを思い出し、見えるふりをすることにした。

「えーっと、黒い影……フーム……」

「何に見えますの？」

トレローニー先生がささやいた。

「よーく考えて……」

ハリーはあれこれ思いめぐらして、バックビークにたどり着いた。

「ヒッポグリフです」ハリーはきっぱり答えた。

「まあ！」

トレローニー先生はささやくようにそう言うと、ひざの上にちょこんとのっている羊皮紙に何やら熱心に走り書きした。

「あなた、気の毒なハグリッドと魔法省のもめ事の行方を見ているのかもしれませんわ。よーくご覧なさい……ヒッポグリフの様子を……首はついているかしら？」

「はい」ハリーはきっぱりと言った。

「ほんとうに？」

先生は答えをうながした。

「ほんとうに、そう？　もしかしたら、地面でのた打ち回っている姿が見えないかしら。その後ろで斧を振り上げている黒い影が見えないこと？」

「いいえ！」ハリーは吐き気がしてきた。

「血は？　ハグリッドが泣いていませんこと？」

「いいえ！」

ハリーはくり返した。とにかくこの部屋を出たい、暑さから逃れたいと、ますます強く願った。

「元気そうです。それに――飛び去るところです……」

トレローニー先生がため息をついた。

「それじゃ、ね、ここでおしまいにいたしましょう……ちょっと残念でございますわ……でも、あなたはきっとベストを尽くしたのでしょう」

ハリーはホッとして立ち上がり、鞄《かばん》を取り上げて帰りかけた。すると、ハリーの背後から太い荒々しい声が聞こえた。

「**事は今夜起こるぞ**」

ハリーはくるりと振り返った。トレローニー先生が、うつろな目をして、口をだらりと開け、ひじかけ椅子に座ったまま硬直していた。

「な、なんですか？」ハリーが聞いた。

しかし、トレローニー先生はまったく聞こえていないようだ。白目をむきはじめている。ハリーは戦慄してその場に立ちすくんだ。先生はいまにも引き付けの発作でも起こしそうだった。ハリーは医務室に駆けつけるべきかどうか迷った――すると、トレローニー先生がまた話しはじめた。いつもの声とはまったくちがう、さっきの荒々しい声だった。

「**闇の帝王は、友もなく孤独に、朋輩《ほうばい》に打ちすてられて横たわっている。その召使いは十二年間鎖につながれていた。今夜、真夜中になる前、その召使いは自由の身となり、ご主人様のもとに馳《は》せ参ずるで**

あろう。闇の帝王は、召使いの手を借り、再び立ち上がるであろう。以前よりさらに偉大に、より恐ろしく。今夜だ……真夜中前……召使いが……そのご主人様の……もとに……馳《は》せ参ずるであろう」

トレローニー先生の頭がガクッと前に傾き、胸の上に落ちた。ウゥーッとうめくような音を出したかと思うと、先生の首がまたピンと起き上がった。

「あーら、ごめんあそばせ」先生が夢見るように言った。「今日のこの暑さでございましょ……あたくし、ちょっとうとうとと……」

ハリーはその場に突っ立ったままだった。

「まあ、あなた、どうかしまして?」

「先生は――先生はたったいまおっしゃいました――闇の帝王が再び立ち上がる……その召使いが帝王のもとに戻る……」

トレローニー先生は仰天した。

「闇の帝王? 『名前を言ってはいけないあの人』のことですの? まあ、坊や、そんなことを、冗談にも言ってはいけませんわ……再び立ち上がる、なんて……」

「でも、先生がたったいまおっしゃいました! 先生が、闇の帝王が――」

「坊や、きっとあなたも、うとうとしたのでございましょ! あたくし、**そこまで**とてつもないことを予言するほど厚かましくございませんことよ!」

ハリーははしごを下り、螺旋階段を下りながら考え込んだ……トレローニー先生が本物の予言をするのを聞いてしまったのだろうか? それとも試験の最後を飾る、先生独特の演出だったのだろうか?

五分後、ハリーは、グリフィンドール塔の入口の外を警備するトロールの脇を大急ぎで通り過ぎた。トレローニー先生の言葉が頭の中でまだ響いている。人波が笑いさざめき、冗談を飛ばしながら、ハリーと逆の方向に元気よく流れていった。待ち焦がれた自由を校庭で少しばかり楽しもうというわけだ。ハリーが肖像画の穴にたどり着き、談話室に入るころには、もうほとんど誰もいなくなっていた。しかし、隅のほうに、ロンとハーマイオニーが座り込んでいた。

「トレローニー先生が」ハリーが息をはずませながら言った。「いましがた僕に言ったんだ――」

しかし、二人の顔を見て、ハリーはハッと言葉をのんだ。

「バックビークが負けた」ロンが弱々しく言った。「ハグリッドがいまこれを送ってよこした」

ハグリッドの手紙は、今度は涙がにじんでぬれてはいなかった。しかし書きながら激しく手が震えたらしく、ほとんど字が判読できなかった。

控訴に敗れた。日没に処刑だ。おまえさんたちにできるこたぁなんにもねえんだから、来るなよ。おまえさんたちに見せたくねえ。

ハグリッド

「行かなきゃ」

ハリーが即座に言った。

「ハグリッドが一人で死刑執行人を待つなんて、そんなことさせられないよ」

「でも、日没だ」

死んだような目つきで窓の外を見つめながら、ロンが言った。

「絶対許可してもらえないだろうし……ハリー、特に君は……」

ハリーは頭を抱えて考え込んだ。

「透明マントさえあればなあ……」

「どこにあるの？」ハーマイオニーが聞いた。

ハリーは、隻眼の魔女像の下にある抜け道に置いてきたしだいを説明し、しめくくりにこう言った。

「……スネイプがあの辺でまた僕を見かけたりしたら、僕、とっても困ったことになるよ」

「それはそうだわ」

ハーマイオニーが立ち上がった。

「スネイプが見かけるのが**あなた**ならね……魔女の背中のこぶはどうやって開けばいいの？」

「それは――それは、杖《つえ》でたたいて『ディセンディウム――降下』って唱えるんだ。でも――」

ハーマイオニーは最後まで聞かずにさっさと談話室を横切り、太った婦人《レディ》の肖像画を開け、姿を消した。

「まさか、取りにいったんじゃ？」ロンが目を見張ってその後ろ姿を追った。

まさか、だった。十五分後、ハーマイオニーは大事そうにたたんだ銀色の透明マントをローブの下に入れて現れた。

「ハーマイオニー、最近、どうかしてるんじゃないのか！」

ロンが度胆を抜かれたように言った。

「マルフォイはひっぱたくわ、トレローニー先生のクラスは飛び出すわ――」

ハーマイオニーはちょっと得意げな顔をした。

三人はみんなと一緒に夕食を食べに下りたが、そのあとグリフィンドール塔へは戻らなかった。ハリーは透明マントをローブの前に隠し、ふくらみを隠すのに両腕をずっと組んだままだった。玄関ホールの隅にある、誰もいない小部屋に、三人はこっそり隠れ、聞き耳を立てて、みんながいなくなるのを確かめた。最後の二人組がホールを急ぎ足で横切り、ドアがバタンと閉まる音を聞いてから、ハーマイオニーは小部屋から首を突き出してドアのあたりを見回した。

「オーケーよ」ハーマイオニーがささやいた。「誰もいないわ――『マント』を着て――」

誰にも見えないよう、三人はぴったりくっついて歩いた。マントに隠れ、抜き足差し足で玄関ホールを横切り、石段を下りて校庭に出た。太陽はすでに禁じられた森のむこうに沈みかけ、木々の梢《こずえ》が金色に輝いていた。

ハグリッドの小屋にたどり着いてドアをノックした。一分ほど、答えがなかった。やっと現れたハグリッドは、青ざめた顔で震えながら、誰が来たのかとそこら中を見回した。

「僕たちだよ」ハリーがヒソヒソ声で言った。「透明マントを着てるんだ。中に入れて。そしたらマントを脱ぐから」

「来ちゃなんねえだろうが！」ハグリッドはそうささやきながらも、一歩下がった。三人が中に入った。ハグリッドは急いで戸を閉め、ハリーはマントを脱いだ。

ハグリッドは泣いてはいなかったし、三人の首っ玉にかじりついてもこなかった。自分がいったいどこにいるのか、どうしたらいいのか、まったく意識がない様子だった。茫然《ぼうぜん》自失のハグリッドを見るのは、涙を見るよりつらかった。

「茶、飲むか？」

やかんのほうに伸びたハグリッドのでっかい手が、ブルブル震えていた。

「ハグリッド、バックビークはどこなの？」

ハーマイオニーがためらいがちに聞いた。

「俺――俺、あいつを外に出してやった」

ハグリッドはミルクを容器に注ごうとして、テーブルいっぱいにこぼした。

「俺のかぼちゃ畑に、つないでやった。木やなんか見たほうがいいだろうし――新鮮な空気も吸わせて――そのあとで――」

ハグリッドの手が激しく震え、持っていたミルク入れが手からすべり落ち、粉々になって床に飛び散った。

「私がやるわ、ハグリッド」

ハーマイオニーが急いで駆け寄り、床をきれいにふきはじめた。

「戸棚にもう一つある」

ハグリッドは座り込んで、そでで額をぬぐった。ハリーはロンをちらりと見たが、ロンもどうしようもないという目つきでハリーを見返した。

「ハグリッド、誰でもいい、なんでもいいから、できることはないの？」ハリーはハグリッドと並んで腰かけ、語気を強めて聞いた。「ダンブルドアは――」

「ダンブルドアは努力なさった。だけんど、委員会の決定を覆す力はお持ちじゃねえ。ダンブルドアは連中に、バックビークは大丈夫だって言いなさった――だけんど、連中は怖気《おじけ》づいて……ルシウス・マルフォイがどんなやつか知っちょるだろう……連中を脅したんだ、そうなんだ……そんで、処刑人のマクネアはマルフォイの昔っからのダチだし……。だけんど、あっという間にすっぱりいく……俺がそばについててやるし……」

ハグリッドはゴクリとつばを飲み込んだ。わずかの望み、なぐさめのかけらを求めるかのように、ハグリッドの目が小屋のあちこちをうつろにさまよった。

「ダンブルドアがおいでなさる。事が——事が行われるときに。今朝手紙をくださった。俺の——俺のそばにいたいとおっしゃる。偉大なお方だ、ダンブルドアは……」

かわりのミルク入れを探して、ハグリッドの戸棚をかき回していたハーマイオニーが、こらえきれずに、小さく、短く、すすり泣きをもらした。ミルク入れを手に持ち、ハーマイオニーは背筋を伸ばして、ぐっと涙をこらえた。

「ハグリッド、私たちもあなたと一緒にいるわ」

しかし、ハグリッドはもじゃもじゃ頭を振った。

「おまえさんたちは城へ戻るんだ。言っただろうが、おまえさんたちにゃ見せたくねえ。それに、初めっから、ここに来てはなんねえんだ……ファッジやダンブルドアが、おまえさんたちが許可ももらわずに外にいるのを見つけたら、ハリー、おまえさん、やっかいなことになるぞ」

声もなく、ハーマイオニーのほおを涙が流れ落ちていた。しかし、ハグリッドに見せまいと、ハーマイオニーはお茶の支度にせわしなく動き回っていた。ミルクを瓶から容器に注ごうとしていたハーマイオニーが、突然叫び声を上げた。

「ロン！　し——信じられないわ——**スキャバーズ**よ！」

ロンは口をポカンと開けてハーマイオニーを見た。

「何を言ってるんだい？」

ハーマイオニーがミルク入れをテーブルに持ってきてひっくり返した。キーキー大騒ぎしながら、ミルク入れの中に戻ろうともがいているネズミのスキャバーズが、テーブルの上にすべり落ちてきた。

「スキャバーズ！」ロンはあっけにとられた。

「スキャバーズ、こんな所で、いったい何してるんだ？」

じたばたするスキャバーズをロンはわしづかみにし、明かりにかざした。スキャバーズはぼろぼろだった。前よりやせこけ、毛がばっさり抜けてあちらこちらが大きくはげている。しかもロンの手の中で、必死に逃げようとするかのように身をよじっている。

「大丈夫だってば、スキャバーズ！　猫はいないよ！　ここにはおまえを傷つけるものはなんにもないんだから！」

ハグリッドが急に立ち上がった。目は窓に釘《くぎ》づけになり、いつもの赤ら顔が羊皮紙色になっていた。

「連中が来おった……」

ハリー、ロン、ハーマイオニーが振り向いた。遠くの城の階段を何人かが下りてくる。先頭はアルバス・ダンブルドアで、銀色のひげが沈みかけた太陽を映して輝いている。その隣をせかせか歩いているのはコーネリウス・ファッジだ。二人の後ろから、委員会のメンバーの一人、よぼよぼの大年寄りと、死刑執行人のマクネアがやってくる。

「おまえさんら、行かねばなんねえ」

ハグリッドは体の隅々まで震えていた。

「ここにいるとこを連中に見つかっちゃなんねえ……行け、はよう……」

ロンはスキャバーズをポケットに押し込み、ハーマイオニーはマントを取り上げた。

「裏口から出してやる」ハグリッドが言った。

ハグリッドについて、三人は裏庭に出た。ハリーはなんだか現実のこととは思えなかった。ほんの数メートル先、かぼちゃ畑の後ろにある木につながれているバックビークを見たとき、ますますほんとうのこととは思えなかった。バックビークは何かが起こっていると感じているらしい。猛々《たけだけ》しい頭を左右に振り、不安げに地面をかいている。

「大丈夫だ、ビーキー」

ハグリッドがやさしく言った。

「大丈夫だぞ……」

三人を振り返り、「行け」とハグリッドが言った。

「もう行け」

三人は動かなかった。

「ハグリッド、そんなことできないよ――」

「僕たち、ほんとうは何があったのか、あの連中に話すよ――」

「バックビークを殺すなんて、だめよ――」

「行け！」

ハグリッドがきっぱりと言った。

「おまえさんたちが面倒なことになったら、ますます困る。そんでなくても最悪なんだ！」

しかたなかった。ハーマイオニーがハリーとロンにマントをかぶせたとき、小屋の前で人声がするのが聞こえた。ハグリッドは三人が消えたあたりを見た。

「急ぐんだ」

ハグリッドの声がかすれた。

「聞くんじゃねえぞ……」

誰かが戸をたたいている。同時にハグリッドが大股で小屋に戻っていった。

ゆっくりと、恐怖で魂が抜けたかのように、ハリー、ロン、ハーマイオニーは、押しだまってハグリッドの小屋を離れた。小屋の反対側に出たとき、表のドアがバタンと閉まるのが聞こえた。

「お願い、急いで」

ハーマイオニーがささやいた。

「耐えられないわ、私、とっても……」

三人は城に向かう芝生を上りはじめた。太陽は沈む速度を速め、空はうっすらと紫を帯びた透明な灰色に変わっていた。しかし、西の空はルビーのように紅《あか》く燃えていた。

ロンはぴたっと立ち止まった。

「ロン、お願いよ」

ハーマイオニーがせかした。

「スキャバーズが——こいつ、どうしても——じっとしてないんだ——」

ロンはスキャバーズをポケットに押し込もうと前かがみになったが、ネズミは大暴れで、狂ったようにキーキー鳴きながら、ジタバタと身をよじり、ロンの手にガブリとかみつこうとした。

「スキャバーズ、僕だよ。このバカヤロ、ロンだってば」

ロンが声を殺して言った。

三人の背後でドアが開く音がして、人声が聞こえた。

「ねえ、ロン、お願いだから、行きましょう。いよいよやるんだわ！」

ハーマイオニーがヒソヒソ声で言った。

「ああ——スキャバーズ、**じっとしてろ**ったら——」

三人は前進した。ハリーは、ハーマイオニーと同じ気持ちで、背後の低く響く声を聞くまいと努力した。ロンがまた立ち止まった。

「こいつを押さえてられないんだ——スキャバーズ、だまれ、みんなに聞こえっちまうよ——」

ネズミはキーキーわめき散らしていたが、その声でさえハグリッドの庭から聞こえてくる音をかき消すことはできなかった。誰という区別もつかない男たちの声がまじり合い、ふと静かになり、そして、突如、シュッ、ドサッとまぎれもない斧の音。

ハーマイオニーがよろめいた。

「やってしまった！」

ハリーに向かってハーマイオニーが小さな声で言った。

「し、信じられないわ――あの人たち、やってしまったんだわ！」

第17章　猫、ネズミ、犬

ハリーはショックで頭の中が真っ白になった。透明マントの中で、三人は恐怖に立ちすくんでいた。沈みゆく太陽の最後の光が、血のような明かりを投げかけ、地上に長い影を落としていた。三人の背後から、その時、荒々しく吠《ほ》えるような声が聞こえた。

「ハグリッドだ」ハリーがつぶやいた。我を忘れ、ハリーは引き返そうとした。が、ロンとハーマイオニーがハリーの両腕を押さえた。

「戻れないよ」ロンが蒼白《そうはく》な顔で言った。

「僕たちが会いにいったことが知れたら、ハグリッドの立場はもっと困ったことになる……」

ハーマイオニーの呼吸はハッハッと浅く乱れていた。

「どうして――あの人たち――こんなことができるの？」ハーマイオニーは声を詰まらせた。

「**ほんとうにどうして**――こんなことが――できるっていうの？」

「行こう」ロンは歯をガチガチ言わせていた。

三人はマントにちゃんと隠れるようにゆっくりと歩いて、また城へと向かった。急速に日が陰ってきた。広い校庭に出るころには、闇がとっぷりと呪文のように三人を覆った。

「スキャバーズ、じっとしてろ」

ロンが手で胸をぐっと押さえながら、低い声で言った。ネズミは狂ったようにもがいていた。ロンが突然立ち止まり、スキャバーズを無理やりポケットにもっと深く押し込もうとした。

「いったいどうしたんだ？　このバカネズミめ。じっとしてろ——**アイタッ！**　こいつかみやがった！」

「ロン、静かにして！」ハーマイオニーが緊迫した声でささやいた。

「ファッジがいまにもここにやってくるわ——」

「こいつめ——なんでじっと——してないんだ——」

スキャバーズはひたすら怖がっていた。ありったけの力で身をよじり、握りしめているロンの手からなんとか逃れようとしている。

「**まったく、**こいつ、いったいどうしたんだろう？」

しかし、まさにその時、ハリーは見た——地を這《は》うように身を伏せてこちらに向かって忍び寄るものを。暗闇に無気味に光る大きな黄色い目——クルックシャンクスだ。三人の姿が見えるのか、それともスキャバーズのキーキー声を追ってくるのか、ハリーにはわからなかった。

「クルックシャンクス！」ハーマイオニーがうめいた。「だめ。クルックシャンクス、あっちに行きなさい！　行きなさいったら！」

しかし、猫はだんだん近づいてきた——。

「スキャバーズ——**だめだ！**」

遅かった——ネズミはしっかり握ったロンの指の間をすり抜け、地面にボトッと落ちて、遮二無二逃げ出した。クルックシャンクスがひとっ飛びしてそのあとを追いかけた。ハリーとハーマイオニーが止める間もなく、ロンは透明マントをかなぐり捨て、猛スピードで暗闇の中に消え去った。

「**ロン！**」ハーマイオニーがうめいた。

二人は顔を見合わせ、それから大急ぎで追いかけた。マントをかぶっていたのでは、全速力で駆けるのは無理だった。二人はマントを脱ぎ捨て、後ろに旗のようになびかせながら、ロンを追って疾走した。前方にロンの駆ける足音が聞こえ、クルックシャンクスをどなりつける声が聞こえた。

「スキャバーズから離れろ――離れるんだ――スキャバーズ、**こっちへ**おいで――」

ドサッと大きな音がした。

「**捕まえた！** とっとと消えろ、いやな猫め――」

ハリーとハーマイオニーは危うくロンにつまずくところだった。ロンのぎりぎり手前で二人は急ブレーキをかけた。ロンは地面にべったり腹ばいになっていたが、スキャバーズはポケットに戻り、その震えるポケットのふくらみを、ロンが両手でしっかり押さえていた。

「ロン――早く――マントに入って――」ハーマイオニーがゼイゼイしながらうながした。

「ダンブルドア――大臣――みんなもうすぐ戻ってくるわ――」

しかし、三人が再びマントをかぶる前に、息を整える間もなく、何か巨大な動物が忍びやかに走る足音を聞いた。暗闇の中を、何かがこちらに向かって跳躍してくる――巨大な、薄灰色の目をした、真っ黒な犬だ。

ハリーは杖《つえ》に手をかけた。しかし、遅かった――犬は大きくジャンプし、前足でハリーの胸を打った。ハリーはのけぞって倒れた。犬の毛が渦巻く中で、ハリーは熱い息を感じ、数センチもの長い牙が並んでいるのを見た――。

しかし、勢い余って、犬はハリーから転がり落ちた。肋骨《ろっこつ》が折れたかのように感じ、くらくらしながら、ハリーは立ち上がろうとした。新たな攻撃をかけようと、犬が急旋回して唸《うな》っているのが聞こえる。

ロンは立ち上がっていた。犬がまた三人に飛びかかってきたとき、ロンはハリーを横に押しやった。犬の両あごが、ハリーではなく、ロンの伸ばした腕をバクリとかんだ。ハリーは野獣につかみかかり、むんずと毛を握った。だが犬はまるでボロ人形でもくわえるように、やすやすとロンを引きずっていった。

突然、どこからともなく、何かがハリーの横っ面を張り、ハリーはまたしても倒れてしまった。ハーマイオニーが痛みで悲鳴を上げ、倒れる音が聞こえた。ハリーは目に流れ込む血を瞬《まばた》きで払いのけて、杖をまさぐった――。

「ルーモス！　光よ！」ハリーは小声で唱えた。

杖灯《つえあか》りに照らし出されたのは、太い木の幹だった。スキャバーズを追って、暴れ柳の樹下に入り込んでいたのだ。まるで強風にあおられるかのように枝をきしませ、暴れ柳は二人をそれ以上近づけまいと、前に後ろにたたきつけている。

そして、そこに、その木の根元に、あの犬がいた。根元に大きく開いたすきまに、ロンを頭から引きずり込もうとしている――ロンは激しく抵抗していたが、頭が、そして胴がずるずると見えなくなりつつあった――。

「ロン！」ハリーは大声を出し、あとを追おうとしたが、太い枝が空を切ってあびせてくる殺人パンチをさけるのに、ハリーはまたあとずさりせざるをえなかった。

もうロンの片脚しか見えなくなった。それ以上地中に引き込まれまいと、ロンは脚をくの字に曲げて根元に引っかけ、食い止めていた。やがて、バシッとまるで銃声のような恐ろしい音が闇をつんざいた。ロンの脚が折れたのだ。次の瞬間、ロンの足が見えなくなった。

「ハリー――助けを呼ばなくちゃ――」

ハーマイオニーが叫んだ。血を流している。柳がハーマイオニーの肩を切っていた。

「ダメだ！　あいつはロンを食ってしまうほど大きいんだ。そんな時間はない――」

「誰か助けを呼ばないと、絶対あそこに入れないわ――」

大枝がまたしても二人になぐりかかった。小枝が握り拳のように硬く結ばれている。

「あの犬が入れるなら、僕たちにもできるはずだ」

ハリーはあちらこちらを飛び回り、息を切らしながら、凶暴な大枝をかいくぐる道をなんとかして見つけようとしていた。しかし、ブローの届かない距離から一歩も根元に近づくことはできなかった。

「ああ、誰か、助けて」ハーマイオニーはその場でおろおろ走り回りながら、半狂乱でつぶやき続けた。「誰か、お願い……」

クルックシャンクスがサーッと前に出た。なぐりかかる大枝の間をまるで蛇のようにすり抜け、両前足を木の節の一つにのせた。

突如、柳はまるで大理石になったように動きを止めた。木の葉一枚、そよともしない。

「クルックシャンクス！」ハーマイオニーはわけがわからず小声でつぶやいた。

「この子、どうしてわかったのかしら――？」

ハーマイオニーはハリーの腕を痛いほどきつく握っていた。

「あの犬と友達なんだ」ハリーは厳しい顔で言った。「僕、二匹が連れ立っているところを見たことがある。行こう――君も杖を出しておいて――」

木の幹までは一気に近づいたが、二人が根元のすきまにたどり着く前に、クルックシャンクスが瓶洗いブラシのようなしっぽを打ち振り、スルリと先にすべり込んだ。ハリーが続いた。頭から先に這って進み、狭い土のトンネルの傾斜を、ハリーは底まですべり下りた。クルックシャンクスが少し先を歩いている。ハリーの杖灯りに照らされ、目がらんらんと光っていた。すぐあとからハーマイオニーがすべり下りてきて、ハリーと並んだ。

「ロンはどこ？」ハーマイオニーがこわごわささやいた。

「こっちだ」ハリーはクルックシャンクスのあとを、背中を丸めてついていった。

「このトンネル、どこに続いているのかしら？」後ろからハーマイオニーが息を切らして聞いた。

「わからない……忍びの地図には書いてあるんだけど、フレッドとジョージはこの道は誰も通ったことがないって言ってた。この道の先は地図の端からはみ出してる。でもどうもホグズミードに続いてるみたいなんだ……」

二人はほとんど体を二つ折りにして急ぎに急いだ。クルックシャンクスのしっぽが見え隠れしている。通路は延々と続く。少なくともハニーデュークス店に続く通路と同じくらい長く感じられた。ハリーはロンのことしか頭になかった。あの巨大な犬はロンに何かしてはいないだろうか……背を丸めて走りながら、ハリーの息づかいは荒く、苦しくなっていた。

トンネルがそこから上り坂になった。やがて道がねじ曲がり、クルックシャンクスの姿が消えた。そのかわりに、小さな穴からもれるぼんやりした明かりがハリーの目に入った。

ハリーとハーマイオニーは、小休止して息を整えてから、じりじりと前進した。二人ともむこうにあるものを見ようと杖をかまえた。

部屋があった。雑然としたほこりっぽい部屋だ。壁紙ははがれかけ、床はしみだらけで、家具という家具は、誰かが打ち壊したかのように破損していた。窓には全部板が打ちつけてある。

ハリーはハーマイオニーをちらりと見た。恐怖にこわばりながらもハーマイオニーは、こくりとうなずいて同意した。

ハリーは穴をくぐり抜け、あたりを見回した。部屋には誰もいない。しかし、右側のドアが開きっぱなしになっていて、薄暗いホールに続いていた。突然、ハーマイオニーがまたしてもハリーの腕をきつく握った。目を見開き、ハーマイオニーは板の打ちつけられた窓をずうっと見回していた。

「ハリー、ここ、『叫びの屋敷』の中だわ」ハーマイオニーがささやいた。

ハリーもあたりを見回した。そばにあった木製の椅子に目がとまった。一部が大きくえぐれ、脚の一本が完全にもぎ取られていた。

「ゴーストがやったんじゃないな」少し考えてからハリーが言った。

その時、頭上で何かがきしむ音がした。何かが上の階で動いたのだ。二人は天井を見上げた。ハーマイオニーがハリーの腕をあまりにきつく握っているので、ハリーの指の感覚がなくなりかけていた。ハーマイオニーをちょっと上げてハーマイオニーに合図すると、ハーマイオニーはまたこくりとうなずいて腕を放した。

できるだけこっそりと、二人は隣のホールに忍び込み、崩れ落ちそうな階段を上った。どこもかしこも厚いほこりをかぶっていたが、床だけはちがった。何かが上階に引きずり上げられた跡が、幅広い縞《しま》模様になって光っていた。

二人は踊り場まで上がった。

「**ノックス！　消えよ！**」

二人が同時に唱え、二人の杖先の灯りが消えた。開いているドアが一つだけあった。二人がこっそり近づくと、ドアのむこうから物音が聞こえてきた。低いうめき声、それと、太い、大きなゴロゴロという声だ。二人はいよいよだと、三度目の目配せをし、三度目のこっくりをした。

杖をしっかり先頭に立て、ハリーはドアをバッと蹴り開けた。

ほこりっぽいカーテンのかかった壮大な四本柱の天蓋つきベッドに、クルックシャンクスが寝そべり、二人の姿を見ると大きくゴロゴロいった。その脇の床には、妙な角度に曲がった脚をつかんで、ロンが座っていた。

ハリーとハーマイオニーはロンに駆け寄った。

「ロン――大丈夫?」

「犬はどこ?」

「犬じゃない」ロンがうめいた。痛みで歯を食いしばっている。「ハリー、罠《わな》だ――」

「え――?」

「あいつが犬なんだ……あいつは『動物もどき《アニメーガス》』なんだ……」

ロンはハリーの肩越しに背後を見つめた。ハリーがくるりと振り向いた。影の中に立つ男が、二人の入ってきたドアをピシャリと閉めた。

汚れきった髪がもじゃもじゃとひじまで垂れている。暗い落ちくぼんだ眼窩《がんか》の奥で目がギラギラしているのが見えなければ、まるで死体が立っているといってもいい。血の気のない皮膚が顔の骨にぴったりと張りつき、まるでどくろのようだ。ニヤリと笑うと黄色い歯がむき出しになった。シリウス・ブラックだ。

「エクスペリアームス! 武器よ去れ!」

ロンの杖を二人に向け、ブラックがしわがれた声で唱えた。

ハリーとハーマイオニーの杖が二人の手から飛び出し、高々と宙を飛んでブラックの手に収まった。ブラックが一歩近づいた。その目はハリーをしっかり見すえている。

「君なら友を助けにくると思った」

かすれた声だった。声の使い方を長いこと忘れていたかのような響きだった。

「君の父親も私のためにそうしたにちがいない。君は勇敢だ。先生の助けを求めなかった。ありがたい……そのほうがずっと、事は楽だ……」

父親についてのあざけるような言葉が、ハリーの耳にはブラックがまるで大声で叫んだかのように鳴り響いた。ハリーの胸は憎しみで煮えくり返り、恐れのかけらが入り込む余地もなかった。杖を取り戻したかった。生まれて初めてハリーは、身を護《まも》るためにではなく、攻撃のために杖が欲しかった……殺すために欲しかった。我を忘れ、ハリーは身を乗り出した。すると、突然ハリーの両脇で何かが動き、ふた組の手がハリーをつかんで引き戻した。

「ハリー、だめ！」

ハーマイオニーは凍りついたようなか細い声で言った。しかし、ロンはブラックに向かって言い放った。

「ハリーを殺したいのなら、僕たちも殺せ！」

立ち上がろうとしてますます血の気を失い、わずかによろめきながら、ロンは激しい口調で言った。

ブラックの影のような目に、何かがキラリと光った。

「座っていろ」ブラックが静かにロンに言った。「脚のけがが、よけいひどくなるぞ」

「聞こえたのか？」

ロンは弱々しく言った。それでもロンは、痛々しい姿でハリーの肩にすがり、まっすぐ立っていようとした。

「僕たち三人を殺さなきゃならないんだぞ！」

「今夜はただ一人を殺す」ブラックのニヤリ笑いがますます広がった。

「なぜ？」

ロンとハーマイオニーの手を振りほどこうとしながら、ハリーが吐き捨てるように聞いた。

「以前には、そんなことを気にしなかっただろう？　ペティグリュー一人を殺《や》るために、たくさんのマグルを無残に殺したんだろう？　……どうしたんだ。アズカバンで骨抜きになったのか？」

「ハリー！」ハーマイオニーが哀願するように言った。「だまって！」

「こいつが僕の父さんと母さんを殺したんだ！」

ハリーは大声を上げた。そして渾身《こんしん》の力で二人の手を振りほどき、ブラックめがけて飛びかかった――。

魔法を忘れはて、自分がやせて背の低い十三歳であることも忘れはて、相手のブラックが背の高い大人の男であることも忘れはてていた。できるだけひどくブラックを傷つけてやりたい、その思いひと筋だった。返り討ちで自分がどんなに傷ついてもいい……。

ハリーがそんな愚かな行為に出たのがショックだったのか、ブラックは杖を上げ遅れた。ハリーは片手で、やせこけたブラックの手首をつかみ、ひねって杖先をそらせ、もう一方の手の拳でブラックの横顔をなぐりつけた。二人は仰向けに倒れ、壁にぶつかった――。

ハーマイオニーが悲鳴を上げ、ロンはわめいていた。ブラックの持っていた三本の杖から火花が噴射し、危うくハリーの顔をそれたが、目もくらむような閃光《せんこう》が走った。ハリーは、ブラックのしなびた腕が激しくもがくのを指に感じたが、むしゃぶりついて放さなかった。もう一方の手で、ブラックの体のどこそこかまわず、手当たりしだいなぐり続けた。

しかし、ブラックは自由なほうの手でハリーののどをとらえた。

「いいや」ブラックが食いしばった歯の間から言った。「これ以上待てない――」

指がしめつけてきた。ハリーは息が詰まり、めがねがずり落ちかけた。

突然、ハーマイオニーの足がブラックを蹴るのが見えた。ブラックは痛さにうめきながらハリーを放した。ロンがブラックの杖を持った腕に体当たりし、カタカタというかすかな音がハリーの耳に入った――。

もつれ合いをやっと振りほどいてハリーが立ち上がると、自分の杖が床に転がっているのが見えた。ハリーは杖に飛びついた。しかし――。

「うわーっ！」

クルックシャンクスが乱闘に加わった。前足二本の爪が全部、ハリーの腕に深々と食い込んだ。ハリーが払いのけるすきに、クルックシャンクスがすばやくハリーの杖に飛びついた。

「取るな！」

ハリーは大声を出し、クルックシャンクスめがけて蹴りを入れた。猫はシャーッと鳴いて脇に飛びのいた。ハリーは杖を引っつかみ、振り向いた――。

「どいてくれ！」ハリーはロンとハーマイオニーに向かって叫んだ。

それが潮時だった。ハーマイオニーは唇から血を流し、息も絶え絶えに、自分の杖とロンの杖を引ったくり、急いで脇へよけた。ロンは天蓋つきベッドに這っていき、ばったり倒れて息をはずませていた。蒼白だった顔がさらに青ざめ、折れた脚を両手でしっかり押さえている。

ブラックは壁の下で伸びていた。やせた胸を激しく波打たせ、ハリーが杖をまっすぐにブラックの心臓に向けたまま、ゆっくりと近づくのを見ていた。

「ハリー、私を殺すのか？」ブラックがつぶやいた。

ハリーはブラックに馬乗りになるような位置で止まった。杖をブラックの胸に向けたまま、ハリーはブラックを見下ろした。ブラックの左目の周りが黒くあざになり、鼻血を流している。

「おまえは僕の両親を殺した」ハリーの声は少し震えていたが、杖腕は微動だにしなかった。

ブラックは落ちくぼんだ目でハリーをじっと見上げた。

「否定はしない」ブラックは静かに言った。「しかし、君がすべてを知ったら――」

「すべて？」怒りで耳の中がガンガン鳴っていた。「おまえは僕の両親をヴォルデモートに売った。それだけ知ればたくさんだ！」

「聞いてくれ」ブラックの声には緊迫したものがあった。「聞かないと、君は後悔する……君はわかっていないんだ……」

「おまえが思っているより、僕はたくさん知っているんだ」ハリーの声がますます震えた。「おまえはあの声を聞いたことがないだろう、え？　僕の母さんが……ヴォルデモートが僕を殺すのを止めようとして……おまえがやったんだ……おまえが……」

どちらも次の言葉を言わないうちに、何かオレンジ色のものがハリーのそばをサッと通り抜けた。クルックシャンクスがジャンプしてブラックの胸の上に陣取ったのだ。ブラックの心臓の真上だ。ブラックは目をしばたたいて猫を見下ろした。

「どけ」ブラックはそうつぶやくと、クルックシャンクスを払いのけようとした。

しかし、クルックシャンクスはブラックのローブに爪を立て、てこでも動かない。つぶれたような醜い顔をハリーに向け、クルックシャンクスは大きな黄色い目でハリーを見上げた。その右で、ハーマイオニーが涙を流さずにしゃくり上げた。

ハリーはブラックとクルックシャンクスを見下ろし、杖をますます固く握りしめた。猫も殺さなければならないとしたら？　だから、どうだっていうんだ。猫はブラックとグルだった……ブラックを護って死ぬ覚悟なら、勝手にすればいい……ブラックが猫を救いたいとでも言うなら、それはハリーの両親よりクルックシャンクスのほうが大切だと思っている証拠ではないか……。

ハリーは杖をかまえた。やるならいまだ。いまこそ父さん母さんの敵をとる時だ。ブラックを殺してやる。ブラックを殺さねば。いまがチャンスだ……。

何秒かがのろのろと過ぎた。そして、ハリーはまだ杖をかまえたまま、凍りついたようにその場に立ちつくしていた。ブラックはハリーをじっと見つめ、クルックシャンクスはその胸に乗ったままだった。ロンのあえぐような息づかいがベッドのあたりから聞こえてくる。ハーマイオニーはしんとしたままだ。

その時、新しい物音が聞こえてきた――。

床にこだまする、くぐもった足音だ――誰かが階下で動いている。

「**ここよ！**」ハーマイオニーが急に叫んだ。

「**私たち、上にいるわ――シリウス・ブラックよ――早く！**」

ブラックは驚いて身動きし、クルックシャンクスは振り落とされそうになった。ハリーは発作的に杖を握りしめた――**やるんだ、いま！**　頭の中で声がした――足音がバタバタと上がってくる。しかし、ハリーはまだ行動に出なかった。

赤い火花が飛び散り、ドアが勢いよく開いた。ハリーが振り向くと、蒼白な顔で杖をかまえ、ルーピン先生が飛び込んでくるところだった。ルーピン先生の目が、床に横たわるロンをとらえ、ドアのそばですくみ上がっているハーマイオニーに移り、杖でブラックをとらえて突っ立っているハリーを見、それからハリーの足元で血を流して伸びている、ブラックその人へと移った。

「**エクスペリアームス！　武器よ去れ！**」ルーピンが叫んだ。

ハリーの杖がまたしても手を離れて飛び、ハーマイオニーが持っていた二本の杖も飛んだ。ルーピンは三本とも器用につかまえ、ブラックを見すえたまま部屋の中に入ってきた。クルックシャンクスはブラックを護るように胸の上に横たわったままだった。

ハリーは急にうつろな気持ちになって立ちすくんだ――とうとうやらなかった。弱気になったんだ。ブラックは吸魂鬼に引き渡される。

ルーピンが口を開いた。何か感情を押し殺して震えているような、緊張した声だった。

「シリウス、あいつはどこだ？」

ハリーは一瞬ルーピンを見た。何を言っているのか、理解できなかった。誰のことを話しているのだろう？　ハリーはまたブラックのほうを見た。

ブラックは無表情だった。数秒間、ブラックはまったく動かなかった。それから、ゆっくりと手を上げたが、その手はまっすぐにロンを指していた。いったいなんだろうといぶかりながら、ハリーはロンをちらりと見た。ロンも当惑しているようだ。

「しかし、それなら……」

ルーピンはブラックの心を読もうとするかのように、じっと見つめながらつぶやいた。

「……なぜいままで正体を現さなかったんだ？　もしかしたら――」

ルーピンは急に目を見開いた。まるでブラックを通り越して何かを見ているような、ほかの誰にも見えないものを見ているような目だ。

「――もしかしたら、**あいつ**がそうだったのか……もしかしたら、君はあいつと入れかわりになったのか……私に何も言わずに？」

落ちくぼんだまなざしでルーピンを見つめ続けながら、ブラックがゆっくりとうなずいた。

「ルーピン先生」ハリーが大声で割って入った。「いったい何が――？」

ハリーの問いがとぎれた。目の前で起こったことが、ハリーの声をのど元で押し殺してしまったからだ。ルーピンがかまえた杖を下ろした。次の瞬間、ルーピンはブラックのほうに歩いていき、手を取って助け起こした――クルックシャンクスが床に転がり落ちた――そして、兄弟のようにブラックを抱きしめたのだ。

ハリーは胃袋の底が抜けたような気がした。

「**なんてことなの！**」ハーマイオニーが叫んだ。

ルーピンはブラックを放し、ハーマイオニーのほうを見た。ハーマイオニーは床から腰を上げ、目をらんらんと光らせ、ルーピンを指差した。

「先生は――先生は――」

「ハーマイオニー――」

「――その人とグルなんだわ！」

「ハーマイオニー、落ち着きなさい――」

「私、誰にも言わなかったのに！」ハーマイオニーが叫んだ。

「先生のために、私、隠していたのに――」

「ハーマイオニー、話を聞いてくれ。頼むから！」ルーピンも叫んだ。「説明するから――」

ハリーはまた震えだしたのを感じた。恐怖からではなく、新たな怒りからだった。

「僕は先生を信じてた」抑えきれずに、声を震わせ、ハリーはルーピンに向かって叫んだ。「それなのに、先生はずっとブラックの友達だったんだ！」

「それはちがう」ルーピンが言った。「この十二年間、私はシリウスの友ではなかった。しかし、いまはそうだ……。説明させてくれ……」

「**だめよ！**」ハーマイオニーが叫んだ。「ハリー、だまされないで。この人はブラックが城に入る手引きをしてたのよ。この人もあなたの死を願ってるんだわ――この人、**狼《おおかみ》人間なのよ！**」

痛いような沈黙が流れた。いまやすべての目がルーピンに集まっていた。ルーピンは青ざめてはいたが、驚くほど落ち着いていた。

「いつもの君らしくないね、ハーマイオニー。残念ながら、三問中一問しか合ってない。私はシリウスが城に入る手引きはしていないし、もちろんハリーの死を願ってなんかいない……」

ルーピンの顔に奇妙な震えが走った。

「しかし、私が狼人間であることは否定しない」

ロンは雄々しくも立とうとしたが、痛みに小さく悲鳴を上げてまた座り込んだ。心配そうにロンのほうに近寄ろうとするルーピンに、ロンがあえぎながら言った。

「**僕に近寄るな、狼男め！**」

ルーピンははたと足を止めた。それから、ぐっとこらえて立ち直り、ハーマイオニーに向かって話しかけた。

「いつごろから気づいていたのかね？」

「ずーっと前から」ハーマイオニーがささやくように言った。「スネイプ先生のレポートを書いたときから……」

「スネイプ先生がお喜びだろう」ルーピンは落ち着いていた。「スネイプ先生は、私の症状が何を意味するのか、誰か気づいてほしいと思って、あの宿題を出したんだ。月の満ち欠け図を見て、私の病気が満月と一致することに気づいたんだね？　それともまね妖怪が私の前で月に変身するのを見て気づいたのかね？」

「両方よ」ハーマイオニーが小さな声で言った。

ルーピンは無理に笑って見せた。

「ハーマイオニー、君は、私がいままでに出会った、君と同年齢の魔女の、誰よりも賢いね」

「ちがうわ」

ハーマイオニーが小声で言った。

「私がもう少し賢かったら、みんなにあなたのことを話してたわ！」

「しかし、もう、みんな知ってることだ」ルーピンが言った。「少なくとも先生方は知っている」

「ダンブルドアは、狼人間と知っていてやとったって言うのか？」ロンが息をのんだ。「正気かよ？」

「先生の中にもそういう意見があった」ルーピンが続けた。「ダンブルドアは、私が信用できると、何人かの先生を説得するのにずいぶんご苦労なさった」

「**そして、ダンブルドアはまちがってたんだ！**」

ハリーが叫んだ。

「**先生はずっとこいつの手引きをしてたんだ！**」

ハリーはブラックを指差していた。ブラックは天蓋つきベッドのほうに歩いていき、震える片手で顔を覆いながらベッドに身をうずめた。クルックシャンクスがベッドに飛び上がって、ブラックのかたわらに寄り、ひざにのってのどを鳴らした。ロンは足を引きずりながら、その両方からじりじりと離れた。

「私はシリウスの手引きはしていない」ルーピンが言った。「わけを話させてくれれば、説明するよ。ほら――」

ルーピンは三本の杖を一本ずつ、ハリー、ロン、ハーマイオニーのそれぞれに放り投げ、持ち主に返した。ハリーは、あっけにとられて自分の杖を受け取った。

「ほうら」ルーピンは自分の杖をベルトにはさみ込んだ。

「君たちには武器がある。私たちは丸腰だ。聞いてくれるかい？」

ハリーはどう考えていいやらわからなかった。罠だろうか？

「ブラックの手助けをしていなかったっていうなら、こいつがここにいるって、どうしてわかったたんだ？」

　ブラックのほうに激しい怒りのまなざしを向けながら、ハリーが言った。

「地図だよ」ルーピンが答えた。「『忍びの地図』だ。私の部屋で地図を調べていたんだ――」

「使い方を知ってるの？」ハリーが疑わしげに聞いた。

「もちろん、使い方は知っているよ」ルーピンは先を急ぐように手を振った。「私もこれを書いた一人だ。私はムーニーだよ――学生時代、友人は私をそういう名で呼んだ」

「先生が、**書いた**――？」

「そんなことより、私は今日の夕方、地図をしっかり見張っていたんだ。というのも、君と、ロン、ハーマイオニーが城をこっそり抜け出して、ヒッポグリフの処刑の前に、ハグリッドを訪ねるのではないかと思ったからだ。思ったとおりだった。そうだね？」

　ルーピンは三人を見ながら、部屋を往《い》ったり来たりしはじめた。その足元でほこりが小さな塊になって舞った。

「君はお父さんの『透明マント』を着ていたかもしれないね、ハリー――」

「どうしてマントのことを？」

「ジェームズがマントに隠れるのを何度見たことか……」ルーピンはまた先を急ぐように手を振った。

「要するに、透明マントを着ていても、忍びの地図に現れるということだよ。私は君たちが校庭を横切り、ハグリッドの小屋に入るのを見ていた。二十分後、君はハグリッドの所を離れ、城に戻りはじめた。しかし、今度は君たちのほかに誰かが一緒だった」

「え？」ハリーが言った。「いや、僕たちだけだった！」

「私は目を疑ったよ」

ルーピンはハリーの言葉を無視して、往《い》ったり来たりを続けていた。

「地図がおかしくなったかと思った。あいつがどうして君たちと一緒なんだ？」

「誰も一緒じゃなかった！」ハリーが言った。

「すると、もう一つの点が見えた。急速に君たちに近づいている。シリウス・ブラックと書いてあった……ブラックが君たちにぶつかるのが見えた。君たちの中から二人を暴れ柳に引きずり込むのを見た──」

「一人だろ！」ロンが怒ったように言った。

「ロン、ちがうね」ルーピンが言った。「二人だ」

ルーピンは歩くのをやめ、ロンを眺め回した。

「ネズミを見せてくれないか？」ルーピンは感情を抑えた言い方をした。

「なんだよ？　スキャバーズになんの関係があるんだい？」

「大ありだ」ルーピンが言った。「頼む。見せてくれないか？」

ロンはためらったが、ローブに手を突っ込んだ。スキャバーズが必死にもがきながら現れた。逃げようとするのを、ロンはその裸のしっぽをつかまえて止めた。クルックシャンクスがブラックのひざの上で立ち上がり、低く唸った。

ルーピンがロンに近づいた。じっとスキャバーズを見つめながら、ルーピンは息を殺しているようだった。

「なんだよ？」ロンはスキャバーズを抱きしめ、おびえながら同じことを聞いた。

「僕のネズミがいったいなんの関係があるって言うんだ？」

「それはネズミじゃない」突然シリウス・ブラックのしわがれ声がした。

「どういうこと──こいつはもちろんネズミだよ──」

「いや、ネズミじゃない」ルーピンが静かに言った。「こいつは魔法使いだ」

「『動物もどき』だ」ブラックが言った。

「名前はピーター・ペティグリュー」

第18章　ムーニー、ワームテール、パッドフット、プロングズ

突拍子もない言葉をのみ込むまでに、数秒かかった。

しばらくして、ロンが、ハリーの思っていたと同じことを口にした。

「二人ともどうかしてる」

「ばかばかしいわ！」ハーマイオニーもヒソッと言った。

「ピーター・ペティグリューは死んだんだ！」ハリーが言った。「こいつが十二年前に殺した！」

ハリーはブラックを指差していた。ブラックの顔がピクリとけいれんした。

「殺そうと思った」ブラックが黄色い歯をむき出して唸《うな》った。

「だが、こざかしいピーターめにしてやられた……今度はそうはさせない！」

ブラックがスキャバーズに襲いかかり、その勢いで、クルックシャンクスは床に投げ出された。折れた脚にブラックの重みがのしかかって、ロンは痛さに叫び声を上げた。

「シリウス、**よせ！**」

ルーピンが飛びついて、ブラックをロンから引き離しながら叫んだ。

「**待ってくれ！**　そういうやり方をしてはだめだ――みんなにわかってもらわねば――説明しなければいけない――」

「あとで説明すればいい！」

ブラックは唸りながらルーピンを振り払おうとした。片手はスキャバーズをとらえようと空をかき続

けている。スキャバーズは子豚のようにビイビイ鳴きながら、ロンの顔や首を引っかいて逃げようと必死だった。

「みんな――すべてを――知る――権利が――あるんだ！」

ルーピンはブラックを押さえようとして息を切らしながら言った。

「ロンはあいつをペットにしていたんだ！　私にもまだわかってない部分がある！　それにハリーだ。――シリウス、君はハリーに真実を話す義務がある！」

ブラックはあがくのをやめた。しかし、その落ちくぼんだ目だけはまだスキャバーズを見すえたままだった。ロンの手は、かみつかれ引っかかれて血が出ていたが、スキャバーズをしっかり握りしめていた。

「いいだろう。それなら」ブラックはネズミから目を離さずに言った。「君がみんなに、なんとでも話してくれ。ただ、急げよ、リーマス。私を監獄に送り込んだ原因の殺人を、いまこそ実行したい……」

「正気じゃないよ。二人とも」

ロンは声を震わせ、ハリーとハーマイオニーに同意を求めるように振り返った。

「もうたくさんだ。僕は行くよ」

ロンは折れていないほうの脚でなんとか立ち上がろうとした。しかし、ルーピンが再び杖《つえ》をかまえ、スキャバーズを指した。

「ロン、最後まで私の話を聞きなさい」ルーピンが静かに言った。「ただ、聞いている間、ピーターをしっかり捕まえておいてくれ」

「**ピーターなんかじゃない。こいつはスキャバーズだ！**」

叫びながら、ロンはネズミを胸ポケットに無理やり押し戻そうとした。しかし、スキャバーズは大暴れで逆らった。ロンはよろめき、倒れそうになった。ハリーがロンを支え、ベッドに押し戻した。それから、ハリーはブラックを無視して、ルーピンに向かって言った。

「ペティグリューが死んだのを見届けた証人がいるんだ。通りにいた人たちが大勢……」

「見てはいない。見たと思っただけだ」

ロンの手の中でジタバタしているスキャバーズから目を離さず、ブラックが荒々しく言った。

「シリウスがピーターを殺したと、誰もがそう思った」ルーピンがうなずいた。「私自身もそう信じていた――今夜地図を見るまではね。忍びの地図はけっしてうそはつかないから……ピーターは生きている。ロンがあいつを握っているんだよ、ハリー」

ハリーはロンを見下ろした。二人の目が合い、無言で二人とも同じことを考えた――ブラックとルーピンはどうかしている。言っていることはまったくナンセンスだ。スキャバーズがピーターであるはずがないだろう？　やっぱり、ブラックはアズカバンでおかしくなったんだ――しかし、なぜルーピンはブラックと調子を合わせてるんだろう？

ハーマイオニーが、震えながら冷静を保とうと努力し、ルーピン先生にまともに話してほしいと願うかのように話した。

「でもルーピン先生……スキャバーズがペティグリューのはずがありません。……そんなこと、あるはずないんです。先生はそのことをご存じのはずです……」

「どうしてかね？」

ルーピンは静かに言った。まるで授業中に、ハーマイオニーが水魔の実験の問題点を指摘したかのような言い方だった。

「だって……だって、もしピーター・ペティグリューが『動物もどき《アニメーガス》』なら、みんなそのことを知っているはずです。マクゴナガル先生の授業で『動物もどき』の勉強をしました。その宿題で、私、『動物もどき』を全部調べたんです。――魔法省が動物に変身できる魔法使いや魔女を記録していて、何に変身するかとか、その特徴などを書いた登録簿があります――私、登録簿で、マクゴナガル先生がのっているのを見つけました。それに、今世紀にはたった七人しか『動物もどき』がいないんです。ペティグリューの名前はリストにのっていませんでした――」

ハーマイオニーはこんなに真剣に宿題に取り組んでいたのだ、とハリーは内心舌を巻いたが、驚いている間もなく、ルーピン先生が笑いだした。

「またしても正解だ、ハーマイオニー！ でも、魔法省は、未登録の『動物もどき』が三匹、ホグワーツを徘徊《はいかい》していたことを知らなかったのだ」

「その話をみんなに聞かせるつもりなら、リーマス、さっさとすませてくれ」

必死にもがくスキャバーズの動きをじっと監視し続けながら、ブラックが唸った。

「私は十二年も待った。もう、そう長くは待てない」

「わかった……だが、シリウス、君にも助けてもらわないと。私はそもそもの始まりのことしか知らない……」

ルーピンの言葉がとぎれた。背後で大きくきしむ音がしたのだ。ベッドルームのドアがひとりでに開いた。五人がいっせいにドアを見つめた。そしてルーピンが足早にドアのほうに進み、階段の踊り場を見た。

「誰もいない……」

「ここは呪われてるんだ！」ロンが言った。

「そうではない」不審そうにドアに目を向けたままで、ルーピンが言った。

『叫びの屋敷』はけっして呪われてはいなかった……村人がかつて聞いたという叫びや吠《ほ》え声は、私の出した声だ」

ルーピンは目にかかる白髪のまじりはじめた髪をかき上げ、一瞬思いにふけり、それから話しだした。

「話はすべてそこから始まる――私が人狼《じんろう》になったことから。私がかまれたりしなければ、こんなことはいっさい起こらなかっただろう……そして、私があんなにも向こう見ずでなかったなら……」

ルーピンはまじめに、つかれた様子で話した。ロンが口をはさもうとしたが、ハーマイオニーが「シーッ！」と言った。ハーマイオニーは真剣にルーピンを見つめていた。

「かまれたのは私がまだ小さいころだった。両親は手を尽くしたが、あのころは治療法がなかった。スネイプ先生が私に調合してくれた魔法薬は、ごく最近発明されたばかりだ。あの薬で私は無害になる。わかるね。満月の夜の前の一週間、あれを飲みさえすれば、変身しても自分の心を保つことができる……。自分の部屋で丸まっているだけの、無害な狼《おおかみ》でいられる。そして再び月が欠けはじめるのを待つ。トリカブト系の脱狼薬《だつろうやく》が開発されるまでは、私は月に一度、完全に成熟した怪物に成りはてた。ホグワーツに入学するのは不可能だと思われた。ほかの親にしてみれば、自分の子供を、私のような危険なものにさらしたくないはずだ。

しかし、ダンブルドアが校長になり、私に同情してくださった。きちんと予防措置を取りさえすれば、私が学校に来てはいけない理由などないと、ダンブルドアはおっしゃった……」

ルーピンはため息をついた。そしてまっすぐにハリーを見た。

「何か月も前に、君に言ったと思うが、『暴れ柳』は私がホグワーツに入学した年に植えられた。ほんとうを言うと、私がホグワーツに**入学したから**植えられたのだ。この屋敷は――」

ルーピンはやるせない表情で部屋を見回した。

「――ここに続くトンネルは――私が使うために造られた。一か月に一度、私は城からこっそり連れ出され、変身するためにここに連れてこられた。私が危険な状態にある間は、誰も私に出会わないようにと、あの木がトンネルの入口に植えられた」

ハリーはこの話がどういう結末になるのか、見当がつかなかった。にもかかわらず、ハリーは話にのめり込んでいた。ルーピンの声のほかに聞こえるものといえば、スキャバーズが怖がってキーキー鳴く声だけだった。

「そのころの私の変身ぶりといったら――それは恐ろしいものだった。狼人間になるのはとても苦痛に満ちたことだ。かむべき対象の人間から引き離され、かわりに私は自分をかみ、引っかいた。村人はその騒ぎや叫びを聞いて、とてつもなく荒々しい霊の声だと思った。ダンブルドアはむしろうわさをあおった……いまでも、この屋敷が静かになってもう何年もたつのに、村人は近づこうともしない……。

しかし、変身することだけを除けば、人生であんなに幸せだった時期はない。生まれて初めて友人ができた。三人のすばらしい友が。シリウス・ブラック……ピーター・ペティグリュー……それから、言うまでもなく、ハリー、君のお父さんだ――ジェームズ・ポッター。

さて、三人の友人が、私が月に一度姿を消すことに気づかないはずはない。私はいろいろ言い訳を考えた。母親が病気で、見舞いに家に帰らなければならなかったとか……私の正体を知ったら、とたんに私を見捨てるのではないかと、それが怖かったんだ。しかし、三人は、ハーマイオニー、君と同じように、ほんとうのことを悟ってしまった……。

それでも三人は私を見捨てはしなかった。それどころか、私のためにあることをしてくれた。おかげで私にとって変身はつらくないものになったばかりでなく、生涯で最高の時になった。三人とも『動物もどき』になってくれたんだ」

「僕の父さんも？」ハリーは驚いて聞いた。

「ああ、そうだとも」ルーピンが答えた。「どうやればなれるのか、三人はほぼ三年の時間を費やして、やっとやり方を知った。君のお父さんもシリウスも、学校一の賢い学生だった。それが幸いした。何しろ、『動物もどき』変身はまかりまちがうと、とんでもないことになる。魔法省がこの種の変身をしようとする者を厳しく見張っているのもそのせいなんだ。ピーターだけはジェームズやシリウスにさんざん手伝ってもらわなければならなかった。五年生になって、やっと、三人はやりとげた。それぞれが、意のままに特定の動物に変身できるようになった」

「でも、それがどうしてあなたを救うことになったの？」

ハーマイオニーが不思議そうに聞いた。

「人間だと私と一緒にいられない。だから動物として私につき合ってくれた。狼人間は人間にとって危険なだけだからね。三人はジェームズの透明マントに隠れて、毎月一度、こっそり城を抜け出した。そして、変身した……。ピーターは一番小さかったので、暴れ柳の枝攻撃をかいくぐり、下にすべり込んで、木を硬直させる節にさわった。それから三人でそっとトンネルを下り、私と一緒になった。友達の影響で、私は以前ほど危険ではなくなった。体はまだ狼のようだったが、三人と一緒にいる間、私の心は以前ほど狼ではなくなった」

「リーマス、早くしてくれ」

殺気立ったすさまじい形相でスキャバーズをねめつけながら、ブラックが唸った。

「もうすぐだよ、シリウス。もうすぐ終わる……そう、全員が変身できるようになったので、わくわくするような可能性が開けた。ほどなく私たちは夜になると『叫びの屋敷』から抜け出し、校庭や村を歩き回るようになった。シリウスとジェームズは大型の動物に変身していたので、狼人間を抑制できた。

ホグワーツで、私たちほど校庭やホグズミードの隅々までくわしく知っていた学生はいないだろうね……。こうして、私たちが忍びの地図を作り上げ、それぞれのニックネームで地図にサインした。シリウスはパッドフット、ピーターはワームテール、ジェームズはプロングズ」

「どんな動物に――?」ハリーが質問しかけたが、それをさえぎって、ハーマイオニーが口をはさんだ。

「それでもまだとっても危険だわ! 暗い中を狼人間と走り回るなんて! もし狼人間がみんなをうまくまいて、誰かにかみついたらどうなっていたか」

「それを思うと、いまでもぞっとする」ルーピンの声は重苦しかった。

「あわや、ということがあった。何回もね。あとになってみんなで笑い話にしたものだ。若かったし、浅はかだった――自分たちの才能に酔っていたんだ。

もちろん、ダンブルドアの信頼を裏切っているという罪悪感を、私は時折感じていた……。ほかの校長ならけっして許さなかっただろうに、ダンブルドアは私がホグワーツに入学することを許可した。私と周りの者の両方の安全のために、ダンブルドアが決めたルールを、私が破っているとは、夢にも思わなかっただろう。私のために、三人の学友を非合法の『動物もどき』にしてしまったことを、ダンブルドアは知らなかった。しかし、みんなで翌月の冒険を計画するたびに、私は都合よく罪の意識を忘れた。そして、私はいまでもその時と変わっていない……」

ルーピンの顔がこわばり、声には自己嫌悪の響きがあった。

「この一年というもの、私は、シリウスが『動物もどき』だとダンブルドアに告げるべきかどうか迷い、心の中でためらう自分と闘ってきた。しかし、告げはしなかった。なぜかって? それは、私が臆病者だからだ。告げれば、学生時代に、ダンブルドアの信頼を裏切っていたと認めることになり、私がほかの者を引き込んだと認めることになる……。ダンブルドアの信頼が私にとってはすべてだったのに。ダンブルドアは少年の私をホグワーツに入れてくださったし、大人になっても、すべての社会からしめ出され、正体が正体なので、まともな仕事にも就けない私に、職場を与えてくださった。だから私は、シリウスが学校に入り込むのに、ヴォルデモートから学んだ闇の魔術を使っているにちがいないと思いたかったし、『動物もどき』であることは、それとはなんの関わりもないと自分に言い聞かせた……。だから、ある意味ではスネイプの言うことが正しかったわけだ」

「スネイプだって？」ブラックが鋭く聞いた。初めてスキャバーズから目を離し、ルーピンを見上げた。

「スネイプが、なんの関係がある？」

「シリウス、スネイプがここにいるんだ」ルーピンが重苦しく言った。「あいつもここで教えているんだ」

ルーピンはハリー、ロン、ハーマイオニーを見た。

「スネイプ先生は私たちと同期なんだ。私が『闇の魔術の防衛術』の教職に就くことに、先生は強硬に反対した。ダンブルドアに、私は信用できないと、この一年間言い続けていた。スネイプにはスネイプなりの理由があった……。それはね、このシリウスが仕掛けたいたずらで、スネイプが危うく死にかけたんだ。そのいたずらには私も関わっていた――」

ブラックがあざけるような声を出した。

「当然の見せしめだったよ」ブラックがせせら笑った。「コソコソかぎ回って、我々のやろうとしていることを詮索して……。我々を退学に追い込みたかったんだ……」

「セブルスは、私が月に一度どこに行くのか、非常に興味を持った」

ルーピンはハリー、ロン、ハーマイオニーに向かって話し続けた。

「私たちは同学年だったんだ。それに――つまり――ウム――お互いに好きになれなくてね。セブルスは特にジェームズを嫌っていた。ねたみ、それだったと思う。クィディッチ競技のジェームズの才能をね……。とにかく、セブルスはある晩、私が校医のポンフリー先生と一緒に校庭を歩いているのを見つけた。ポンフリー先生は私の変身のために暴れ柳のほうに引率していくところだった。シリウスが――その――からかってやろうと思って、木の幹のこぶを長い棒でつつけば、あとをつけて穴に入ることができるよ、と教えてやった。そう、もちろん、スネイプは試してみた。――もし、スネイプがこの屋敷までつけてきていたら、完全に人狼になりきった私に出会っただろう――しかし、君のお父さんが、シリウスのやったことを聞くなり、自分の身の危険もかえりみず、スネイプのあとを追いかけて、引き戻したんだ。……しかし、スネイプは、トンネルのむこう端にいる私の姿をちらりと見てしまった。ダンブルドアが、けっして人に言ってはいけないと口止めした。だが、その時から、スネイプは私が何者なのかを知ってしまった……」

「だからスネイプはあなたが嫌いなんだ」ハリーは考えながら言った。

「スネイプはあなたもその悪ふざけに関わっていたと思ったわけですね？」

「そのとおり」ルーピンの背後の壁のあたりから、冷たいあざけるような声がした。

セブルス・スネイプが透明マントを脱ぎ捨て、杖をぴたりとルーピンに向けて立っていた。

第19章　ヴォルデモート卿の召使い

ハーマイオニーが悲鳴を上げた。ブラックはサッと立ち上がった。ハリーはまるで電気ショックを受けたように飛び上がった。

「暴れ柳の根元でこれを見つけましてね」スネイプが、杖《つえ》をまっすぐルーピンの胸に突きつけたまま、マントを脇に投げ捨てた。「ポッター、なかなか役に立ったよ。感謝する……」

スネイプは少し息切れしてはいたが、勝利の喜びを抑えきれない顔だった。

「我輩がどうしてここを知ったのか、諸君は不思議に思っているだろうな？」スネイプの目がギラリと光った。「君の部屋に行ったよ、ルーピン。今夜、例の薬を飲むのを忘れたようだから、我輩がゴブレットに入れて持っていった。持っていったのは、まことに幸運だった……我輩にとってだがね。君の机に何やら地図があってね。ひと目見ただけで、我輩に必要なことはすべてわかった。君がこの通路を走っていき、姿を消すのを見たのだ」

「セブルス――」ルーピンが何か言いかけたが、スネイプはかまわず続けた。

「我輩は校長にくり返し進言した。君が旧友のブラックを手引きして城に入れているとね。ルーピン、これがいい証拠だ。いけずうずうしくもこの古巣を隠れ家に使うとは、さすがの我輩も夢にも思いつきませんでしたよ――」

「セブルス、君は誤解している」ルーピンがせっぱ詰まったように言った。

「君は、話を全部聞いていないんだ――説明させてくれ――シリウスはハリーを殺しにきたのではない

──」

「今夜、また二人、アズカバン行きが出る」

スネイプの目がいまや狂気を帯びて光っていた。

「ダンブルドアがどう思うか、見ものですな……ダンブルドアは君が無害だと信じきっていた。わかるだろうね、ルーピン……**飼いならされた**人狼《じんろう》さん……」

「愚かな」ルーピンが静かに言った。「学生時代の恨みで、無実の者をまたアズカバンに送り返すというのかね？」

バーン！

スネイプの杖から細いひもが蛇のように噴き出て、ルーピンの口、手首、足首に巻きついた。ルーピンはバランスを崩し、床に倒れて、身動きできなくなった。怒りの唸《うな》り声を上げ、ブラックがスネイプを襲おうとした。しかし、スネイプはブラックの眉間にまっすぐ杖を突きつけた。

「やれるものならやるがいい」スネイプが低い声で言った。「我輩にきっかけさえくれれば、確実にしとめてやる」

ブラックはぴたりと立ち止まった。二人の顔に浮かんだ憎しみは、甲乙つけがたい激しさだった。

ハリーは金縛りにあったようにそこに突っ立っていた。誰を信じてよいかわからなかった。ロンとハーマイオニーをちらりと見た。ロンもハリーと同じくらいわけがわからない顔をして、じたばたもがくスキャバーズを押さえつけるのに奮闘していた。しかし、ハーマイオニーはスネイプのほうにおずおずと一歩踏み出し、こわごわ言った。「スネイプ先生──あの──この人たちの言い分を聞いてあげても、害はないのでは、あ、ありませんか？」

「ミス・グレンジャー。君は停学処分を待つ身ですぞ」スネイプが吐き出すように言った。「君も、ポッターも、ウィーズリーも、許容されている境界線を越えた。しかもお尋ね者の殺人鬼や人狼と一緒とは。君も一生に一度ぐらい、**だまっていたまえ**」

「でも、もし――もし、誤解だったら――」

「**だまれ、このバカ娘！**」スネイプが突然狂ったように、わめきたてた。「**わかりもしないことに口を出すな！**」

ブラックの顔に突きつけたままのスネイプの杖先から、火花が数個パチパチと飛んだ。ハーマイオニーはだまりこくった。

「復讐は蜜より甘い」スネイプがささやくようにブラックに言った。「おまえを捕まえるのが我輩であったらと、どんなに願ったことか……」

「おあいにくだな」ブラックが憎々しげに言った。「しかしだ、この子がそのネズミを城まで連れていくなら――」ブラックはロンをあごで指した。「――それなら私はおとなしくついて行くがね……」

「城までかね？」スネイプがいやになめらかに言った。「そんなに遠くに行く必要はないだろう。柳の木を出たらすぐに、我輩が吸魂鬼を呼べばそれですむ。連中は、ブラック、君を見てお喜びになることだろう……喜びのあまりキスをする。そんなところだろう……」

ブラックの顔にわずかに残っていた色さえ消え失《う》せた。

「聞け――最後まで、私の言うことを聞け」

ブラックの声がかすれた。

「ネズミだ――ネズミを見るんだ――」

しかし、スネイプの目には、ハリーがいままで見たこともない狂気の光があった。もはや理性を失っている。

「来い、全員だ」

スネイプが指を鳴らすと、ルーピンを縛っていた縄目の端がスネイプの手元に飛んできた。

「我輩が人狼を引きずっていこう。吸魂鬼がこいつにもキスしてくれるかもしれん――」

ハリーは我を忘れて飛び出し、たった三歩で部屋を横切り、次の瞬間ドアの前に立ちふさがっていた。

「どけ、ポッター。おまえはもう充分規則を破っているんだぞ」スネイプが唸った。「我輩がここに来ておまえの命を救っていなかったら――」

「ルーピン先生が僕を殺す機会は、この一年に何百回もあったはずだ。僕は先生と二人きりで、何度も吸魂鬼防衛術の訓練を受けた。もし先生がブラックの手先だったら、そういう時に僕を殺してしまわなかったのはなぜなんだ？」

「人狼がどんな考え方をするか、我輩に推し量れとでも言うのか」スネイプがすごんだ。「どけ、ポッター」

「恥を知れ！」ハリーが叫んだ。**「学生のときからかわれたからというだけで、話も聞かないなんて――」**

「だまれ！　我輩に向かってそんな口のきき方は許さん！」スネイプはますます狂気じみて叫んだ。「蛙《かえる》の子は蛙だな、ポッター！　我輩はいまおまえのその首を助けてやったのだ。ひれ伏して感謝するがいい！　こいつに殺されれば、自業自得だったろうに！　おまえの父親と同じような死に方をしたろうに。ブラックのことで親も子も自分が判断を誤ったとは認めない高慢さよ――さあ、どくんだ。さもないと、**どかせてやる。どくんだ、ポッター！**」

ハリーは瞬時に意を決した。スネイプがハリーのほうに一歩も踏み出さないうちに、ハリーは杖をかまえた。

「**エクスペリアームス！　武器よ去れ！**」

ハリーが叫んだ——が、叫んだのはハリーだけではなかった。ドアの蝶番《ちょうつがい》がガタガタ鳴るほどの衝撃が走り、スネイプは足元から吹っ飛んで壁に激突し、ずるずると床にすべり落ちた。髪の下から血がたらたら流れてきた。ノックアウトされたのだ。

ハリーは振り返った。ロンとハーマイオニーも、ハリーとまったく同時にスネイプの武器を奪おうとしていたのだ。スネイプの杖は高々と舞い上がり、ベッドにいるクルックシャンクスの脇に落ちた。

「こんなこと、君がしてはいけなかった」ブラックがハリーを見ながら言った。「私に任せておくべきだった……」

ハリーはブラックの目をさけた。はたしてやってよかったのかどうか、ハリーにはいまだに自信がなかった。

「先生を攻撃してしまった……先生を攻撃して……」ハーマイオニーはぐったりしているスネイプをおびえた目で見つめながら、泣きそうな声を出した。「ああ、私たち、ものすごい規則破りになるわ——」

ルーピンが縄目を解こうともがいていた。ブラックがすばやくかがみ込み、解き放した。ルーピンは立ち上がり、ひもが食い込んでいた腕のあたりをさすった。

「ハリー、ありがとう」ルーピンが言った。

「僕、まだあなたを信じるとは言ってません」ハリーが反発した。

「それでは、君に証拠を見せる時が来たようだ」ブラックが言った。「君——ピーターを渡してくれ。さあ」

ロンはスキャバーズをますますしっかりと胸に抱きしめた。

「冗談はやめてくれ」ロンが弱々しく言った。「**スキャバーズなんか**に手を下すために、わざわざアズカバンを脱獄したって言うのかい？　つまり……」

ロンは助けを求めるようにハリーとハーマイオニーを見上げた。

「ねえ。ペティグリューがネズミに変身できたとしても――ネズミなんて何百万といるじゃないか――アズカバンに閉じ込められていたら、どのネズミが自分の探してるネズミかなんて、この人、どうやったらわかるって言うんだい？」

「そうだとも、シリウス。まともな疑問だよ」ルーピンがブラックに向かってちょっと眉根を寄せた。「あいつの居場所を、**どうやって**見つけ出したんだい？」

ブラックは骨が浮き出るような手を片方ローブに突っ込み、くしゃくしゃになった紙の切れはしを取り出した。しわを伸ばし、ブラックはそれを突き出してみんなに見せた。

一年前の夏、「日刊予言者新聞」にのったロンと家族の写真だった。そして、そこに、ロンの肩に、スキャバーズがいた。

「いったいどうしてこれを？」雷に打たれたような声でルーピンが聞いた。

「ファッジだ」ブラックが答えた。「去年、アズカバンの視察に来たとき、ファッジがくれた新聞だ。ピーターがそこにいた。一面に……この子の肩にのって……。私にはすぐわかった……こいつが変身するのを何回見たと思う？　それに、写真の説明には、この子がホグワーツに戻ると書いてあった。……ハリーのいるホグワーツへと……」

「なんたることだ」

ルーピンがスキャバーズから新聞の写真へと目を移し、またスキャバーズのほうをじっと見つめながら静かに言った。

「こいつの前足だ……」

「それがどうしたっていうんだい？」ロンが食ってかかった。

「指が一本ない」ブラックが言った。

「まさに」ルーピンがため息をついた。

「なんと単純明快なことだ……**なんとこざかしい**……。あいつは自分で切ったのか？」

「変身する直前にな」ブラックが言った。

「あいつを追いつめたとき、あいつは道行く人全員に聞こえるように叫んだ。私がジェームズとリリーを裏切ったんだと。それから、私がやつに呪いをかけるより先に、やつは隠し持った杖で道路を吹き飛ばし、自分の周り五、六メートル以内にいた人間をみな殺しにした――そしてすばやく、ネズミがたくさんいる下水道に逃げ込んだ……」

「ロン、聞いたことはないかい？」ルーピンが言った。「ピーターの残骸で一番大きなのが指だったって」

「だって、たぶん、スキャバーズはほかのネズミとけんかしたかなんかだよ！　こいつは何年も家族の中で〝お下がり〟だった。確か――」

「十二年だね、確か」ルーピンが言った。

「どうしてそんなに長生きなのか、変だと思ったことはないのかい？」

「僕たち――僕たちが、ちゃんと世話してたんだ！」ロンが答えた。

「いまはあんまり元気じゃないようだね。どうだね？」ルーピンが続けた。「私の想像だが、シリウスが脱獄して逃亡中だと聞いて以来、やせおとろえてきたのだろう……」

「こいつは、その狂った猫が怖いんだ！」ロンは、ベッドでゴロゴロのどを鳴らしているクルックシャンクスをあごで指した。

それはちがう、とハリーは急に思い出した……スキャバーズはクルックシャンクスに出会う前から弱っているようだった……ロンがエジプトから帰って以来ずっとだ……ブラックが脱獄して以来ずっとだ……。

「この猫は狂ってはいない」ブラックのかすれ声がした。骨と皮ばかりになった手を伸ばし、ブラックはクルックシャンクスのふわふわした頭をなでた。

「私の出会った猫の中で、こんなに賢い猫はまたといない。ピーターを見るなり、すぐ正体を見抜いた。私に出会ったときも、私が犬でないことを見破った。私を信用するまでにしばらくかかった。ようやっと私のねらいをこの猫に伝えることができて、それ以来私を助けてくれた……」

「それ、どういうこと？」ハーマイオニーが息をひそめた。

「ピーターを私の所に連れてこようとした。しかし、できなかった……そこで私のためにグリフィンドール塔への合言葉を盗み出してくれた……誰か男の子のベッド脇の小机から持ってきたらしい……」

ハリーは話を聞きながら、混乱して頭が重く感じられた。そんなバカな……でも、やっぱり……。

「しかし、ピーターは事のなりゆきを察知して、逃げ出した……。この猫は――クルックシャンクスという名だね？――ピーターがベッドのシーツに血の痕を残していったと教えてくれた。……たぶん自分で自分をかんだのだろう……そう、死んだと見せかけるのは、前にも一度うまくやったのだし……」

この言葉でハリーはハッと我に返った。

「それじゃ、なぜピーターは自分が死んだと見せかけたんだ？」ハリーは激しい語調で聞いた。「おまえが、僕の両親を殺したと同じように、自分をも殺そうとしていると気づいたからじゃないか！」

「ちがう、ハリー――」ルーピンが口をはさんだ。

「それで、今度はとどめを刺そうとしてやってきたんだろう！」

「そのとおりだ」ブラックは殺気立った目でスキャバーズを見た。

「それなら、僕はスネイプにおまえを引き渡すべきだったんだ！」ハリーが叫んだ。

「ハリー」ルーピンが急《せ》き込んで言った。「わからないのか？　私たちは、ずっと、シリウスが君のご両親を裏切ったと思っていた。ピーターがシリウスを追いつめたと思っていた——しかし、それは逆だった。わからないかい？　**ピーター**が君のお父さん、お母さんを裏切ったんだ——シリウスが**ピーター**を追いつめたんだ——」

「うそだ！」ハリーが叫んだ。**「『ブラックが『秘密の守人』だった！　ブラック自身があなたが来る前にそう言ったんだ。こいつは自分が僕の両親を殺したと言ったんだ！」**

ハリーはブラックを指差していた。ブラックはゆっくりと首を振った。落ちくぼんだ目が急にうるんだように光った。

「ハリー……私が殺したも同然だ」ブラックの声がかすれた。「最後の最後になって、ジェームズとリリーに、ピーターを守人にするように勧めたのは私だ。ピーターにかえるように勧めた……私が悪いのだ。確かに……二人が死んだ夜、私はピーターの所に行く手はずになっていた。ピーターが無事かどうか、確かめにいくことにしていた。ところが、ピーターの隠れ家に行ってみると、もぬけの殻だ。しかも争った跡がない。どうもおかしい。私は不吉な予感がして、すぐに君のご両親の所へ向かった。そして、家が壊され、二人が死んでいるのを見たとき——私は悟った。ピーターが何をしたのかを。私が何をしてしまったのかを」

涙声になり、ブラックは顔をそむけた。

「話はもう充分だ」

ルーピンの声には、ハリーがこれまで聞いたことがないような、情け容赦のない響きがあった。

「ほんとうは何が起こったのか、証明する道はただ一つだ。ロン、**そのネズミをよこしなさい**」

「こいつを渡したら、何をしようというんだ？」

ロンが緊張した声でルーピンに聞いた。

「無理にでも正体を現させる。もしほんとうのネズミだったら、これで傷つくことはない」ルーピンが答えた。

ロンはためらったが、とうとうスキャバーズを差し出し、ルーピンが受け取った。スキャバーズはキーキーとわめき続け、のた打ち回り、小さな黒い目が飛び出しそうだった。

「シリウス、準備は？」ルーピンが言った。

ブラックはもう、スネイプの杖をベッドから拾い上げていた。ブラックが、ルーピンとじたばたするネズミに近づいた。涙でうるんだ目が、突然燃え上がったかのようだった。

「一緒にするか？」ブラックが低い声で言った。

「そうしよう」ルーピンはスキャバーズを片手にしっかりつかみ、もう一方の手で杖を握った。

「三つ数えたらだ。一――二――三！」

青白い光が二本の杖からほとばしった。一瞬、スキャバーズは宙に浮き、そこに静止した。小さな黒い姿が激しくよじれた――ロンが叫び声を上げた――ネズミは床にボトリと落ちた。もう一度、目もくらむような閃光《せんこう》が走り、そして――。

木が育つのを早送りで見ているようだった。頭が床からシュッと上に伸び、手足が生え、次の瞬間、スキャバーズがいた所に、一人の男が、手をよじり、あとずさりしながら立っていた。クルックシャンクスがベッドで背中の毛を逆立て、シャーッ、シャーッと激しい音を出し、唸った。

小柄な男だ。ハリーやハーマイオニーの背丈とあまり変わらない。まばらな色あせた髪はくしゃくしゃで、てっぺんに大きなはげがあった。太った男が急激に体重を失ってしなびた感じだ。皮膚はまるでスキャバーズの体毛と同じように薄汚れ、とがった鼻や、ことさら小さいうるんだ目には、なんとなくネズミくささが漂っていた。男はハァハァと浅く、速い息づかいで、周りの全員を見回した。男の目がすばやくドアのほうに走り、また元に戻ったのを、ハリーは目撃した。

「やあ、ピーター」ネズミがニョキニョキと旧友たちに変身して身近に現れるのをしょっちゅう見慣れているかのような口ぶりで、ルーピンがほがらかに声をかけた。「しばらくだったね」

「シ、シリウス……リ、リーマス……」

ペティグリューは、声までキーキーとネズミ声だ。またしても、目がドアのほうにすばやく走った。

「友よ……なつかしの友よ……」

ブラックの杖腕が上がったが、ルーピンがその手首を押さえ、たしなめるような目でブラックを見た。それからまたペティグリューに向かって、さりげない軽い声で言った。

「ジェームズとリリーが死んだ夜、何が起こったのか、いまおしゃべりしていたんだがね、ピーター。君はあのベッドでキーキーわめいていたから、細かい所を聞き逃したかもしれないな――」

「リーマス」ペティグリューがあえいだ。その不健康そうな顔から、ドッと汗が噴き出すのをハリーは見た。

「君はブラックの言うことを信じたりしないだろうね……あいつはわたしを殺そうとしたんだ、リーマス……」

「そう聞いていた」ルーピンの声は一段と冷たかった。「ピーター、二つ、三つ、すっきりさせておきたいことがあるんだが、君がもし――」

「こいつは、またわたしを殺しにやってきた*!*」

ペティグリューは突然ブラックを指差して金切り声を上げた。人差し指がなくなり、中指で指しているのをハリーは見た。

「こいつはジェームズとリリーを殺した。今度はわたしも殺そうとしてるんだ……リーマス、助けておくれ……」

暗い底知れない目でペティグリューをにらみつけたブラックの顔が、いままで以上に骸骨のような形相に見えた。

「少し話の整理がつくまでは、誰も君を殺しはしない」ルーピンが言った。

「整理？」ペティグリューはまたきょろきょろとあたりを見回し、その目が板張りした窓を確かめ、一つしかないドアをもう一度確かめた。

「こいつがわたしを追ってくるとわかっていた！　こいつがわたしをねらって戻ってくるとわかっていた！　十二年も、わたしはこの時を待っていた！」

「シリウスがアズカバンを脱獄するとわかっていたと言うのか？」ルーピンは眉根を寄せた。「いまだかつて脱獄した者は誰もいないのに？」

「こいつは、わたしたちの誰もが夢でしかかなわないような闇の力を持っている！」ペティグリューのかん高い声が続いた。「それがなければ、どうやってあそこから出られる？　おそらく『名前を言ってはいけないあの人』がこいつに何か術を教え込んだんだ！」

ブラックが笑いだした。ぞっとするような、うつろな笑いが部屋中に響いた。

「ヴォルデモートが私に術を？」

ペティグリューはブラックに鞭打《むちう》たれたかのように身を縮めた。

「どうした？　なつかしいご主人様の名前を聞いて怖気《おじけ》づいたか？」ブラックが言った。「無理もないな、ピーター。昔の仲間はおまえのことをあまり快く思っていないようだ。ちがうか？」

「なんのことやら――シリウス、君が何を言っているのやら――」ペティグリューはますます荒い息をしながら、もごもご言った。いまや汗だくで、顔がてかてかしている。

「おまえは十二年もの間、**私から**逃げていたのではない。ヴォルデモートの昔の仲間から逃げ隠れしていたのだ。アズカバンでいろいろ耳にしたぞ、ピーター。……みんなおまえが死んだと思っている。さもなければ、おまえはみんなから落とし前をつけさせられたはずだ……私は囚人たちが寝言でいろいろ叫ぶのをずっと聞いてきた。どうやらみんな、二重スパイの裏切り者がまた寝返って、自分たちを裏切ったと思っているようだった。ヴォルデモートはおまえの情報でポッターの家に行った……そして、そこでヴォルデモートが破滅したのだからな。ヴォルデモートの仲間は一網打尽でアズカバンに入れられたわけではなかった。そうだな？　まだその辺にたくさんいる。時を待っているのだ。悔い改めたふりをして……ピーター、その連中が、もしおまえがまだ生きていると風の便りに聞いたら――」

「なんのことやら……何を話しているやら……」ペティグリューの声はますますかん高くなっていた。そでで顔をぬぐい、ルーピンを見上げて、ペティグリューが言った。「リーマス、君は信じないだろう――こんなバカげた――」

「はっきり言って、ピーター、なぜ無実の者が、十二年もネズミに身をやつして過ごしたいと思ったのかは、理解に苦しむ」感情の起伏を示さず、ルーピンが言った。

「無実だ。でも怖かった！」ペティグリューがキーキー言った。「ヴォルデモート支持者がわたしを追っているなら、それは、大物の一人をわたしがアズカバンに送ったからだ――スパイのシリウス・ブラックだ！」

ブラックの顔がゆがんだ。

「よくもそんなことを」ブラックは、突然、あの熊のように大きな犬に戻ったように唸った。「私が？　ヴォルデモートのスパイ？　私がいつ、自分より強く、力のある者たちにヘコヘコした？しかし、ピーター、おまえは――。おまえがスパイだということを、なぜ初めから見抜けなかったのか。うかつだった。おまえはいつも、自分の面倒を見てくれる親分にくっついているのが好きだった。そうだな？　かつてはそれが我々だった……私とリーマス……それにジェームズだった……」

ペティグリューはまた顔をぬぐった。いまや息も絶え絶えだった。

「わたしが、スパイなんて……正気の沙汰じゃない……けっして……どうしてそんなことが言えるのか、わたしにはさっぱり――」

「ジェームズとリリーは私が勧めたからおまえを『秘密の守人』にしたんだ」

ブラックは歯がみをした。その激しさに、ペティグリューはたじたじと一歩下がった。

「私はこれこそ完璧な計画だと思った……目くらましだ……ヴォルデモートはきっと私を追う。おまえのような弱虫の、能無しを利用しようとは夢にも思わないだろう……ヴォルデモートにポッター一家を売ったときは、さぞかし、おまえのみじめな生涯の最高の瞬間だったろうな」

ペティグリューはわけのわからないことをつぶやいていた。ハリーの耳には、「とんだお門ちがい」とか「狂ってる」とかが聞こえてきたが、むしろ気になったのは、ペティグリューの青ざめた顔と、相変わらず窓やドアのほうにちらちら走る視線だった。

「ルーピン先生？」ハーマイオニーがおずおず口を開いた。「あの――聞いてもいいですか？」

「どうぞ、ハーマイオニー」ルーピンがていねいに答えた。

「あの――スキャバーズ――いえ、この――この人――ハリーの寮で三年間同じ寝室にいたんです。『例のあの人』の手先なら、いままでハリーを傷つけなかったのは、どうしてかしら？」

「そうだ！」ペティグリューが指の一本欠けた手でハーマイオニーを指差し、かん高い声を上げた。「ありがとう！　リーマス、聞いたかい？　ハリーの髪の毛一本傷つけてはいない！　そんなことをする理由がありますか？」

「その理由を教えてやろう」ブラックが言った。「おまえは、自分のために得になることがなければ、誰のためにも何もしないやつだ。ヴォルデモートは十二年も隠れたままで、半死半生だといわれている。アルバス・ダンブルドアの目と鼻の先で、しかもまったく力を失った残骸のような魔法使いのために、殺人などするおまえか？　『あの人』のもとに馳《は》せ参ずるなら、『あの人』がお山の大将で一番強いことを確かめてからにするつもりだったんだろう？　そもそも魔法使いの家族に入り込んで飼ってもらったのはなんのためだ？　情報が聞ける状態にしておきたかったんだろう？　え？　おまえの昔の保護者が力を取り戻し、またそのもとに戻っても安全だという事態に備えて……」

ペティグリューは何度か口をパクパクさせた。話す能力をなくしたかに見えた。

「あの──ブラックさん──シリウス？」ハーマイオニーがおずおず声をかけた。

ブラックは飛び上がらんばかりに驚いた。こんなにていねいに話しかけられたのは、遠い昔のことで、もう忘れてしまったというように、ハーマイオニーをじっと見つめた。

「お聞きしてもいいでしょうか。ど──どうやってアズカバンから脱獄したのでしょう？　もし闇の魔術を使ってないのなら」

「ありがとう！」ペティグリューは息をのみ、ハーマイオニーに向かって激しくうなずいた。「そのとおり！　それこそ、わたしが言いた──」

ルーピンがにらんでペティグリューをだまらせた。ブラックはハーマイオニーに向かってちょっと顔をしかめたが、聞かれたことを不快に思っている様子ではなかった。自分もその答えを探しているように見えた。

「どうやったのか、自分でもわからない」ゆっくりと考えながらブラックが答えた。

「私が正気を失わなかった理由はただ一つ、自分が無実だと知っていたことだ。これは幸福な気持ちではないから、吸魂鬼はその思いを吸い取ることができなかった……しかし、その思いが私の正気を保った。自分が何者であるか意識し続けていられた……私の力を保たせてくれた……。だからいよいよ……耐えがたくなったときは……私は独房で変身することができた……犬になれた。吸魂鬼は目が見えないのだ……」

ブラックはゴクリとつばを飲んだ。

「連中は人の感情を感じ取って人に近づく……私が犬になると、連中は私の感情が――人間的でなくなり、複雑でなくなるのを感じ取った……しかし、連中はもちろんそれを、ほかの囚人と同じく私も正気を失ったのだろうと考え、気にもかけなかった。とはいえ、私は弱っていた。とても弱っていて、杖なしには連中を追い払うことはとてもできないとあきらめていた……。

そんな時、私はあの写真にピーターを見つけた……ホグワーツでハリーと一緒だということがわかった。……闇の陣営が再び力を得たとの知らせが、ちらとでも耳に入れば、行動を起こすには完璧な場所だ……」

ペティグリューは声もなく口をパクつかせながら、首を振っていたが、まるで催眠術にかかったようにブラックを見つめ続けていた。

「……味方の力に確信が持てたら、とたんに襲えるように準備万端だ……ポッター家最後の一人を味方に引き渡す。ハリーを差し出せば、やつがヴォルデモート卿《きょう》を裏切ったなどと誰が言おうか？　やつは栄誉をもって再び迎え入れられる……。

だからこそ、私は何かをせねばならなかった。ピーターがまだ生きているのを知っているのは私だけだ……」

ハリーはウィーズリー氏と夫人とが話していたことを思い出した。

――看守が、ブラックは寝言を言っていると言うんだ……いつも同じ寝言だ……「**あいつはホグワーツにいる**」って――。

「まるで誰かが私の心に火をつけたようだった。しかも吸魂鬼はその思いを砕くことはできない……幸福な気持ちではないからだ……執念だった……。しかし、その気持ちが私に力を与えた。心がしっかり覚めた。そこである晩、連中が食べ物を運んできて独房の戸を開けたとき、私は犬になって連中の脇をすり抜けた……。連中にとって獣の感情を感じるのは非常に難しいことなので、混乱した……。私はやせ細っていた。とても……。鉄格子のすきまをすり抜けられるほどやせていた……。私は犬の姿で泳ぎ、島から戻ってきた……。北へと旅し、ホグワーツの校庭に犬の姿で入り込んだ……。それからずっと、森に棲《す》んでいた……。もっとも、一度だけクィディッチの試合を見にいったが、それ以外は……。ハリー、君はお父さんに負けないぐらい飛ぶのがうまい……」

ブラックはハリーを見た。ハリーも目をそらさなかった。

「信じてくれ」かすれた声でブラックが言った。「信じてくれ、ハリー。私はけっしてジェームズやリリーを裏切ったことはない。裏切るくらいなら、私が死ぬほうがましだ」

ようやくハリーはブラックを信じることができた。のどがつまり、声が出なかった。ハリーはうなずいた。

「だめだ！」ペティグリューは、ハリーがうなずいたことが自分の死刑の宣告でもあるかのように、がっくりとひざをついた。そのままにじり出て、祈るように手を握り合わせ、這《は》いつくばった。

「シリウス――わたしだ……ピーターだ……君の友達の……まさか君は……」

ブラックが蹴飛ばそうと足を振ると、ペティグリューはあとずさりした。

「私のローブは充分に汚れてしまった。この上おまえの手で汚されたくはない」ブラックが言った。

「リーマス！」ペティグリューはルーピンのほうに向きなおり、哀れみを請うように身をよじりながら金切り声を上げげた。「君は信じないだろうね……計画を変更したなら、シリウスは君に話したはずだろう？」

「ピーター、私がスパイだと思ったら話さなかっただろうな」ルーピンが答えた。

「シリウス、たぶんそれで私に話してくれなかったのだろう？」ペティグリューの頭越しに、ルーピンがさりげなく言った。

「すまない、リーマス」ブラックが言った。

「気にするな。わが友、パッドフット」ルーピンはそでをまくり上げながら言った。

「そのかわり、私が**君を**スパイだと思いちがいしたことを許してくれるか？」

「もちろんだとも」

ブラックのげっそりした顔に、ふと、かすかな笑みがもれた。ブラックもそでをまくり上げはじめた。

「一緒にこいつを殺《や》るか？」

「ああ、そうしよう」ルーピンが厳粛に言った。

「やめてくれ……やめて……」ペティグリューがあえいだ。そして、ロンのそばに転がり込んだ。「ロン……わたしはいい友達……いいペットだったろう？　わたしを殺させないでくれ、ロン。お願いだ……君はわたしの味方だろう？」

しかし、ロンは思いっきり不快そうにペティグリューをにらんだ。

「自分の**ベッド**におまえを寝かせてたなんて！」

「やさしい子だ……情け深いご主人様……」

ペティグリューはロンのほうに這い寄った。

「殺させないでくれ……わたしは君のネズミだった……いいペットだった……」

「人間のときよりネズミのほうがさまになるなんていうのは、ピーター、あまり自慢にはならない」

ブラックが厳しく言った。ロンは痛みでいっそう青白くなりながら、折れた脚を、ペティグリューの手の届かない所へとひねった。ペティグリューはひざを折ったまま向きを変え、前にのめりながらハーマイオニーのローブのすそをつかんだ。

「やさしいお嬢さん……賢いお嬢さん……。あなたは――あなたならそんなことをさせないでしょう……助けて……」

ハーマイオニーはローブを引っ張り、しがみつくペティグリューの手からもぎ取り、おびえきった顔で壁際まで下がった。

ペティグリューは、とめどなく震えながら、ひざまずき、ハリーに向かってゆっくりと顔を上げた。

「ハリー……ハリー……君はお父さんに生き写しだ……そっくりだ……」

「**ハリーに話しかけるとは、どういう神経だ？**」ブラックが大声を出した。「**ハリーに顔向けができるか？　この子の前で、ジェームズのことを話すなんて、どの面下げてできるんだ？**」

「**ハリー**」ペティグリューが両手を伸ばし、ハリーに向かってひざで歩きながらささやいた。「ハリー、ジェームズならわたしが殺されることを望まなかっただろう……ジェームズならわかってくれたよ、ハリー……ジェームズならわたしに情けをかけてくれただろう……」

ブラックとルーピンが大股にペティグリューに近づき、肩をつかんで床の上に仰向けにたたきつけた。ペティグリューは座り込んで、恐怖にヒクヒクけいれんしながら二人を見つめた。

「おまえはジェームズとリリーをヴォルデモートに売った」ブラックも体を震わせていた。「否定するのか？」

ペティグリューはワッと泣きだした。おぞましい光景だった。育ちすぎた、頭のはげかけた赤ん坊が、床の上ですくんでいるようだった。

「シリウス、シリウス、わたしに何ができたというのだ？　闇の帝王は……君にはわかるまい……あの方には君の想像もつかないような武器がある……わたしは怖かった。シリウス、わたしは君や、リーマスやジェームズのように勇敢ではなかった。わたしはやろうと思ってやったのではない……あの『名前を言ってはいけないあの人』が無理やり――」

「**うそをつくな！**」ブラックが割れるような大声を出した。「**おまえは、ジェームズとリリーが死ぬ一年も前から、『あの人』に密通していた！　おまえがスパイだった！**」

「あの方は――あの方は、あらゆる所を征服していた！」ペティグリューがあえぎながら言った。「あの方を拒んで、な、何が得られたろう？」

「史上もっとも邪悪な魔法使いに抗って、何が得られたかって？」ブラックの顔にはすさまじい怒りが浮かんでいた。

「それは、罪もない人々の命だ、ピーター！」

「君にはわかってないんだ！」ペティグリューが哀れっぽく訴えた。「シリウス、わたしが殺されかねなかったんだ！」

「**それなら、死ねばよかったんだ！**」ブラックが吠《ほ》えた。「**友を裏切るくらいなら死ぬべき**

だった。我々も君のためにそうしただろう！」

ブラックとルーピンが肩を並べて立ち、杖を上げた。

「おまえは気づくべきだったな」ルーピンが静かに言った。「ヴォルデモートがおまえを殺さなければ、我々が殺すと。ピーター、さらばだ」

ハーマイオニーが両手で顔を覆い、壁のほうを向いた。

「**やめて！**」ハリーが叫んだ。ハリーは駆けだして、ペティグリューの前に立ちふさがり、杖に向き合った。

「殺してはだめだ」ハリーはあえぎながら言った。「殺しちゃいけない」

ブラックとルーピンはショックを受けたようだった。

「ハリー、このくずのせいで、君はご両親を亡くしたんだぞ」ブラックが唸った。

「このヘコヘコしているろくでなしは、あの時、君も死んでいたら、それを平然として眺めていたはずだ。聞いただろう。小汚い自分の命のほうが、君の家族全員の命より大事だったのだ」

「わかってる」ハリーはあえいだ。「こいつを城まで連れていこう。僕たちの手で吸魂鬼に引き渡すんだ。こいつはアズカバンに行けばいい……殺すことだけはやめて」

「ハリー！」ペティグリューが息をのんだ。そして両腕でハリーのひざをひしと抱いた。「君は――ありがとう――こんなわたしに――ありがとう――」

「放せ」ハリーは汚らわしいとばかりにペティグリューの手をはねつけ、吐き捨てるように言った。「おまえのために止めたんじゃない。僕の父さんは、親友が――おまえみたいなもののために――殺人者になるのを望まないと思っただけだ」

誰一人動かなかった。物音一つ立てなかった。ただ、胸を押さえたペティグリューの息がゼイゼイと聞こえるだけだった。ブラックとルーピンは互いに顔を見合わせていた。それから二人同時に杖を下ろした。

「ハリー、君だけが決める権利がある」ブラックが言った。「しかし、考えてくれ……こいつのやったことを……」

「こいつはアズカバンに行けばいいんだ」ハリーはくり返し言った。「あそこがふさわしい者がいるとしたら、こいつしかいない……」

ペティグリューはハリーの陰でまだゼイゼイ言っていた。

「いいだろう。ハリー、脇にどいてくれ」ルーピンが言った。

ハリーはためらった。

「縛り上げるだけだ。誓ってそれだけだ」ルーピンが言った。

ハリーは脇にどいた。今度はルーピンの杖の先から、細いひもが噴き出して、次の瞬間、ペティグリューは縛られ、さるぐつわをかまされて床の上でもがいていた。

「しかし、ピーター、もし変身したら」ブラックも杖をペティグリューに向け、唸るように言った。「**やはり**殺す。いいね、ハリー？」

ハリーは床に転がった哀れな姿を見下ろし、ペティグリューに見えるようにうなずいた。

「よし」

ルーピンが急にてきぱきとさばきはじめた。

「ロン、私はマダム・ポンフリーほどうまく骨折を治すことができないから、医務室に行くまでの間、包帯で固定しておくのが一番いいだろう」

ルーピンはサッとロンのそばに行き、かがんでロンの脚を杖で軽くたたき、「**フェルーラ、巻け**」と唱えた。添え木で固定したロンの脚に包帯が巻きついた。ルーピンが手を貸してロンを立たせ、ロンは恐る恐る足に体重をかけたが、痛さに顔をしかめることもなかった。

「よくなりました。ありがとう」ロンが言った。

「スネイプ先生はどうしますか?」

ハーマイオニーがうなだれて伸びているスネイプを見下ろしながら、小声で言った。

「こっちは別に悪い所はない」

かがんでスネイプの脈を取りながら、ルーピンが言った。

「君たち三人とも、ちょっと——過激にやりすぎただけだ。スネイプはまだ気絶したままだ。うむ——我々が安全に城に戻るまで、このままにしておくのが一番いいだろう。こうして運べばいい……」

ルーピンが「**モビリコーパス、体よ動け**」と唱えた。手首、首、ひざに見えない糸が取りつけられたように、スネイプの体が引っ張り上げられ、立ち上がった。頭部はまだぐらぐらとすわり心地悪そうに垂れ下がったままで、まるで異様な操り人形だ。脚をぶらぶらさせ、床から数センチ上に吊《つ》るし上げられていた。ルーピンは透明マントを拾い上げ、ポケットにきちんとしまった。

「誰か二人、こいつとつながっておかないと」ブラックが足のつま先でペティグリューをこづきながら言った。「万一のためだ」

「私がつながろう」ルーピンだ。

「僕も」ロンが片足を引きずりながら進み出て、乱暴に言った。

ブラックは空中からヒョイと重い手錠を取り出した。再び、ペティグリューは二本足で立ち、その左腕はルーピンの右腕に、そして右腕はロンの左腕につながれていた。

ロンは口を真一文字に結んでいた。スキャバーズの正体を、ロンはまるで自分への屈辱と受け取ったように見えた。クルックシャンクスがひらりとベッドから飛び降り、先頭に立って部屋を出た。瓶洗いブラシのようなしっぽを誇らしげにキリッと上げながら。

第20章　吸魂鬼《ディメンター》のキス

こんな奇妙な群れに加わったのはハリーにとって初めてだった。クルックシャンクスが先頭に立って階段を下り、そのあとをルーピン、ペティグリュー、ロンが、まるでムカデ競走のようにつながって下りた。シリウスがスネイプの杖《つえ》を使ってスネイプ先生を宙吊《づ》りにし、不気味に宙を漂うスネイプのつま先が、一段下りるたびに階段にぶつかった。ハリーとハーマイオニーがしんがりだった。

トンネルを戻るのがひと苦労だった。ルーピン、ペティグリュー、ロンの組は横向きになって歩かざるをえなかった。ルーピンはペティグリューに杖を突きつけたままだ。ハリーからは三人が一列になって歩きにくそうにトンネルを横ばいで行くのが見えた。先頭は相変わらずクルックシャンクスだ。ハリーはシリウスのすぐ後ろを歩いた。スネイプがシリウスに宙吊りにされたまま、三人の前を漂っていたが、がくりと垂れた頭が低い天井にぶつかってばかりいた。ハリーは、シリウスがわざとよけないようにしているような気がした。

「これがどういう意味をもつのか、わかるかい？」

トンネルをのろのろと進みながら、出し抜けにシリウスがハリーに話しかけた。

「ペティグリューを引き渡すということが――」

「あなたが自由の身になる」

「そうだ……」

シリウスが続けた。

「しかし、それだけではない――誰かに聞いたかもしれないが――私は君の名付け親でもあるんだよ」

「ええ、知っています」

「つまり……君の両親が、私を君の後見人に決めたのだ」

シリウスの声が緊張した。

「もし自分たちの身に何かあればと……」

ハリーは次の言葉を待った。シリウスの言おうとしていることが、自分の考えていることと同じだったら？

「もちろん、君がおじさんやおばさんとこのまま一緒に暮らしたいというなら、その気持ちはよくわかるつもりだ。しかし……まあ……考えてくれないか。私の汚名が晴れたら……もし君が……別の家族が欲しいと思うなら……」シリウスが言った。

ハリーの胸の奥で、何かが爆発した。

「えっ？――あなたと暮らすの？」

そう言ったとたん、ハリーは、天井から突き出している岩にいやというほど頭をぶっつけた。

「ダーズリー一家と別れるの？」

「むろん、君はそんなことは望まないだろうと思ったが」シリウスがあわてて言った。「よくわかるよ。ただ、もしかしたら私と、と思ってね……」

「とんでもない！」ハリーの声は、シリウスに負けず劣らずかすれていた。

「もちろん、ダーズリーの所なんか出たいです！　住む家はありますか？　僕、いつ引っ越せますか？」

シリウスがくるりと振り返ってハリーを見た。スネイプの頭が天井をゴリゴリこすっていたが、シリウスは気にもとめない様子だ。

「そうしたいのかい？　本気で？」

「ええ、本気です！」ハリーが答えた。

シリウスのげっそりした顔が、急に笑顔になった。ハリーが初めて見る、シリウスのほんとうの笑顔だった。その笑顔がもたらした変化は驚異的だった。骸骨のようなお面の後ろに十歳若返った顔が輝いて見えるようだった。ほんの一瞬、シリウスは、ハリーの両親の結婚式で快活に笑っていたあの人だ、とわかる顔になった。

トンネルの出口に着くまで、二人はもう何も話さなかった。クルックシャンクスが最初に飛び出した。木の幹のあのこぶを押してくれたらしい。

ルーピン、ペティグリュー、ロンのひと組が這《は》い上がっていったが、獰猛《どうもう》な枝の音は聞こえてこなかった。

シリウスはまずスネイプを穴の外に送り出し、それから一歩下がって、ハリーとハーマイオニーを先に通した。ついに全員が外に出た。

校庭はすでに真っ暗だった。明かりといえば、遠くに見える城の窓からもれる灯《ともしび》だけだ。無言で、全員が歩きだした。ペティグリューは相変わらずゼイゼイと息をし、時折ヒイヒイ泣いていた。

ハリーは胸がいっぱいだった。ダーズリー家を離れるんだ。父さん、母さんの親友だったシリウス・ブラックと一緒に暮らすんだ……ハリーはぼうっとした……ダーズリー一家に、テレビに出ていたあの囚人と一緒に暮らすと言ったら、どうなるかな！

「ちょっとでも変なまねをしてみろ、ピーター」

前のほうで、ルーピンが脅すように言った。ペティグリューの胸に、ルーピンの杖が横から突きつけられていた。

みんな無言でひたすら校庭を歩いた。窓の灯が徐々に大きくなってきた。スネイプはあごをがくがくと胸にぶっつけながら相変わらず不気味に宙を漂い、シリウスの前を移動していた。すると、その時――。

雲が切れた。突然校庭にぼんやりとした影が落ちた。一行は月明かりを浴びていた。

スネイプが、ふいに立ち止まったルーピン、ペティグリュー、ロンの一団にぶつかった。シリウスが立ちすくんだ。シリウスは片手をサッと上げてハリーとハーマイオニーを制止した。

ハリーはルーピンの黒い影のような姿を見た。その姿は硬直していた。そして、手足が震えだした。

「どうしましょう――あの薬を今夜飲んでないわ！　危険よ！」ハーマイオニーが絶句した。

「逃げろ」シリウスが低い声で言った。「逃げろ！　早く！」

しかし、ハリーは逃げなかった。ロンがペティグリューとルーピンにつながれたままだ。ハリーは前に飛び出した。が、シリウスが両腕をハリーの胸に回してぐいと引き戻した。

「私に任せて――**逃げるんだ！**」

恐ろしい唸《うな》り声がした。ルーピンの頭が長く伸びた。体も伸びた。背中が盛り上がった。顔といわず手といわず、見る見る毛が生えだした。手は丸まって鉤爪《かぎづめ》が生えた。クルックシャンクスの毛が再び逆立ち、たじたじとあとずさりしていた――。

狼《おおかみ》人間が後ろ足で立ち上がり、バキバキと牙を打ち鳴らしたとき、シリウスの姿もハリーのそばから消えていた。変身したのだ。巨大な、熊のような犬が躍り出た。狼人間が自分を縛っていた手錠をねじ切ったとき、犬が狼人間の首に食らいついて後ろに引き戻し、ロンやペティグリューから遠ざけた。二匹は、牙と牙とががっちりとかみ合い、鉤爪が互いを引き裂き合っていた――。

ハリーはこの光景に立ちすくみ、その戦いに心を奪われるあまり、ほかのことには何も気づかなかった。ハーマイオニーの悲鳴で、ハリーはハッと我に返った――。

ペティグリューがルーピンの落とした杖に飛びついていた。包帯をした脚で不安定だったロンが転倒した。バンという音と、炸裂《さくれつ》する光――そして、ロンは倒れたまま動かなくなった。またバンという音――クルックシャンクスが宙を飛び、地面に落ちてくしゃっとなった。

「**エクスペリアームス！　武器よ去れ！**」

ペティグリューに杖を向け、ハリーが叫んだ。ルーピンの杖が空中に高々と舞い上がり、見えなくなった。

「動くな！」

ハリーは飛び出して走りながら叫んだ。

遅かった。ペティグリューはもう変身していた。だらりと伸びたロンの腕にかかっている手錠を、ペティグリューのはげたしっぽがシュッとかいくぐるのを、ハリーは目撃した。草むらをあわてて走り去る音が聞こえた。

ひと声高く吠《ほ》える声と低く唸る声とが聞こえた。ハリーが振り返ると、狼人間が逃げ出すところだった。森に向かって疾駆していく。

「シリウス、ペティグリューが逃げた。変身したんだ！」

ハリーが大声を上げた。

シリウスは血を流していた。鼻づらと背に深手を負っていた。しかし、ハリーの言葉にすばやく立ち上がり、足音を響かせて校庭を走り去った。その足音もたちまち夜の静寂《しじま》に消えていった。

ハリーとハーマイオニーはロンに駆け寄った。

「ペティグリューはいったいロンに何をしたのかしら?」

ハーマイオニーがささやくように言った。ロンは目を半眼に開き、口はだらりと開いていた。生きているのは確かだ。息をしているのが聞こえる。しかし、ロンは二人の顔がわからないようだった。

「さあ、わからない」

ハリーはすがる思いで周りを見回した。ブラックもルーピンも行ってしまった……そばにいるのは、宙吊りになって、気を失っているスネイプだけだ。

「二人を城まで連れていって、誰かに話をしないと」

ハリーは目にかかった髪をかき上げ、筋道立てて考えようとした。

「行こう――」

しかし、その時、暗闇の中から、キャンキャンと苦痛を訴えるような犬の鳴き声が聞こえてきた。

「シリウス」

ハリーは闇を見つめてつぶいた。

一瞬、ハリーは意を決しかねた。しかし、いまここにいても、ロンには何もしてやることができない。しかもあの声からすると、ブラックは窮地におちいっている――。

ハリーは駆けだした。ハーマイオニーもあとに続いた。かん高い鳴き声は湖のそばから聞こえてくるようだ。二人はその方向に疾走した。全力で走りながら、ハリーは寒気を感じたが、その意味には気づかなかった――。

キャンキャンという鳴き声が急にやんだ。湖のほとりにたどり着いたとき、それがなぜなのかを二人は目撃した――シリウスは人の姿に戻っていた。うずくまり、両手で頭を抱えている。

「**やめろおおお**」シリウスがうめいた。「**やめてくれえええええ……頼む……**」

そして、ハリーは見た。吸魂鬼だ。少なくとも百人が、真っ黒な塊になって、湖の周りからこちらに、すべるように近づいてくる。ハリーはあたりをぐるりと見回した。いつもの氷のように冷たい感覚が体の芯を貫き、目の前が霧のようにかすんできた。四方八方の闇の中から、次々と吸魂鬼が現れてくる。三人を包囲している……。

「ハーマイオニー、何か幸せなことを考えるんだ！」

ハリーが杖を上げながら叫んだ。目の前の霧を振り払おうと、激しく目をしばたたき、内側から聞こえはじめたかすかな悲鳴を振り切ろうと、頭を振った――。

僕は名付け親と暮らすんだ。ダーズリー一家と別れるんだ。

ハリーは必死でシリウスのことを、そしてそのことだけを考えようとした。そして、唱えはじめた。

「**エクスペクト　パトローナム！　守護霊よ来たれ！　エクスペクト　パトローナム！**」

ブラックは大きく身震いしてひっくり返り、地面に横たわり動かなくなった。死人のように青白い顔だった。

シリウスは大丈夫だ。僕はシリウスと行く。シリウスと暮らすんだ。

「**エクスペクト　パトローナム！**　ハーマイオニー、助けて！　**エクスペクト　パトローナム！**」

「**エクスペクト――**」ハーマイオニーもささやくように唱えた。「**エクスペクト――エクスペクト――**」

しかし、ハーマイオニーはうまくできなかった。吸魂鬼が近づいてくる。もう三メートルと離れていない。ハリーとハーマイオニーの周りを吸魂鬼が壁のように囲み、二人に迫ってくる……。

「**エクスペクト　パトローナム！**」

ハリーは、耳の中で叫ぶ声をかき消そうと、大声で叫んだ。

「**エクスペクト　パトローナム！**」

杖先から、銀色のものがひと筋流れ出て、目の前に霞《かすみ》のように漂った。同時に、ハリーは隣でハーマイオニーが気を失うのを感じた。ハリーは一人になった……たった一人だった……。

「**エクスペクト――エクスペクト　パトローナム――**」

ハリーはひざに冷たい下草を感じた。目に霧がかかった。渾身《こんしん》の力を振りしぼり、ハリーは記憶を失うまいと戦った――シリウスは無実だ――無実なんだ――**僕たちは大丈夫だ――僕はシリウスと暮らすんだ――**。

「**エクスペクト　パトローナム！**」

ハリーはあえぐように言った。

形にならない守護霊の弱々しい光で、ハリーは吸魂鬼がすぐそばに立ち止まるのを見た。吸魂鬼はハリーが創り出した銀色の靄《もや》の中を通り抜けることができなかった。マントの下から、ぬめぬめした死人のような手がするすると伸びてきて、守護霊を振り払うかのようなしぐさをした。

「やめろ――**やめろ――**」ハリーはあえいだ。「あの人は無実だ……**エクスペクト――エクスペクトパトローナム――**」

吸魂鬼たちが自分を見つめているのを感じた。ザーザーという息が邪悪な風のようにハリーを取り囲んでいる。一番近くの吸魂鬼がハリーをじっくりと眺め回した。そして、腐乱した両手を上げ――フードを脱いだ。

目があるはずの所には、うつろな眼窩《がんか》と、のっぺりとそれを覆っている灰色の薄いかさぶた状の皮膚があるだけだった。しかし、口はあった……がっぽり開いた形のない穴が、死に際の息のように、ザーザーと空気を吸い込んでいる。

恐怖がハリーの全身をまひさせ、動くことも声を出すこともできない。守護霊は揺らぎ、果てた。

真っ白な霧が目を覆った。戦わなければ……**エクスペクト　パトローナム**……何も見えない……すると、遠くのほうから、聞き覚えのあるあの叫び声が聞こえてきた……**エクスペクト　パトローナム**……霧の中で、ハリーは手探りでシリウスを探し、その腕に触れた……あいつらにシリウスを連れていかせてなるものか……。

しかし、べっとりした冷たい二本の手が、突然ハリーの首にがっちりと巻きついた。無理やりハリーの顔を仰向けにした……ハリーはその息を感じた……僕を最初に始末するつもりなんだ……くさったような息がかかる……耳元で母さんが叫んでいる……生きている僕が最後に聞く声が母さんの声なんだ——。

すると、その時、ハリーをすっぽり包み込んでいる霧を貫いて、銀色の光が見えるような気がした。だんだん強く、明るく……。ハリーは自分の体がうつ伏せに草の上に落ちるのを感じた。

うつ伏せのまま身動きする力もなく、吐き気がし、震えながらハリーは目を開けた。目もくらむような光が、あたりの草むらを照らしていた……耳元の叫び声はやみ、冷気は徐々にひいていった……。

何かが、吸魂鬼を追い払っている……何かがハリー、シリウス、ハーマイオニーの周りをぐるぐる回っている……ザーザーという吸魂鬼の息がしだいに消えていった。吸魂鬼が去っていく……暖かさが戻ってきた……。

あらんかぎりの力を振りしぼり、ハリーは顔をほんの少し持ち上げた。そして、光の中に、湖を疾駆していく動物を見た。流れ込む汗でかすむ目を凝らし、ハリーはその姿が何かを見極めようとした……それはユニコーンのように輝いていた。薄れゆく意識を奮い起こし、ハリーはそれがむこう岸に着いて、足並みをゆるめ、止まるのを見つめていた。まばゆい光の中で、ハリーは一瞬、誰かがそれを迎えているのを見た……それをなでようと手を上げている……なんだか不思議に見覚えのある人だ……でも、まさか……。

ハリーにはわからなかった。もう考えることもできなかった。最後の力が抜けていくのを感じ、頭ががっくりと地面に落ち、ハリーは気を失った。

第21章　ハーマイオニーの秘密

「言語道断……あろうことか……誰も死ななかったのは奇跡だ……こんなことは前代未聞……いや、まったく、スネイプ、君が居合わせたのは幸運だった」

「恐れ入ります、大臣閣下」

「マーリン勲章勲二等、いや、もし私が口やかましく言えば、勲一等ものだ」

「まことにありがたいことです、閣下」

「ひどい切り傷があるねえ……ブラックの仕業、だろうな？」

「実は、ポッター、ウィーズリー、グレンジャーの仕業です、閣下……」

「**まさか！**」

「ブラックが三人に魔法をかけたのです。私にはすぐわかりました。三人の行動から察しますに、錯乱の呪文でしょうな。三人はブラックが無実である可能性があると考えていたようです。三人の行動に責任はありません。しかしながら、三人がよけいなことをしたため、ブラックを取り逃がしたかもしれないわけでありまして……三人は明らかに、自分たちだけでブラックを捕まえようと思ったわけですな。この三人は、これまでもいろいろとうまくやりおおせておりまして……どうも自分たちの力を過信している節があるようで……それに、もちろん、ポッターの場合、校長が特別扱いで、相当な自由を許してきましたし――」

「ああ、それは、スネイプ……何しろ、ハリー・ポッターだ……。我々はみな、この子に関しては多少甘いところがある」

「しかし、それにしましても――あまりの特別扱いは本人のためにならぬのでは？　私個人的には、ほかの生徒と同じように扱うよう心がけております。そこでですが、ほかの生徒であれば、停学でしょうな――少なくとも――友人をあれほどの危険に巻き込んだのですから。閣下、お考えください。校則のすべてに違反し――しかもポッターを護《まも》るために、あれだけの警戒措置が取られたにもかかわらずですぞ――規則を破り、夜間、人狼《じんろう》や殺人者とつるんで――それに、ポッターは、規則を犯して、ホグズミードに出入りしていたと信じるに足る証拠を私はつかんでおります――」

「まあまあ……スネイプ、いずれそのうち、またそのうち……。あの子は確かに愚かではあった……」

ハリーは目をしっかり閉じ、横になったまま聞いていた。なんだかとてもふらふらした。聞いている言葉が、耳から脳に、のろのろと移動するような感じで、なかなか理解できなかった。手足が鉛のようだった。まぶたが重くて開けられない……ここに横たわっていたい。この心地よいベッドに、いつまでも……。

「一番驚かされたのが、吸魂鬼の行動だよ……どうして退却したのか、君、ほんとうに思い当たる節はないのかね、スネイプ？」

「ありません、閣下。私の意識が戻ったときには、吸魂鬼は全員、それぞれの持ち場に向かって校門に戻るところでした……」

「不思議千万だ。しかも、ブラックも、ハリーも、それにあの女の子も――」

「全員、私が追いついたときには意識不明でした。私は当然、ブラックを縛り上げ、さるぐつわをかませ、担架を作り出して、全員をまっすぐ城まで連れてきました」

しばし会話がとぎれた。ハリーの頭は少し速く回転するようになった。それと同時に、胸の奥がざわめいた……。

ハリーは目を開けた。

何もかもぼんやりしていた。誰かがハリーのめがねをはずしたのだ。ハリーは暗い医務室に横たわっていた。部屋の一番端に、校医のマダム・ポンフリーがこちらに背中を向けてベッドの上にかがみ込んでいるのがやっと見えた。ハリーは目を細めた。ロンの赤毛がマダム・ポンフリーの腕の下に垣間《かいま》見えた。

ハリーは枕の上で頭を動かした。右側のベッドにハーマイオニーが寝ていた。月光がそのベッドを照らしている。ハーマイオニーも目を開けていた。緊張で張りつめているようだった。ハリーも目を覚ましているのに気づいたハーマイオニーは、唇に人差し指を当て、それから医務室のドアを指差した。廊下にいるコーネリウス・ファッジとスネイプの声が、半開きになったドアから入り込んでいた。

マダム・ポンフリーが、きびきびと暗い医務室を歩き、今度はハリーのベッドにやってくる。ハリーは寝返りを打ってそちらを見た。マダム・ポンフリーはハリーが見たこともないような大きなチョコレートをひと塊手にしていた。ちょっとした小岩のようだ。

「おや、目が覚めたんですか！」

きびきびした声だ。チョコレートをハリーのベッド脇の小机に置き、マダム・ポンフリーはそれを小さいハンマーで細かく砕きはじめた。

「ロンは、どうですか？」ハリーとハーマイオニーが同時に聞いた。

「死ぬことはありません」マダム・ポンフリーは深刻な表情で言った。

「あなたたち二人は……ここに入院です。私が大丈夫だと言うまで――ポッター、何をしてるんですか？」

ハリーは上半身を起こし、めがねをかけ、杖《つえ》を取り上げていた。

「校長先生にお目にかかるんです」ハリーが言った。

「ポッター」マダム・ポンフリーがなだめるように言った。「大丈夫ですよ。ブラックは捕まえました。上の階に閉じ込められています。吸魂鬼がまもなく『接吻《キス》』をほどこします――」

「**えーっ！**」

ハリーはベッドから飛び下りた。ハーマイオニーも同じだった。しかし、ハリーの叫び声が廊下まで聞こえたらしく、次の瞬間、コーネリウス・ファッジとスネイプが医務室に入ってきた。

「ハリー、ハリー、何事だね？」

ファッジがあわてふためいて言った。

「寝てないといけないよ――ハリーにチョコレートをやったのかね？」

ファッジが心配そうにマダム・ポンフリーに聞いた。

「大臣、聞いてください！　シリウス・ブラックは無実です！　ピーター・ペティグリューは自分が死んだと見せかけたんです！　今夜、ピーターを見ました！　大臣、吸魂鬼にあれをやらせてはだめです。シリウスは――」

しかし、ファッジはかすかに笑いを浮かべて首を振っている。

「ハリー、ハリー、君は混乱している。あんな恐ろしい試練を受けたあとだし。横になりなさい、さあ。すべて我々が掌握しているのだから……」

「**していません！**」ハリーが叫んだ。「**捕まえる人をまちがえています！**」

「大臣、聞いてください。お願い」

ハーマイオニーも急いでハリーのそばに来て、ファッジを見つめ、必死に訴えた。

「私もピーターを見ました。ロンのネズミだったんです。『動物もどき《アニメーガス》』だったんです、ペティグリューは。それに――」

「おわかりでしょう、閣下?」スネイプが言った。

「錯乱の呪文です。二人とも……。ブラックは見事に二人に術をかけたものですな……」

「僕たち、錯乱してなんかいません!」ハリーが大声を出した。

「大臣! 先生!」マダム・ポンフリーが怒った。

「二人とも出ていってください。ポッターは私の患者です。患者を興奮させてはなりません!」

「僕、興奮してません。何があったのか、二人に伝えようとしてるんです!」

ハリーは激しい口調で言った。

「僕の言うことを聞いてさえくれたら――」

しかし、マダム・ポンフリーは突然大きなチョコレートの塊をハリーの口に押し込み、むせ込んでいる間に、間髪を容《い》れずハリーをベッドに押し戻した。

「さあ、大臣、**お願いです**。この子たちは手当てが必要です。どうか、出ていってください――」

再びドアが開いた。今度はダンブルドアだった。ハリーはやっとのことで口いっぱいのチョコレートを飲み込み、また立ち上がった。

「ダンブルドア先生、シリウス・ブラックは――」

「まったく、なんてことでしょう!」マダム・ポンフリーはかんしゃくを起こした。

「医務室をいったいなんだと思っているんですか? 校長先生、失礼ですが、どうか――」

「すまないね、ポピー。だが、わしはミスター・ポッターとミス・グレンジャーに話があるんじゃ」

ダンブルドアがおだやかに言った。

「たったいま、シリウス・ブラックと話をしてきたばかりじゃよ――」

「さぞかし、ポッターに吹き込んだと同じおとぎばなしをお聞かせしたことでしょうな？」

スネイプが吐き捨てるように言った。

「ネズミがなんだとか、ペティグリューが生きているとか――」

「さよう、ブラックの話はまさにそれじゃ」

ダンブルドアは半月めがねの奥から、スネイプを観察していた。

「私の証言はなんの重みもないということで？」スネイプが唸《うな》った。

「ピーター・ペティグリューは『叫びの屋敷』にはいませんでしたぞ。校庭でも影も形もありませんでした」

「それは、先生がノックアウト状態だったからです！」ハーマイオニーが熱心に言った。

「先生はあとから来たので、お聞きになっていない――」

「ミス・グレンジャー、**口出しするな！**」

「まあ、まあ、スネイプ」ファッジが驚いてなだめた。

「このお嬢さんは、気が動転しているのだから、それを考慮してあげないと――」

「わしは、ハリーとハーマイオニーと三人だけで話したいのじゃが」ダンブルドアが突然言った。

「コーネリウス、セブルス、ポピー――席をはずしてくれないかの」

「校長先生！」マダム・ポンフリーがあわてた。

「この子たちは治療が必要なんです。休息が必要で――」

「事は急を要する」ダンブルドアが言った。「どうしてもじゃ」

マダム・ポンフリーは口をキッと結んで、医務室の端にある自分の事務室に向かって大股に歩き、バタンと戸を閉めて出ていった。ファッジはチョッキにぶら下げていた大きな金の懐中時計を見た。

「吸魂鬼がそろそろ着いたころだ。迎えに出なければ。ダンブルドア、上の階でお目にかかろう」

ファッジは医務室の外でスネイプのためにドアを開けて待っていた。しかし、スネイプは動かなかった。

「ブラックの話など、一言も信じてはおられないでしょうな？」

スネイプはダンブルドアを見すえたまま、ささやくように言った。

「わしはハリーとハーマイオニーと三人だけで話したいのじゃ」ダンブルドアがくり返した。

スネイプがダンブルドアのほうに一歩踏み出した。

「シリウス・ブラックは十六の時に、すでに人殺しの能力を現した」

スネイプが息をひそめた。

「お忘れになってはいますまいな、校長？　ブラックがかつて**私**を殺そうとしたことを、お忘れではありますまい？」

「セブルス、わしの記憶力は、まだおとろえてはおらんよ」ダンブルドアは静かに言った。

スネイプはきびすを返し、ファッジが開けて待っていたドアから肩を怒らせて出ていった。ドアが閉まると、ダンブルドアはハリーとハーマイオニーのほうを向いた。二人が同時に、堰《せき》を切ったように話しだした。

「先生、ブラックの言っていることはほんとうです――僕たち、**ほんとうに**ペティグリューを**見たんです**――」

「――ペティグリューはルーピンが狼《おおかみ》に変身したときに逃げたんです」

「ペティグリューはネズミです――」

「ペティグリューの前足の鉤爪《かぎづめ》、じゃなかった、指、それ、自分で切ったんです――」

「ペティグリューがロンを襲ったんです。シリウスじゃありません――」

しかし、ダンブルドアは手を上げて、洪水のような説明を制止した。

「今度は君たちが聞く番じゃ。頼むから、わしの言うことを途中でさえぎらんでくれ。何しろ時間がないのじゃ」静かな口調だった。

「ブラックの言っていることを証明するものは何一つない。君たちの証言だけじゃ――十三歳の魔法使いが二人、何を言おうと、誰も納得はせん。あの通りには、シリウスがペティグリューを殺したと証言する目撃者が、いっぱいいたのじゃ。わし自身、魔法省に、シリウスがポッターの『秘密の守人』だったと証言した」

「ルーピン先生が話してくださいます――」

どうしてもがまんできず、ハリーが口をはさんだ。

「ルーピン先生はいまは森の奥深くにいて、誰にも何も話すことができん。再び人間に戻るころにはもう遅すぎるじゃろう。シリウスは死よりもむごい状態になっておろう。さらに言うておくが、狼人間は我々の仲間うちでは信用されておらんからの。狼人間が支持したところでほとんど役には立たんじゃろ――それに、ルーピンとシリウスは旧知の仲でもある――」

「でも――」

「**よくお聞き、ハリー**。もう遅すぎる。わかるかの？　スネイプ先生の語る真相のほうが、君たちの話より説得力があるということを知らねばならん」

「スネイプはシリウスを憎んでいます」ハーマイオニーが必死で訴えた。

「シリウスが自分にばかないたずらを仕掛けたというだけで――」

「シリウスも無実の人間らしいふるまいをしなかった。『太った婦人《レディ》』を襲った――グリフィンドールにナイフを持って押し入った――生きていても、死んでいても、とにかくペティグリューがいなければ、シリウスに対する判決をくつがえすのは無理というものじゃ」

「**でも、ダンブルドア先生は僕たちを信じてくださってます**」

「そのとおりじゃ」ダンブルドアは落ち着いていた。

「しかし、わしは、ほかの人間に真実を悟らせる力はないし、魔法大臣の判決をくつがえすことも……」

ハリーはダンブルドアの深刻な顔を見上げ、足元がガラガラと急激に崩れていくような気がした。ダンブルドアならなんでも解決できる、そういう思いに慣れきっていた。ダンブルドアがなんにもないところから、驚くべき解決策を引き出してくれると期待していた。それが、ちがう……。最後の望みが消えた。

「必要なのは」

ダンブルドアがゆっくりと言った。そして、明るい青い目がハリーからハーマイオニーへと移った。

「**時間じゃ**」

「でも――」ハーマイオニーは何か言いかけた。そして、ハッと目を丸くした。

「**あっ!**」

「さあ、よく聞くのじゃ」ダンブルドアはごく低い声で、しかも、はっきりと言った。

「シリウスは八階のフリットウィック先生の部屋に閉じ込められておる。西塔の右から十三番目の窓じゃ。首尾よく運べば、君たちは、今夜、一つと言わずもっと、罪なきものの命を救うことができるじゃろう。ただし、二人とも、忘れるでないぞ。**見られてはならん**。ミス・グレンジャー、規則は知っておろうな――どんな危険を冒すのか、君は知っておろう……**誰にも――見られては――ならんぞ**」

ハリーには何がなんだかわからなかった。ダンブルドアはきびすを返し、ドアの所まで行って振り返った。

「君たちを閉じ込めておこう」ダンブルドアは腕時計を見た。「いまは――真夜中五分前じゃ。ミス・グレンジャー、三回ひっくり返せばよいじゃろう。幸運を祈る」

「幸運を祈る？」

ダンブルドアがドアを閉めたあとで、ハリーはくり返した。

「三回ひっくり返す？　いったい、なんのことだい？　僕たちに、何をしろって言うんだい？」

しかし、ハーマイオニーはローブの襟のあたりをゴソゴソ探っていた。そして中からとても長くて細い金の鎖を引っ張り出した。

「ハリー、こっちに来て」ハーマイオニーが急《せ》き込んで言った。

「**早く！**」

ハリーはさっぱりわからないまま、ハーマイオニーのそばに行った。ハーマイオニーは鎖を突き出していた。ハリーはその先に、小さなキラキラした砂時計を見つけた。

「さあ――」

ハーマイオニーはハリーの首にも鎖をかけた。

「いいわね？」ハーマイオニーが息を詰めて言った。

「僕たち、何してるんだい？」ハリーにはまったく見当がつかなかった。

ハーマイオニーは砂時計を三回ひっくり返した。

暗い医務室が溶けるようになくなった。ハリーはなんだか、とても速く、後ろ向きに飛んでいるような気がした。ぼやけた色や形が、どんどん二人を追い越していく。耳がガンガン鳴った。叫ぼうとしても、自分の声が聞こえなかった——。

やがて固い地面に足が着くのを感じた。すると周りのものがはっきり見えだした——。

誰もいない玄関ホールに、ハリーはハーマイオニーと並んで立っていた。正面玄関の扉が開いていて、金色の太陽の光が、流れるように石畳の床に射《さ》し込んでいる。ハリーがくるりとハーマイオニーを振り返ると、砂時計の鎖が首に食い込んだ。

「ハーマイオニー、これは——？」

「こっちへ！」

ハーマイオニーはハリーの腕をつかみ、引っ張って玄関ホールを急ぎ足で横切り、箒《ほうき》置き場の前まで連れてきた。箒置き場の戸を開け、バケツやモップの中にハリーを押し込み、そのあとで自分も入って、ドアをバタンと閉めた。

「何が——どうして——ハーマイオニー、いったい何が起こったんだい？」

「時間を逆戻りさせたの」真っ暗な中で、鎖をハリーの首からはずしながら、ハーマイオニーがささやいた。「三時間前まで……」

ハリーは暗い中で自分の脚の見当をつけて、いやというほどつねった。相当痛かった。ということは、奇々怪々な夢を見ているというわけではない。

「でも——」

「シッ！　聞いて！　誰か来るわ！　たぶん——たぶん私たちよ！」

ハーマイオニーは箒置き場の戸に耳を押しつけていた。

「玄関ホールを横切る足音だわ……そう、たぶん、私たちがハグリッドの小屋に行くところよ！」

「つまり」ハリーがささやいた。「僕たちがこの中にいて、しかも外にも僕たちがいるってこと?」

「そうよ」ハーマイオニーの耳はまだ戸に張りついている。

「絶対私たちだわ……あの足音は多くても三人だもの……それに、私たち透明マントをかぶってるから、ゆっくり歩いているし――」

ハーマイオニーは言葉を切って、じっと耳を澄ました。

「私たち、正面の石段を下りたわ……」

ハーマイオニーは逆さにしたバケツに腰かけ、ピリピリ緊張していた。ハリーはいくつか答えが欲しかった。

「その砂時計みたいなもの、どこで**手に入れたの**?」

「これ、『逆転時計《タイムターナー》』っていうの」ハーマイオニーが小声で言った。「これ、今学期、学校に戻ってきた日に、マクゴナガル先生にいただいたの。授業を全部受けるのに、今学期、ずっとこれを使っていたわ。誰にも言わないって、マクゴナガル先生と固く約束したの。先生は魔法省にありとあらゆる手紙を書いて、私のために一個入手してくださったの。私が模範生だから、勉強以外には絶対これを使いませんって、先生は魔法省に、そう言わなければならなかったわ……。私、これを逆転させて、時間を戻していたのよ。だから、同時にいくつもの授業を受けられたの。わかった? でも……。

ハリー、**ダンブルドアが私たちに何をさせたいのか、私、わからないわ**。どうして三時間戻せっておっしゃったのかしら? それがどうしてシリウスを救うことになるのかしら?」

ハリーは影のようなハーマイオニーの顔を見つめた。

「ダンブルドアが変えたいと思っている何かが、この時間帯に起こったにちがいない」

ハリーは考えながら言った。

「何が起こったかな？　僕たち三時間前に、ハグリッドの所へ向かっていた……」

「**いまが**、その三時間前よ。私たち、**確かに**、ハグリッドの所に向かっているわ。たったいま、私たちがここを出ていく音を聞いた……」

ハリーは顔をしかめた。精神を集中させ、脳みそを全部しぼりきっているような感じがした。

「ダンブルドアが言った……僕たち、一つと言わずもっと、罪なき命を救うことができるって……」

ハリーはハッと気がついた。

「ハーマイオニー、僕たち、バックビークを救うんだ！」

「でも――それがどうしてシリウスを救うことになるの？」

「ダンブルドアが――窓がどこにあるか、いま教えてくれたばかりだ――フリットウィック先生の部屋の窓だ！　そこにシリウスが閉じ込められている！　僕たち、バックビークに乗って、その窓まで飛んでいき、シリウスを救い出すんだよ！　シリウスはバックビークに乗って逃げられる――バックビークと一緒に逃げられるんだ！」

暗くてよくは見えなかったが、ハーマイオニーの顔は、怖がっているようだった。

「そんなこと、誰にも見られずにやりとげたら、奇跡だわ！」

「でも、やってみなきゃ。そうだろう？」ハリーは立ち上がって戸に耳を押しつけた。

「外には誰もいないみたいだ……さあ、行こう……」

ハリーは戸を押し開けた。玄関ホールには誰もいない。できるだけ静かに、急いで、二人は箒置き場を飛び出し、石段を下りた。もう影が長く伸び、禁じられた森の木々の梢《こずえ》が、三時間前と同じように金色に輝いていた。

「誰かが窓からのぞいていたら――」

ハーマイオニーが背後の城の窓を見上げて上ずった声を出した。

「全速力で走ろう」ハリーは決然と言った。

「まっすぐ森に入るんだ。いいね？　木の陰か何かに隠れて、様子をうかがうんだ――」

「いいわ。でも温室を回り込んで行きましょう！」ハーマイオニーが息をはずませながら言った。

「ハグリッドの小屋の戸口から見えないようにしなきゃ。じゃないと、私たち、自分たちに見られてしまう！　ハグリッドの小屋に私たちがもう着くころだわ！」

ハーマイオニーの言ったことがよく読み込めないまま、ハリーは全力で走りだした。ハーマイオニーがあとに続いた。野菜畑を突っ切り、温室にたどり着き、その陰でひと呼吸入れてから、二人はまた走った。全速力で、暴れ柳をさけながら、隠れ場所となる森まで駆け抜けた。

木々の陰に入って安全になってから、ハリーは振り返った。数秒後、ハーマイオニーも息を切らしてハリーのそばにたどり着いた。

「これでいいわ」ハーマイオニーがひと息入れた。

「ハグリッドの所まで忍んでいかなくちゃ。見つからないようにね、ハリー……」

二人は森の端を縫うように、こっそりと木々の間を進んだ。やがて、ハグリッドの小屋の戸口が垣間見え、戸をたたく音が聞こえた。二人は急いで太い樫《かし》の木の陰に隠れ、幹の両脇からのぞいた。ハグリッドが、青ざめた顔で震えながら、戸口に顔を出し、誰が戸をたたいたのかとそこら中を見回した。そして、ハリーは自分自身の声を聞いた。

「僕たちだよ。透明マントを着てるんだ。中に入れて。そしたらマントを脱ぐから」

「来ちゃなんねえだろうが！」

ハグリッドはそうささやきながらも、一歩下がった。それから急いで戸を閉めた。

「こんなへんてこなこと、僕たちいままでやったことないよ！」ハリーが夢中で言った。

「もうちょっと行きましょう」ハーマイオニーがささやいた。

「もっとバックビークに近づかないと！」

二人は木々の間をこっそり進み、かぼちゃ畑の柵につながれて落ち着かない様子のヒッポグリフが見える所までやってきた。

「やる？」ハリーがささやいた。

「だめ！」とハーマイオニー。

「いまバックビークを連れ出したら、委員会の人たちはハグリッドが逃がしたと思うわ！　外につながれているところを、あの人たちが見るまでは待たなくちゃ！」

「それじゃ、やる時間が六十秒くらいしかないよ」

不可能なことをやっている、とハリーは思いはじめた。

その時、陶器の割れる音が、ハグリッドの小屋から聞こえてきた。

「ハグリッドがミルク入れを壊したのよ」ハーマイオニーがささやいた。「もうすぐ、私がスキャバーズを見つけるわ――」

確かに、それから数分して、二人はハーマイオニーが驚いて叫ぶ声を聞いた。

「ハーマイオニー」ハリーは突然思いついた。「もし、僕たちが――中に飛び込んで、ペティグリューを取っ捕まえたらどうだろう――」

「だめよ！」ハーマイオニーは震え上がってささやいた。

「わからないの？　私たち、もっとも大切な魔法界の規則を一つ破っているところなのよ！　時間を変えるなんて、誰もやってはいけないことなの。だーれも！　ダンブルドアの言葉を聞いたわね。もし誰かに見られたら――」

「僕たち自身とハグリッドに見られるだけじゃないか！」

「ハリー、あなた、ハグリッドの小屋に自分自身が飛び込んでくるのを見たら、どうすると思う？」

「僕――たぶん気が変になったのかなと思う。でなければ、何か闇の魔術がかかってると思う――」

「**そのとおりよ！**　事情が理解できないでしょうし、自分自身を襲うこともありうるわ！　わからないの？　マクゴナガル先生が教えてくださったの。魔法使いが時間にちょっかいを出したとき、どんなに恐ろしいことが起こったか……。何人もの魔法使いが、ミスを犯して、過去や未来の自分自身を殺してしまったのよ！」

「わかったよ！　ちょっと思いついただけ。僕、ただ、もしかしたらと――」

しかし、ハーマイオニーはハリーをこづいて、城のほうを指差した。ハリーは首を少し動かして、遠くの正面玄関をよく見ようとした。ダンブルドア、ファッジ、年老いた委員会のメンバー、それに死刑執行人のマクネアが石段を下りてくる。

「まもなく私たちが出てくるわよ！」ハーマイオニーが声をひそめた。

まさに、まもなく、ハグリッドの小屋の裏口が開き、ハリーは自分自身と、ロンとハーマイオニーがハグリッドと一緒に出てくるのを見た。木の陰に立って、かぼちゃ畑の自分自身の姿を見るのは、いままで感じたこともない、まったく奇妙な感覚だった。

「大丈夫だ、ビーキー。大丈夫だぞ……」

ハグリッドがバックビークに話しかけている。それから　ハリー、ロン、ハーマイオニーに向かって「行け。もう行け」と言った。

「ハグリッド、そんなことできないよ――」

「僕たち、ほんとうは何があったのか、あの連中に話すよ――」

「バックビークを殺すなんて、だめよ――」

「行け！　おまえさんたちが面倒なことになったら、ますます困る！」

ハリーが見ていると、かぼちゃ畑のハーマイオニーが透明マントをハリーとロンにかぶせた。

「急ぐんだ。聞くんじゃねえぞ……」

ハグリッドの小屋の戸口をたたく音がした。死刑執行人の一行の到着だ。ハグリッドは振り返り、裏戸を半開きにして小屋の中に入っていった。ハリーには、小屋の周りの草むらがところどころ踏みつけられるのが見えたし、三組の足音が遠のいていくのが聞こえた。自分と、ロンと、ハーマイオニーが行ってしまった……しかし、木々の陰に隠れているほうのハリーとハーマイオニーは小屋の中で起こっていることを、半開きの裏戸を通して聞くことができた。

「獣はどこだ？」マクネアの冷たい声がする。

「外――外にいる」ハグリッドのかすれ声だ。

マクネアの顔がハグリッドの小屋の窓からのぞき、バックビークをじっと見たので、ハリーは見えないように頭を引っ込めた。それからファッジの声が聞こえた。

「ハグリッド、我々は――その――死刑執行の正式な通知を読み上げねばならん。短くすますつもりだ。それから君とマクネアが書類にサインする。マクネア、君も聞くことになっている。それが手続きだ――」

マクネアの顔が窓から消えた。いまだ。いましかない。

「ここで待ってて」ハリーがハーマイオニーにささやいた。「僕がやる」

再びファッジの声が聞こえてきたとき、ハリーは木陰から飛び出し、かぼちゃ畑の柵を飛び越え、バックビークに近づいた。

『危険生物処理委員会』は、ヒッポグリフのバックビーク、以後被告と呼ぶ、が、六月六日の日没時に処刑さるべしと決定した――」

瞬《まばた》きをしないよう注意しながら、ハリーは以前に一度やったように、バックビークの荒々しいオレンジ色の目を見つめ、おじぎした。バックビークはうろこで覆われたひざを曲げていったん身を低くし、また立ち上がった。ハリーはバックビークを柵に縛りつけている綱を解こうとした。

「**……死刑は斬首とし、委員会の任命する執行人、ワルデン・マクネアによって執行され……**」

「バックビーク、来るんだ」ハリーがつぶやくように話しかけた。

「おいで、助けてあげるよ。そーっと……そーっと……」

「**以下を証人とす。**ハグリッド、ここに署名を……」

ハリーは全体重をかけて綱を引っ張ったが、バックビークは前足で踏ん張った。

「さあ、さっさと片づけましょうぞ」

ハグリッドの小屋から委員会メンバーのひょろひょろした声が聞こえた。

「ハグリッド、君は中にいたほうがよくはないかの――」

「いんや、俺は――俺はあいつと一緒にいたい……あいつをひとりぼっちにはしたくねえ――」

小屋の中から足音が響いてきた。

「**バックビーク、動いてくれ！**」ハリーが声を殺してうながした。

ハリーはバックビークの首にかかった綱をぐいっと引いた。ヒッポグリフは、いらいらと翼をこすり合わせながら歩きはじめた。森までまだ三メートルはある。ハグリッドの裏戸から丸見えだ。

「マクネア、ちょっと待ちなさい」ダンブルドアの声がした。「君も署名せねば」

小屋の足音が止まった。ハリーが綱をたぐり込むと、バックビークはくちばしをカチカチいわせながら、少し足を速めた。

ハーマイオニーの青い顔が木の陰から突き出ていた。

「ハリー、早く！」ハーマイオニーの口の形がそう言っていた。

ハリーにはダンブルドアが小屋の中でまだ話している声が聞こえていた。もう一度綱をぐいっと引いた。バックビークはあきらめたように早足になった。やっと木立の所に着いた……。

「早く！　早く！」

ハーマイオニーが木の陰から飛び出して、うめくように言いながら、自分も手綱を取り、全体重をかけてバックビークをせかした。ハリーが肩越しに振り返ると、もう視界がさえぎられる所まで来ていた。ハグリッドの裏庭はもう見えなくなっていた。

「止まって！」ハリーがハーマイオニーにささやいた。「みんなが音を聞きつけるかも――」

ハグリッドの裏戸がバタンと開いた。ハリー、ハーマイオニー、バックビークはじっと音を立てずにたたずんだ。ヒッポグリフまで耳をそばだてているようだった。

静寂……そして――。

「どこじゃ？」委員会のメンバーのひょろひょろした声がした。

「ここにつながれていたんだ！　俺は見たんだ！　ここだった！」死刑執行人がカンカンに怒った。

「これは異なこと」ダンブルドアが言った。どこかおもしろがっているような声だった。

「ビーキー！」ハグリッドが声をつまらせた。

シュッという音に続いて、ドサッと斧《おの》を振り下ろす音がした。死刑執行人がかんしゃくを起こして斧を柵に振り下ろしたらしい。それから吠《ほ》えるような声がした。そして、前のときには聞こえなかったハグリッドの言葉が、すすり泣きにまじって聞こえてきた。

「いない！　いない！　よかった。かわいいくちばしのビーキー、**いなくなっちまった！**　きっと自分で自由になったんだ！　ビーキー、賢いビーキー！」

バックビークは、ハグリッドの所に行こうとして綱を引っ張りはじめた。ハリーとハーマイオニーは綱を握りなおし、かかとが森の土にめり込むほど足を踏ん張ってバックビークを押さえた。

「誰かが綱を解いて逃がした！」死刑執行人が歯がみした。「探さなければ。校庭や森や――」

「マクネア、バックビークが盗まれたのなら、盗人はバックビークを歩かせて連れていくと思うかね？」

ダンブルドアはまだおもしろがっているような声だった。

「どうせなら、空を探すがよい……ハグリッド、お茶を一杯いただこうかの。ブランデーをたっぷりでもよいの」

「は――はい、先生さま」ハグリッドはうれしくて力が抜けたようだった。

「お入りくだせえ、さあ……」

ハリーとハーマイオニーはじっと耳をそばだてた。足音が聞こえ、死刑執行人がブツブツ悪態をつくのが聞こえ、戸がバタンと閉まり、それから再び静寂が訪れた。

「さあ、どうする？」ハリーが周りを見回しながらささやいた。

「ここに隠れていなきゃ」ハーマイオニーは張りつめているようだった。

「みんなが城に戻るまで待たないといけないわ。それから、バックビークに乗ってシリウスのいる部屋の窓まで飛んでいっても安全だ、という時まで待つの。シリウスはあと二時間ぐらいしないとそこにはいないのよ……ああ、とても難しいことだわ……」

ハーマイオニーは振り返って、こわごわ森の奥を見た。太陽がまさに沈もうとしていた。

「移動しなくちゃ」ハリーはよく考えて言った。「暴れ柳が見える所にいないといけないよ。じゃないと、何が起こっているのかわからなくなるし」

「オーケー」ハーマイオニーがバックビークの手綱をしっかり握りながら言った。

「でも、ハリー、忘れないで……私たち、誰にも見られないようにしないといけないのよ」

暗闇がだんだん色濃く二人を包む中、二人は森のすそに沿って進み、柳が垣間見える木立の陰に隠れた。

「ロンが来た！」突然ハリーが声を上げた。

黒い影が、芝生を横切って駆けてくる。その声が静かな夜の空気を震わせた。

「スキャバーズから離れろ――離れるんだ――スキャバーズ、**こっちへ**おいで――」

それから、どこからともなく、もう二人の姿が現れるのが見えた。ハリー自身とハーマイオニーがロンを追ってくる。そしてロンがスライディングするのを見た。

「**捕まえた！** とっとと消えろ、いやな猫め――」

「今度はシリウスだ！」ハリーが言った。柳の根元から、大きな犬の姿が躍り出た。犬がハリーを転がし、ロンをくわえるのを二人は見た……。

「ここから見てると、よけいひどく見えるよね？」

ハリーは犬がロンを木の根元に引きずり込むのを眺めながら言った。

「アイタッ――見てよ、僕、いま、木になぐられた――君もなぐられたよ――**へんてこ**な気分だ――」

暴れ柳はギシギシときしみ、低いほうの枝を鞭《むち》のように動かしていた。二人は自分たち自身が木の幹にたどり着こうとあちこち走り回るのを見ていた。そして、木が動かなくなった。

「クルックシャンクスがあそこで木のこぶを押したんだわ」ハーマイオニーが言った。

「僕たちが入っていくよ……」ハリーがつぶやいた。「僕たち、入ったよ」

みんなの姿が消えたとたん、柳はまた動きだした。その数秒後、二人はすぐ近くで足音を聞いた。ダンブルドア、マクネア、ファッジ、それに年老いた委員会メンバーが城へ戻るところだった。

「私たちが地下通路に下りたすぐあとだわ！　あの時、ダンブルドアが一緒に来てくれて**さえ**いたら……」

ハーマイオニーが言った。

「そしたら、マクネアもファッジも一緒についてきてたよ」ハリーが苦々しげに言った。「賭けてもいいけど、ファッジは、シリウスをその場で殺せって、マクネアに指示したと思うよ」

四人が城の階段を上って見えなくなるまで、二人は見つめていた。しばらくの間、あたりには誰もいなかった。そして――。

「ルーピンが来た！」ハリーが言った。もう一人誰かの姿が石段を下り、柳に向かって走ってくる。ハリーは空を見上げた。雲が完全に月を覆っている。

ルーピンが折れた枝を拾って、木の幹のこぶをつつくのが見えた。木は暴れるのをやめ、ルーピンもまた木の根元の穴へと消えた。

「ルーピンがマントを拾ってくれてたらなぁ。そこに置きっぱなしになってるのに……」

ハリーはそう言うと、ハーマイオニーのほうに向きなおった。

「もし、いま僕が急いで走っていってマントを取ってくれば、スネイプはマントを手に入れることができなくなるし、そうすれば――」

「ハリー、**私たち姿を見られてはいけないのよ！**」

「君、どうしてがまんできるんだい？」

ハリーは激しい口調でハーマイオニーに言った。

「ここに立って、なるがままに任せて、なんにもしないで見てるだけなのかい？」

ハリーはちょっと戸惑いながら言葉を続けた。

「僕、マントを取ってくる！」

「ハリー、**だめ！**」

ハーマイオニーがハリーのローブをつかんで引き戻した。間一髪。ちょうどその時、大きな歌声が聞こえた。ハグリッドだ。城に向かう道すがら、足元をふらつかせ、声を張り上げて歌っている。手には大きな瓶をぶらぶらさせていた。

「**でしょ？**」ハーマイオニーがささやいた。

「**どうなってたか、わかるでしょ？**　私たち、人に見られてはいけないのよ！　**ダメよ、バックビーク！**」

ヒッポグリフはハグリッドのそばに行きたくて、必死になっていた。ハリーも手綱をつかみ、バックビークを引き戻そうと引っ張った。二人はハグリッドがほろ酔いの千鳥足で城のほうに行くのを見ていた。ハグリッドの姿が見えなくなった。バックビークは逃げようと暴れるのをやめ、悲しそうにうなだれた。

それからほんの二分もたたないうちに、城の扉が再び開き、スネイプが突然姿を現し、柳に向かって走りだした。

スネイプが木のそばで急に立ち止まり、周りを見回すのを、二人で見つめながら、ハリーは拳を握りしめた。スネイプがマントをつかみ、持ち上げて見ている。

「汚らわしい手でさわるな」ハリーは息をひそめ、歯がみした。

「シッ！」

スネイプはルーピンが柳を固定するのに使った枝を拾い、それで木のこぶを突き、マントをかぶって姿を消した。

「これで全部ね」ハーマイオニーが静かに言った。

「私たち全員、あそこにいるんだわ……さあ、あとは私たちがまた出てくるまで待つだけ……」

ハーマイオニーはバックビークの手綱の端を一番手近の木にしっかり結びつけ、乾いた土の上に腰を下ろし、ひざを抱きかかえた。

「ハリー、私、わからないことがあるの……どうして、吸魂鬼はシリウスを捕まえられなかったのかしら？　私、吸魂鬼がやってくるところまでは覚えてるんだけど、それから気を失ったと思う……ほんとに大勢いたわ……」

ハリーも腰を下ろした。そして自分が見たことを話した。一番近くにいた吸魂鬼がハリーの口元に口を近づけたこと、その時、大きな銀色の何かが、湖のむこうから疾走してきて、吸魂鬼を退却させたこと。

説明し終わったとき、ハーマイオニーの口元がかすかに開いていた。

「でも、それ、なんだったの？」

「吸魂鬼を追い払うものは、たった一つしかありえない」ハリーが言った。

「本物の守護霊だ。強力な」

「でも、いったい誰が？」

ハリーは無言だった。湖のむこう岸に見えた人影を、ハリーは思い返していた。あれが誰だと思ったのか、自分ではわかっていた……でも、そんなことがありうるだろうか？

「どんな人だったか見たの？」ハーマイオニーは興味津々で聞いた。

「先生の一人みたいだった？」

「ううん。先生じゃなかった」

「でも、ほんとうに力のある魔法使いにちがいないわ。あんなに大勢の吸魂鬼を追い払うんですもの……守護霊がそんなにまばゆく輝いていたのだったら、その人を照らしたんじゃないの？　見えなかったの——？」

「ううん、僕、見たよ」ハリーがゆっくりと答えた。「でも……僕、きっと、思い込んだだけなんだ……混乱してたんだ……そのすぐあとで気を失ってしまったし……」

「**誰だと思ったの？**」

「僕——」

ハリーは言葉をのみ込んだ。言おうとしていることが、どんなに奇妙に聞こえるか、わかっていた。

「僕、父さんだと思った」

ハリーはハーマイオニーをちらりと見た。今度はその口が完全にあんぐり開いていた。ハーマイオニーはハリーを、驚きとも哀れみともつかない目で見つめていた。

「ハリー、あなたのお父さま——あの——**お亡くなりになったのよ**」ハーマイオニーが静かに言った。

「わかってるよ」ハリーが急いで言った。

「お父さまの幽霊を見たってわけ？」

「わからない……ううん……実物がいるみたいだった……」

「だったら——」

「たぶん、気のせいだ。だけど……僕の見たかぎりでは……父さんみたいだった……僕、写真を持ってるんだ……」

ハーマイオニーは、ハリーがおかしくなったのではないかと心配そうに、見つめ続けていた。

「ばかげてるって、わかってるよ」ハリーはきっぱりと言った。そしてバックビークのほうを見た。バックビークは虫でも探しているのか、土をほじくり返していた。しかし、ハリーはほんとうはバックビークを見ていたのではなかった。

ハリーは父親のこと、一番古くからの三人の友人のことを考えていたのだ……ムーニー、ワームテール、パッドフット、プロングズ……今夜、四人全員が校庭にいたのだろうか？　ワームテールは死んだと、みんなが思っていたのに、今夜現れた――父さんが同じように現れるのが、そんなにありえないことだろうか？　湖のむこうに見たものは幻だったのか？　あまりに遠くて、はっきり姿は見えなかった……でも、一瞬、意識を失う前に、ハリーは確信を持ったのだ……。

頭上の木の葉が、かすかに夜風にそよいだ。月が雲の切れ目から現れては消えた。ハーマイオニーは座ったまま、柳のほうを見て待ち続けた。

そして、ついに、一時間以上たってから……。

「出てきたわ！」ハーマイオニーがささやいた。

二人は立ち上がった。バックビークは首を上げた。ルーピン、ロン、ペティグリューが根元の穴から、窮屈そうに這《は》い上って出てきた。次は気を失ったままのスネイプが、不気味に漂いながら浮かび上がってきた。そのあとはハリーとハーマイオニー、そしてブラックだ。全員が城に向かって歩きだした。

ハリーの鼓動が速くなった。ちらりと空を見上げた。もう間もなく雲が流れ、月をあらわにする……。

「ハリー」ハーマイオニーがつぶやくように言った。まるでハリーの考えを見抜いたようだった。

「じっとしていなきゃいけないのよ。誰かに見られてはいけないの。私たちにはどうにもできないことなんだから……」

「じゃ、またペティグリューを逃がしてやるだけなんだ……」ハリーは低い声で言った。

「暗闇で、どうやってネズミを探すって言うの?」

ハーマイオニーがピシャリと言った。

「私たちにはどうにもできないことよ! 私たち、シリウスを救うために時間を戻したの。ほかのことはいっさいやっちゃいけないの!」

「**わかったよ!**」

月が雲の陰からすべり出た。校庭のむこう側で、小さな人影が立ち止まったのが見えた。それから、二人はその影の動きに目をとめた——。

「ルーピンがいよいよだわ」ハーマイオニーがささやいた。「変身している——」

「ハーマイオニー!」ハリーが突然呼びかけた。「行かないと!」

「ダメよ。何度も言ってるでしょ——」

「ちがう。割り込むんじゃない。ルーピンがまもなく森に駆け込んでくる。僕たちのいるところに!」

ハーマイオニーが息をのんだ。

「早く!」大急ぎでバックビークの綱を解きながら、ハーマイオニーがうめいた。「早く! どこへ行ったらいいの? どこに隠れるの? 吸魂鬼がもうすぐやってくるわ——」

「ハグリッドの小屋に戻ろう! いまはからっぽだ——行こう!」

二人は転げるように走り、バックビークがそのあとを悠々と走った。背後から狼人間の遠吠えが聞こえてきた……。

小屋が見えた。ハリーは戸の前で急停止し、ぐいっと戸を開けた。電光石火、ハーマイオニーとバックビークがハリーの前を駆け抜けて入った。ハリーがそのあとに飛び込み、戸の錠前を下ろした。ボアハウンド犬のファングが吠えたてた。

「シーッ、ファング。私たちよ！」

ハーマイオニーが急いで近寄って耳の後ろをカリカリかき、静かにさせた。

「危なかったわ！」ハーマイオニーが言った。

「ああ……」

ハリーは窓から外を見ていた。ここからだと、何が起こっているのか見えにくかった。バックビークはまたハグリッドの小屋に戻れてとてもうれしそうだった。暖炉の前に寝そべり、満足げに翼をたたみ、ひと眠りしそうな気配だった。

「ねえ、僕、また外に出たほうがいいと思うんだ」ハリーが考えながら言った。「何が起こっているのか、見えないし──いつ行動すべきなのか、これじゃわからない──」

ハーマイオニーが顔を上げた。疑っているような表情だ。

「僕、割り込むつもりはないよ」ハリーが急いで言った。「でも、何が起こっているか見えないと、シリウスをいつ救い出したらいいのかわからないだろ？」

「ええ……それなら、いいわ……。私、ここでバックビークと待ってる……。でも、ハリー、気をつけて──狼人間がいるし──吸魂鬼も──」

ハリーは再び外に出て、小屋に沿って回り込んだ。遠くでキャンキャンという鳴き声が聞こえた。吸魂鬼がシリウスに迫っているということだ……自分とハーマイオニーがもうすぐシリウスの所に駆けつけるはずだ……。

ハリーは湖のほうをじっと見た。胸の中で、心臓がドラムの早打ちのように鳴っている。あの守護霊を送り出した誰かが、もうすぐ現れる……。

ほんの一瞬、ハリーは決心がつかず、ハグリッドの小屋の戸の前で立ち止まっていた。**姿を見られてはならない**。でも、見られたいのではない。自分が見るほうに回りたいのだ……どうしても知りたい……。

でも、吸魂鬼がいる。暗闇の中から湧き出るように、吸魂鬼が四方八方から出てくる。湖の周りをすべるように……しかしハリーが立っている所からは遠ざかるように、湖のむこう岸へと動いている……それならハリーは吸魂鬼に近づかなくてもすむはずだ……。

ハリーは走りだした。父親のことしか頭になかった……。もしあれが父さんだったら……ほんとうに父さんだったら……知りたい、どうしても……。

だんだん湖が近づいてきた。しかし、誰もいる気配がない。むこう岸に、小さな銀色の光が見えた――自分自身が守護霊を出そうとしている――。

水際に木の茂みがあった。ハリーはその陰に飛び込み、木の葉を透かして必死に目を凝らした。むこうでは、かすかな銀色の光がふっと消えた。恐怖と興奮がハリーの体を貫いた――いまだ――。

「早く！」ハリーはあたりを見回しながらつぶやいた。「父さん、どこなの？　早く――」

しかし、誰も現れない。ハリーは顔を上げて、むこう岸の吸魂鬼の輪を見た。一人がフードを脱いだ。救い主が現れるならいまだ――なのに、あの時とちがって、いまは誰も来ていない――。

ハリーはハッとした――わかった。父さんを見たんじゃない――**自分自身を**見たんだ――。

ハリーは茂みの陰から飛び出し、杖を取り出した。

「**エクスペクト　パトローナム！**」ハリーは叫んだ。

すると、杖の先から、ぼんやりした霞ではなく、目もくらむほどまぶしい、銀色の動物が噴き出した。ハリーは目を細めて、なんの動物なのか見ようとした。馬のようだ。暗い湖の面を、むこう岸へと音もなく疾走していく。頭を下げ、群がる吸魂鬼に向かって突進していくのが見える……今度は、地上に倒れている暗い影の周りを、ぐるぐる駆け回っている。吸魂鬼があとずさりしていく。散り散りになり、暗闇の中に退却していく……いなくなった。

守護霊が向きを変えた。静かな水面を渡り、ハリーのほうにゆるやかに走りながら近づいてくる。馬ではない。ユニコーンでもない。牡鹿《おじか》だった。空にかかる月ほどに、まばゆい輝きを放ち……ハリーのほうに戻ってくる……。

それは、岸辺で立ち止まった。大きな銀色の目でハリーをじっと見つめるその牡鹿は、やわらかな水辺の土に、ひづめの跡さえ残していなかった。それはゆっくりと頭を下げた。角のある頭を。そして、ハリーは気づいた……。

「**プロングズ**」ハリーがつぶやいた。

震える指で、触れようと手を伸ばすと、それはフッと消えてしまった。

手を伸ばしたまま、ハリーはその場にたたずんでいた。すると、突然背後でひづめの音がして、ハリーは胸を躍らせた――急いで振り返ると、ハーマイオニーが、バックビークを引っ張って、猛烈な勢いでハリーのほうに駆けてくる。

「**何をしたの？**」ハーマイオニーが激しく問い詰めた。

「何が起きているか見るだけだって、あなた、そう言ったじゃない！」

「僕たち全員の命を救っただけだ……。ここに来て――この茂みの陰に――説明するから」

何が起こったのか、話を聞きながら、ハーマイオニーはまたしても口をポカンと開けていた。

「誰かに見られた？」

「ああ。話を聞いてなかったの？　**僕が**僕を見たよ。でも、僕は父さんだと思ったんだ！　だから大丈夫！」

「ハリー、私、信じられない——あの吸魂鬼を全部追い払うような守護霊を、あなたが創り出したなんて！　それって、とっても、**とっても**高度な魔法なのよ……」

「僕、できるとわかってたんだ。だって、さっき一度出したわけだから……。僕の言っていること、何か変かなあ？」

「よくわからないわ——ハリー、スネイプを見て！」

茂みの間から、二人はむこう岸をじっと見た。スネイプが意識を取り戻していた。担架を作り、ぐったりしているハリー、ハーマイオニー、ブラックをそれぞれその上に乗せた。四つ目の担架には、当然ロンが乗っているはずだが、すでにスネイプの脇に浮かんでいた。それから、スネイプは杖を前に突き出し、担架を城に向けて運びはじめた。

「さあ、そろそろ時間だわ」ハーマイオニーは時計を見ながら緊張した声を出した。

「ダンブルドアが医務室のドアに鍵をかけるまで、あと四十五分くらいあるわ。シリウスを救い出して、それから、私たちがいないことに誰かが気づかないうちに、医務室に戻っていなければ……」

二人は空行く雲が湖に映るさまを見ながら、ひたすら待った。周りの茂みが夜風にサヤサヤとささやき、バックビークは退屈して、また虫ほじりを始めた。

「シリウスはもう上に行ったと思う？」ハリーが時計を見ながら言った。そして城を見上げ、西の塔の右からの窓の数を数えはじめた。

「見て！」ハーマイオニーがささやいた。「あれ、誰かしら？　お城から誰か出てくるわ！」

ハリーは暗闇を透かして見た。闇の中を、男が一人、急いで校庭を横切り、どこかの門に向かっている。ベルトの所で何かがキラッと光った。

「マクネア！　死刑執行人だ！　吸魂鬼を迎えにいくところだ。いまだよ、ハーマイオニー――」

ハーマイオニーがバックビークの背に両手をかけ、ハリーが手を貸してハーマイオニーを押し上げた。それからハリーは灌木《かんぼく》の低い枝に足をかけ、ハーマイオニーの前にまたがってバックビークの綱をたぐりよせ、バックビークの首の後ろに一度回してから首輪の反対側に結びつけ、手綱のようにしつらえた。

「いいかい？」ハリーがささやいた。「僕につかまるといい――」

ハリーはバックビークの脇腹をかかとでこづいた。

バックビークは闇を裂いて高々と舞い上がった。ハリーはその脇腹をひざでしっかりはさみ、巨大な翼が自分のひざ下で力強く羽ばたくのを感じた。ハーマイオニーはハリーの腰にぴったりしがみついていた。

「ああ、ダメ――これ、いやよ――ああ、私、**ほんとに**、これ、いやだわ――」

ハーマイオニーがそうつぶやくのが聞こえた。

ハリーはバックビークを駆り立てた。音もなく、二人は城の上階へと近づいていた……。手綱の左側をぐいっと引くと、バックビークが向きを変えた。ハリーは次々とそばを通り過ぎる窓を数えようとした――。

「ドウドウ！」ハリーは力のかぎり手綱を引きしめた。

バックビークは速度を落とし、二人は空中で停止した。もっとも、空中に浮かんでいられるようにバックビークが翼を羽ばたかせ、そのたびに上に下にと、一、二メートル揺らいでいた。

「あそこだ！」窓に沿って上に浮き上がったときに、ハリーはシリウスを見つけた。バックビークの翼が下がったとき、ハリーは手を伸ばし、窓ガラスを強くたたくことができた。

ブラックが顔を上げた。あっけに取られて口を開くのが見えた。ブラックははじけるように椅子から立ち上がり、窓際に駆け寄って開けようとしたが、鍵がかかっていた。

「さがって！」ハーマイオニーがブラックに呼びかけ、杖を取り出した。左手でしっかりとハリーのローブをつかまえたままだ。

「**アロホモラ！**」

窓がパッと開いた。

「ど――**どうやって**――？」ブラックはヒッポグリフを見つめながら、声にならない声で聞いた。

「乗って――時間がないんです」

ハリーはバックビークのなめらかな首の両脇をしっかりと押さえつけ、その動きを安定させた。

「ここから出ないと――吸魂鬼がやってきます。マクネアが呼びに行きました」

ブラックは窓枠の両端に手をかけ、窓から頭と肩とを突き出した。やせ細っていたのが幸いだった。すぐさま、ブラックは片脚をバックビークの背中にかけ、ハーマイオニーの後ろにまたがった。

「よーし、バックビーク、上昇！」ハリーは手綱をひと振りした。「塔の上まで――行くぞ！」

ヒッポグリフはその力強い翼を大きく羽ばたかせ、西の塔のてっぺんまで、三人は再び高々と舞い上がった。バックビークは軽い爪音を立てて胸壁に囲まれた塔頂に降り立ち、ハリーとハーマイオニーはすぐさまその背中からすべり降りた。

「シリウス、もう行って。早く」

息を切らしながらハリーが言った。

「みんながまもなくフリットウィック先生の部屋にやってくる。あなたがいないことがわかってしまう」

バックビークは首を激しく振り、石の床に爪を立てて引っかいていた。

「もう一人の子は、ロンはどうした？」シリウスが急き込んで聞いた。

「大丈夫。――まだ気を失ったままですけど、マダム・ポンフリーが、治してくださるって言いました。早く――行って！」

しかし、ブラックはまだじっとハリーを見下ろしたままだった。

「なんと礼を言ったらいいのか――」

「**行って！**」ハリーとハーマイオニーが同時に叫んだ。

ブラックはバックビークを一回りさせ、空のほうに向けた。

「また会おう」ブラックが言った。「君は――ほんとうに、お父さんの子だ。ハリー……」

ブラックはバックビークの脇腹をかかとでしめた。巨大な両翼が再び振り上げられ、ハリーとハーマイオニーは飛びのいた……ヒッポグリフが飛翔した……乗り手とともに、ヒッポグリフの姿がだんだん小さくなっていくのを、ハリーはじっと見送った。……やがて雲が月にかかった……二人は行ってしまった。

第22章　再びふくろう便

「ハリー！」

ハーマイオニーが時計を見ながらハリーのそでを引っ張った。

「誰にも見つからずに医務室まで戻るのに、十分きっかりしかないわ――ダンブルドアがドアに鍵をかける前に――」

「わかった」食い入るように空を見つめていたハリーが、やっと目を離した。「行こう……」

背後のドアからすべり込み、二人は石造りの急な螺旋《らせん》階段を下りた。階段を下りきったところで人声がした。二人は壁にぴったりと身をよせて耳を澄ました。ファッジとスネイプのようだ。階段下の廊下を、早足で歩いている。

「……ダンブルドアが四の五の言わぬよう願うのみで」スネイプだ。「『接吻《キス》』はただちに執行されるのでしょうな？」

「マクネアが吸魂鬼を連れてきたらすぐにだ。このブラック事件は、始めから終わりまで、まったく面目丸つぶれだった。魔法省がやつをついに捕まえた、と『日刊予言者新聞』に知らせてやるのが、私としてもどんなに待ち遠しいか……スネイプ、新聞が君の記事を欲しがると、私はそう思うがね。……それに、あの少年、ハリーが正気に戻れば、『予言者新聞』に、君がまさにどんなふうに自分を助け出したか、話してくれることだろう……」

ハリーは歯を食いしばった。スネイプとファッジが二人の隠れている場所を通り過ぎるとき、スネイプがニンマリしているのがちらりと見えた。二人の足音が遠ざかった。ハリーとハーマイオニーは、ちょっと間をおいて、二人が完全にいなくなったのを確かめ、それから、二人と反対の方向に走りだした。階段を一つ下り、二つ下り、また別の廊下を走り——その時、前方で、クァックァッと高笑いが聞こえた。

「**ピーブズだ！**」

ハリーはそうつぶやくなり、ハーマイオニーの手首をつかまえた。

「ここに入って！」

二人は左側の、誰もいない教室に大急ぎで飛び込んだ。間一髪だった。ピーブズは上機嫌で、大笑いしながら、廊下をプカプカ移動中らしい。

「なんていやなやつ」

ハーマイオニーがドアに耳を押しつけながら、小声で言った。

「吸魂鬼がシリウスを処分するっていうんで、あんなに興奮してるのよ……」

ハーマイオニーが時計を確かめた。

「あと三分よ、ハリー！」

二人はピーブズのさもご満悦な声が遠くに消えるのを待って、部屋からそっと抜け出し、また全速力で走りだした。

「ハーマイオニー——ダンブルドアが鍵をかける前に——もし医務室に戻らなかったら——どうなるんだい？」

ハリーがあえぎながら聞いた。

「考えたくもないわ！」

ハーマイオニーがまた時計を見ながらうめくように言った。

「あと一分！」

二人は医務室に続く廊下の端にたどり着いた。

「オッケーよ――ダンブルドアの声が聞こえるわ」ハーマイオニーは緊張していた。

「ハリー、早く！」

二人は廊下を這《は》うように進んだ。ドアが開いた。ダンブルドアの背中が現れた。

「君たちを閉じ込めておこう」ダンブルドアの声だ。

「いまは、真夜中五分前じゃ。ミス・グレンジャー、三回ひっくり返せばよいじゃろう。幸運を祈る」

ダンブルドアが後ろ向きに部屋を出てきて、ドアを閉め、杖《つえ》を取り出して、あわや魔法で鍵をかけようとした。大変だ。ハリーとハーマイオニーが前に飛び出した。顔を上げたダンブルドアの長い銀色の口ひげの下に、ニッコリと笑いが広がった。

「さて？」ダンブルドアが静かに聞いた。

「やりました！」ハリーが息せき切って話した。

「シリウスは行ってしまいました。バックビークに乗って……」

ダンブルドアは二人にニッコリほほえんだ。

「ようやった。さてと――」

ダンブルドアは部屋の中の音に耳を澄ました。

「よかろう。二人とも出ていったようじゃ。中にお入り――わしが鍵をかけよう――」

ハリーとハーマイオニーは医務室に戻った。ロン以外は誰もいない。ロンは一番端のベッドでまだ身動きもせず横たわっている。背後でカチャッと鍵がかかる音がしたときには、二人はベッドにもぐり込み、ハーマイオニーは「逆転時計」をローブの下にしまい込んでいた。次の瞬間、マダム・ポンフリーが事務室から出てきて、つかつかとこちらにやってきた。

「校長先生がお帰りになったような音がしましたけど？　これで私の患者さんの面倒を見させていただけるんでしょうね？」

ひどくご機嫌斜めだった。ハリーとハーマイオニーは、差し出されるチョコレートをだまって食べたほうがよさそうだと思った。マダム・ポンフリーは二人を見下ろすように立ちはだかり、二人が食べるのを確かめていた。しかし、チョコはほとんどハリーののどを通らなかった。ハリーもハーマイオニーも、神経をピリピリさせ、耳をそばだてて、じっと待っていたのだ。すると、二人がマダム・ポンフリーの差し出す四個目のチョコレートを受け取ったちょうどその時、遠く上のほうから怒り狂う唸《うな》り声がこだまのように聞こえてきた。

「何かしら？」マダム・ポンフリーが驚いて言った。

怒声が聞こえた。だんだん大きくなってくる。マダム・ポンフリーがドアを見つめた。

「まったく――全員を起こすつもりなんですかね！　いったいなんのつもりでしょう？」

ハリーは何を言っているのか聞き取ろうとした。声の主たちが近づいてくる――。

「きっと『姿くらまし』を使ったのだろう、セブルス。誰か一緒に部屋に残しておくべきだった。こんなことがもれたら――」

「ヤツは断じて『姿くらまし』をしたのではない！」

スネイプが吠《ほ》えている。いまやすぐそこまで来ている。

「この城の中では『姿くらまし』も『姿あらわし』もできないのだ！　これは――断じて――何か――ポッターが――からんでいる！」

「セブルス——落ち着くのじゃ——ハリーは閉じ込められておる——」

バーン。

医務室のドアが猛烈な勢いで開いた。

ファッジ、スネイプ、ダンブルドアがつかつかと中に入ってきた。ダンブルドアだけが涼しい顔だ。むしろかなり楽しんでいるようにさえ見えた。ファッジは怒っているようだった。スネイプは逆上していた。

「**白状しろ、ポッター！**」スネイプが吠えた。「**いったい何をした？**」

「スネイプ先生！」マダム・ポンフリーが金切り声を上げた。

「場所をわきまえていただかないと！」

「スネイプ、まあ、無茶を言うな」ファッジだ。「ドアには鍵がかかっていた。いま見たとおり——」

「**こいつらがヤツの逃亡に手を貸した。わかっているぞ！**」

スネイプはハリーとハーマイオニーを指差し、わめいた。顔はゆがみ、口角泡を飛ばして叫んでいる。

「いいかげんに静まらんか！」ファッジが大声を出した。「つじつまの合わんことを！」

「**閣下はポッターをご存じない！**」

スネイプの声が上ずった。

「**こいつがやったんだ。わかっている。こいつがやったんだ——**」

「もう充分じゃろう、セブルス」

ダンブルドアが静かに言った。

「自分が何を言っているのか、考えてみるがよい。わしが十分前にこの部屋を出たときから、このドアにはずっと鍵がかかっていたのじゃ。マダム・ポンフリー、この子たちはベッドを離れたかね？」

「もちろん、離れていませんわ！」

マダム・ポンフリーが眉を吊《つ》り上げた。

「校長先生が出てらしてから、私、ずっとこの子たちと一緒におりました！」

「ほーれ、セブルス、聞いてのとおりじゃ」

ダンブルドアが落ち着いて言った。

「ハリーもハーマイオニーも同時に二か所に存在することができるというのなら別じゃが。これ以上二人をわずらわすのは、なんの意味もないと思うがの」

ぐらぐら煮えたぎらんばかりのスネイプは、その場に棒立ちになり、まずファッジを、そしてダンブルドアをにらみつけた。ファッジはキレたスネイプに完全にショックを受けたようだったが、ダンブルドアはめがねの奥でキラキラといたずらっぽく目を輝かせていた。スネイプはくるりと背を向け、ローブをシュッとひるがえし、医務室から嵐のように出ていった。

「あの男、どうも精神不安定じゃないかね」

スネイプの後ろ姿を見つめながら、ファッジが言った。

「私が君の立場なら、ダンブルドア、目を離さないようにするがね」

「いや、不安定なのではない」ダンブルドアが静かに言った。「ただ、ひどく失望して、打ちのめされておるだけじゃ」

「それは、あの男だけではないわ！」

ファッジが声を荒らげた。

「『日刊予言者新聞』はお祭り騒ぎだろうよ！　わが省はブラックを追い詰めたが、やつはまたしても、わが指の間からこぼれ落ちていきおった！　あとはヒッポグリフの逃亡の話がもれれば、ネタは充分だ。

私は物笑いの種になる！　さてと……もう行かなければ。省のほうに知らせないと……」

「それで、吸魂鬼は？」ダンブルドアが聞いた。「学校から引き揚げてくれるのじゃろうな？」

「ああ、そのとおり。連中は出ていかねば」

ファッジはほかのことに気をとられているように指で髪をかきむしりながら言った。

「罪もない子どもに『接吻』を執行しようとするとは、夢にも思わなかった……まったく手におえん……まったくいかん。今夜にもさっさとアズカバンに送り返すよう指示しよう。ドラゴンに校門を護《まも》らせることを考えてはどうだろうね……」

「ハグリッドが喜ぶことじゃろう」

ダンブルドアはハリーとハーマイオニーにちらっと笑いかけた。ダンブルドアがファッジと医務室を出ていくと、マダム・ポンフリーがドアの所に飛んでいき、また鍵をかけた。そして、一人で怒ったようにブツブツ言いながら、事務室へと戻っていった。

医務室のむこう端から、低いうめきが聞こえた。ロンが目を覚ましたのだ。ベッドに起き上がり、頭をかきながら、周りを見回している。

「ど――どうしちゃったんだろ？」ロンがうめいた。「ハリー？　僕たちどうしてここにいるの？　シリウスはどこだい？　ルーピンは？　何があったの？」

ハリーとハーマイオニーは顔を見合わせた。

「君が説明してあげて」

そう言って、ハリーはまた少しチョコレートをほおばった。

ハリー、ロン、ハーマイオニーは翌日の昼に退院したが、その時、城にはほとんど誰もいなかった。

うだるような暑さの上、試験が終わったとなれば、みんなホグズミード行きを充分に楽しんでいるというわけだ。しかし、ロンもハーマイオニーも出かける気になれず、ハリーと三人で校庭をぶらぶら歩きながら、昨晩の大冒険を語り合った。そして、シリウスやバックビークはいまごろどこだろうと思案をめぐらせた。湖のそばに座り、大イカが水面で悠々と触手をなびかせているのを眺めていたハリーは、ふとむこう岸に目をやり、会話の流れを見失った。牡鹿《おじか》があそこからハリーのほうに駆け寄ってきたのは、ほんのきのうの夜のことだった……。

三人の上を影がよぎった。見上げると、目をとろんとさせたハグリッドが、テーブルクロスほどあるハンカチで顔の汗をぬぐいながら、ニッコリ見下ろしていた。

「喜んでちゃいかんのだとは思うがな、なんせ、昨晩あんなことがあったし」

ハグリッドが言った。

「いや、つまり、ブラックがまた逃げたりなんだりで――だがな、知っとるか？」

「なーに？」三人ともいかにも聞きたいふりをした。

「ビーキーよ！　逃げおった！　あいつは自由だ！　ひと晩中お祝いしとったんだ！」

「すごいじゃない！」ハーマイオニーは、ロンがいまにも笑いだしそうな顔をしたので、とがめるような目でロンを見ながら、あいづちを打った。

「ああ……ちゃんとつないどかなかったんだな」

ハグリッドは校庭のむこうのほうをうれしそうに眺めた。

「だがな、朝になって心配になった……もしかして、ルーピン先生に校庭のどっかで出くわさなんだろうかってな。だが、ルーピンはきのうの晩は、なんにも食ってねえって言うんだ……」

「なんだって？」ハリーがすぐさま聞いた。

「なんと、まだ聞いとらんのか?」

ハグリッドの笑顔がふと陰った。周りに誰もいないのに、ハグリッドは声を落とした。

「アー——スネイプが今朝、スリザリン生全員に話したんだ……俺は、もうみんなに知られっちまったと思っていたんだが……ルーピン先生は狼《おおかみ》人間だ、とな。それにきのうの晩は、ルーピンは野放し状態だった、とな。いまごろ荷物をまとめとるよ。当然」

「**荷物をまとめてるって?**」ハリーは驚いた。「どうして?」

「いなくなるんだ。そうだろうが?」

そんなことを聞くのがおかしいという顔でハグリッドが答えた。

「今朝一番で辞めた。またこんなことがあっちゃなんねえって、言うとった」

ハリーはあわてて立ち上がった。

「僕、会いにいってくる」ハリーがロンとハーマイオニーに言った。

「でも、もし辞任したんなら——」

「——もう私たちにできることはないんじゃないかしら——」

「かまうもんか。それでも僕、会いたいんだ。あとでここで会おう」


ルーピンの部屋のドアは開いていた。ほとんど荷造りがすんでいる。水魔の水槽がからっぽになっていて、そのそばに使い古されたスーツケースがふたを開けたまま、ほとんどいっぱいになって置いてあった。ルーピンは机に覆いかぶさるようにして何かしていたが、ハリーのノックで初めて顔を上げた。

「君がやってくるのが見えたよ」

ルーピンがほほえみながら、いままで熱心に見ていた羊皮紙を指差した。忍びの地図だ。

「いま、ハグリッドに会いました。先生がお辞めになったって言ってました。うそでしょう？」

「いや、ほんとうだ」

ルーピンは机の引き出しを開け、中身を取り出しはじめた。

「**どうしてなんですか？**　魔法省は、まさか先生がシリウスの手引きをしたなんて思っているわけじゃありませんよね？」

ルーピンはドアまで歩いてって、ハリーの背後でドアを閉めた。

「いいや。私が君たちの命を救おうとしていたのだと、ダンブルドア先生がファッジを納得させてくださった」

ルーピンはため息をついた。

「セブルスはそれでプッツンとキレた。マーリン勲章をもらいそこねたのが痛手だったのだろう。そこで、セブルスは――その――**ついうっかり**、今日の朝食の席で、私が狼人間だともらしてしまった」

「たったそれだけでお辞めになるなんて！」

ルーピンは自嘲的な笑いを浮かべた。

「明日のいまごろには、親たちからのふくろう便が届きはじめるだろう――ハリー、誰も自分の子供が、狼人間に教えを受けることなんて望まないんだよ。それに、昨夜のことがあって、私も、そのとおりだと思う。君たちの誰かをかんでいたかもしれないんだ……こんなことは二度と起こってはならない」

「先生はいままでで最高の『闇の魔術に対する防衛術』の先生です！　行かないでください！」

ルーピンは首を振り、何も言わなかった。そして引き出しの中を片づけ続けた。ハリーが、どう説得したらルーピンを引き止められるかと、あれこれ考えていると、ルーピンが言った。

「校長先生が今朝、私に話してくれた。ハリー、君は昨夜、ずいぶん多くの命を救ったそうだね。私に誇れることがあるとすれば、それは、君がそれほど多くを学んでくれたということだ。君の守護霊のことを話しておくれ」

「どうしてそれをご存じなんですか？」ハリーは気をそらされた。

「それ以外、吸魂鬼を追い払えるものがあるかい？」

何が起こったのか、ハリーはルーピンに話した。話し終えたとき、ルーピンがまたほほえんだ。

「そうだ。君のお父さんは、いつも牡鹿に変身した。君の推測どおりだ……だから私たちはプロングズと呼んでいたんだよ」

ルーピンは最後の数冊の本をスーツケースに放り込み、引き出しを閉め、ハリーのほうに向きなおった。

「さあ――昨夜、『叫びの屋敷』からこれを持ってきた」

ルーピンはそう言うとハリーに透明マントを返した。

「それと……」ちょっとためらってから、ルーピンは忍びの地図も差し出した。

「私はもう、君の先生ではない。だから、これを君に返しても別に後ろめたい気持ちはない。私にはなんの役にも立たないものだ。それに、君とロンとハーマイオニーなら、使い道を見つけることだろう」

ハリーは地図を受け取ってニヤッとした。

「ムーニー、ワームテール、パッドフット、プロングズなら僕を学校から誘い出したいと思っただろうって、先生はそうおっしゃいました……おもしろがってそうするだろうって」

「ああ、そのとおりだったろうね」ルーピンは、もう鞄《かばん》を閉めようとしていた。

「ジェームズだったら、自分の息子が、この城を抜け出す秘密の通路を一つも知らずに過ごしたなんてことになったら、大いに失望しただろう。これはまちがいなく言える」

ドアをノックする音がした。ハリーは急いで忍びの地図と透明マントをポケットに押し込んだ。

ダンブルドア先生だった。ハリーがいるのを見ても驚いた様子もない。

「リーマス、門の所に馬車が来ておる」

「校長、ありがとうございます」

ルーピンは古ぼけたスーツケースとからになった水魔の水槽を取り上げた。

「それじゃ――さよなら、ハリー」ルーピンがほほえんだ。

「君の先生になれてうれしかったよ。またいつかきっと会える。校長、門までお見送りいただかなくて結構です。一人で大丈夫です……」

ハリーは、ルーピンが一刻も早く立ち去りたがっているような気がした。

「それでは、さらばじゃ、リーマス」

ダンブルドアが重々しく言った。ルーピンは水魔の水槽を少し脇によけてダンブルドアと握手できるようにした。最後にもう一度ハリーに向かってうなずき、ちらりと笑顔を見せて、ルーピンは部屋を出ていった。

ハリーは主《あるじ》のいなくなった椅子に座り、ふさぎ込んで床を見つめていた。ドアが閉まる音が聞こえて見上げると、ダンブルドアがまだそこにいた。

「どうしたね？　そんなに浮かない顔をして」ダンブルドアが静かに言った。

「昨夜のあとじゃ。自分を誇りに思ってよいのではないかの」

「なんにもできませんでした」

ハリーは苦いものをかみしめるように言った。

「ペティグリューは逃げてしまいました」

「なんにもできなかったとな？」ダンブルドアの声は静かだ。

「ハリー、それどころか大きな変化をもたらしたのじゃよ。君は、真実を明らかにするのを手伝った。一人の無実の男を、恐ろしい運命から救ったのじゃ」

――**恐ろしい**――。何かがハリーの記憶を刺激した。――**以前よりさらに偉大に、より恐ろしく**……トレローニー先生の予言だ！

「ダンブルドア先生――きのう、占い学の試験を受けていたときに、トレローニー先生がとっても――とっても変になったんです」

「ほう？」ダンブルドアが言った。「あ――いつもよりもっと変にということかな？」

「はい……声が太くなって、目が白目になって、こう言ったんです……**今夜、真夜中になる前、その召使いは自由の身となり、ご主人さまのもとに馳《は》せ参ずるであろう**……こうも言いました。**闇の帝王は、召使いの手を借り、再び立ち上がるであろう**」

ハリーはダンブルドアをじっと見上げた。

「それから先生はまた、普通というか、元に戻ったんです。しかも自分が言ったことを何も覚えてなくて。あれは――あれは先生がほんとうの予言をしたんでしょうか？」

ダンブルドアは少し感心したような顔をした。

「これは、ハリー、トレローニー先生はもしかしたら、もしかしたのかもしれんのう」

ダンブルドアは考え深げに言った。

「こんなことが起ころうとはのう。これでトレローニー先生のほんとうの予言は全部で二つになった。給料を上げてやるべきかの……」

「でも――」ハリーはあっけにとられてダンブルドアを見た。どうしてダンブルドアはこんなに平静でいられるんだろう？

「でも――シリウスとルーピン先生がペティグリューを殺そうとしたのに、僕が止めたんです！　もし、ヴォルデモートが戻ってくるとしたら、僕の責任です！」

「いや、そうではない」ダンブルドアが静かに言った。

『逆転時計』の経験で、ハリー、君は何かを学ばなかったかね？　我々の行動の因果というものは、常に複雑で、多様なものじゃ。だから、未来を予測するというのは、まさに非常に難しいことなのじゃよ……。トレローニー先生は――おお、先生に幸いあれかし――その生き証人じゃ。君は実に気高いことをしたのじゃ。ペティグリューの命を救うという」

「でも、それがヴォルデモートの復活につながるとしたら――！」

「ペティグリューは君に命を救われ、恩を受けた。君は、ヴォルデモートのもとに、君に借りのある者を腹心として送り込んだのじゃ。魔法使いが魔法使いの命を救うとき、二人の間にある種の絆《きずな》が生まれる……。ヴォルデモートがはたして、ハリー・ポッターに借りのある者を、自分の召使いとして望むかどうか疑わしい。わしの考えはそう外れてはおらんじゃろ」

「僕、ペティグリューとの絆なんて、欲しくない！　あいつは僕の両親を裏切った！」

「これはもっとも深遠で不可解な魔法じゃよ。ハリー、わしを信じるがよい……いつか必ず、ペティグリューの命を助けてほんとうによかったと思う日が来るじゃろう」

ハリーにはそんな日が来るとは思えなかった。ダンブルドアはそんなハリーの思いを見透《みとお》しているようだった。

「ハリー、わしは君の父君をよう知っておる。ホグワーツ時代も、そのあともな」

ダンブルドアがやさしく言った。

「君の父君も、きっとペティグリューを助けたにちがいない。わしには確信がある」

ハリーは目を上げた。ダンブルドアなら笑わないだろう――ダンブルドアにになら話せる……。

「きのうの夜……僕、守護霊を創り出したのは、父さんだと思ったんです。あの、湖のむこうに僕自身の姿を見たときのことです……僕、父さんの姿を見たと思ったんです」

「無理もない」ダンブルドアの声はやさしかった。

「もう聞きあきたかもしれんがの、君は**驚くほど**ジェームズに生き写しじゃ。ただ、君の目だけは……母君の目じゃ」

ハリーは頭を振ってつぶやいた。

「あれが父さんだと思うなんて、僕、どうかしてた。だって、父さんは死んだってわかっているのに」

「愛する人が死んだとき、その人は永久に我々のそばを離れると、そう思うかね？　大変な状況にあるとき、いつにも増して鮮明に、その人たちのことを思い出しはせんかね？　君の父君は、君の中に生きておられるのじゃ、ハリー。そして、君がほんとうに父親を必要とするときに、もっともはっきりとその姿を現すのじゃ。そうでなければ、どうして君が、あの特別な守護霊を創り出すことができたじゃろう？　プロングズは昨夜、再び駆けつけたのじゃ」

ダンブルドアの言うことをのみ込むのに、一時が必要だった。

「シリウスが、昨夜、あの者たちがどんなふうにして『動物もどき《アニメーガス》』になったか、すべて話してくれたよ」

ダンブルドアはほほえんだ。

「まことにあっぱれじゃ――わしにも内緒にしていたとは、ことに上出来じゃ。そこでわしは、君の創り出した守護霊が、クィディッチのレイブンクロー戦でミスター・マルフォイを攻撃したときのことを思い出しての。あの守護霊は非常に独特の形をしておったのう。そうじゃよ、ハリー、君は昨夜、父君に会ったのじゃ……君の中に、父君を見つけたのじゃよ」

ダンブルドアは部屋を出ていった。どう考えてよいのか混乱しているハリーを一人あとに残して。

シリウス、バックビーク、ペティグリューが姿を消した夜に、何が起こったのか、ハリー、ロン、ハーマイオニー、ダンブルドア校長以外には、ホグワーツの中で真相を知るものは誰もいなかった。学期末が近づき、ハリーはあれこれとたくさんの憶測を耳にしたが、どれ一つとして真相に迫るものはなかった。

マルフォイはバックビークのことで怒り狂っていた。ハグリッドがなんらかの方法で、ヒッポグリフをこっそり安全な所に運んだにちがいないと確信し、あんな森番に自分や父親が出し抜かれたことがしゃくの種らしかった。一方パーシー・ウィーズリーはシリウスの逃亡について雄弁だった。

「もし僕が魔法省に入省したら、『魔法警察庁』についての提案がたくさんある！」

たった一人の聞き手――ガールフレンドのペネロピーに、そうぶち上げていた。

天気は申し分なし、学校の雰囲気も最高、その上、シリウスを自由の身にするのに、自分たちがどんなに不可能に近いことをやり遂げたかもよくわかってはいたが、ハリーはこれまでになく落ち込んだムードで学期末を迎えようとしていた。

ルーピン先生がいなくなってがっかりしたのはハリーだけではなかった。「闇の魔術に対する防衛術」でハリーと同じクラスだった全生徒が、ルーピンが辞めたことでみじめな気持ちになっていた。

「来年はいったい誰が来るんだろ？」シェーマス・フィネガンも落ち込んでいた。

「吸血鬼じゃないかな」ディーン・トーマスは、そのほうがありがたいと言わんばかりだ。

ルーピン先生がいなくなったことだけが、ハリーの心を重くしていたわけではない。ともすると、ついトレローニー先生の予言を考えてしまうのだった。いったいペティグリューはいまごろどこにいるのだろう。ヴォルデモートのそばで、もう安全な隠れ家を見つけてしまったのだろうか。そんな思いが頭を離れない。

しかし、一番の落ち込みの原因は、ダーズリー一家のもとに帰るという思いだった。ほんの小半時、あの輝かしい三十分の間だけ、ハリーはこれからシリウスと暮らすのだと信じていた……両親の親友と一緒に……ほんとうの父親が戻ってくることの次にすばらしいことだ。

シリウスからの便りはなく、便りのないのは無事な証拠だし、うまく隠れているからなのだとは思ったが、もしかしたら持てたかもしれない家庭のことを考えると、そしていまやそれが不可能になったことを思うと、ハリーはみじめな気持ちになるのだった。

学期の最後の日に、試験の結果が発表された。ハリー、ロン、ハーマイオニーは全科目合格だった。魔法薬学もパスしたのにはハリーも驚いた。ダンブルドアが中に入って、スネイプが故意にハリーを落第させようとしたのを止めたのではないかと、ハリーはピンときた。この一週間のスネイプのハリーに対する態度は、鬼気迫るものがあった。ハリーに対する嫌悪感がこれまでより増すことなど不可能だと思っていたのに、大ありだった。ハリーを見るたびに、スネイプの薄い唇の端の筋肉がヒクヒク不快なけいれんを起こし、まるでハリーの首をしめたくて指がむずむずしているかのように、しょっちゅう指を曲げ伸ばししていた。

パーシーはN・E・W・T《イモリ》テストで一番の成績だったし、フレッドとジョージはそれぞれ、O・W・L《ふくろう》テストでかなりの科目をすれすれでパスした。一方グリフィンドール寮は、おもにクィディッチ優勝戦の目覚ましい成績のおかげで、三年連続で寮杯を獲得した。そんなこんなで、学期末の宴会は、グリフィンドール色の真紅と金色の飾りに彩られ、グリフィンドールのテーブルはみんながお祝い気分で、一番にぎやかだった。ハリーでさえ、次の日にダーズリーの所へ帰ることも忘れ、みんなと一緒に、大いに食べ、飲み、語り、笑い合った。

翌朝、ホグワーツ特急がホームから出発した、ハーマイオニーがハリーとロンに驚くべきニュースを打ち明けた。

「私、今朝、朝食の前にマクゴナガル先生にお目にかかったの。マグル学をやめることにしたわ」

「だって、君、一〇〇点満点の試験に三二〇点でパスしたじゃないか！」ロンが言った。

「そうよ」ハーマイオニーがため息をついた。

「でも、また来年、今年みたいになるのには耐えられない。あの『逆転時計』、あれ、私、気が狂いそうだった。返したわ。マグル学と占い学を落とせば、また普通の時間割になるの」

「君が僕たちにもそのことを言わなかったなんて、いまだに**信じられないよ**」

ロンがふくれっ面をした。

「僕たち、君の**友達**じゃないか」

「**誰にも**言わないって約束したの」

ハーマイオニーがきっぱり言った。それからハリーのほうを見た。ハリーは、ホグワーツが山の陰に入って見えなくなるのを見つめていた。この次に目にするまで、丸二か月もある……。

「ねえ、ハリー、元気を出して！」ハーマイオニーもさびしそうだった。

「僕、大丈夫だよ」ハリーが急いで答えた。「休暇のことを考えてただけさ」

「ウン、僕もそのことを考えてた」ロンが言った。「ハリー、絶対に僕たちの所に来て、泊まってよ。僕、パパとママに話して準備して、それから話電《フェリトン》する。話電の使い方がもうわかったから――」

「ロン、**電話**《テレフォン》よ」ハーマイオニーが言った。

「まったく、**あなたこそ**来年『マグル学』を取るべきだわ……」

ロンは知らんぷりだった。

「今年の夏はクィディッチのワールド・カップだぜ！　どうだい、ハリー？　泊まりにおいでよ。一緒に見にいこう！　パパ、たいてい役所から切符が手に入るんだ」

この提案は、効果てきめんで、ハリーは大いに元気づいた。

「ウン……ダーズリー家じゃ、喜んで僕を追い出すよ……特にマージおばさんのことがあったあとだし……」

ずいぶん気持ちが明るくなり、ハリーはロン、ハーマイオニーと何回か「爆発スナップ・ゲーム」に興じた。やがて、いつもの魔女がワゴンを引いてきたので、ハリーは盛りだくさんのランチを買い込んだ。ただし、いっさいチョコレート抜きだった。

午後も遅い時間になって、ハリーにとってほんとうに幸せな出来事が起こった……。

「ハリー」ハリーの肩越しに何かを見つめながら、ハーマイオニーが突然言った。「そっちの窓の外にいるもの、何かしら？」

ハリーは振り向いて窓の外を見た。何か小さくて灰色のものが窓ガラスのむこうでピョコピョコ見え隠れしている。立ち上がってよく見ると、それはちっちゃなふくろうだった。小さい体には大きすぎる手紙を運んでいる。ほんとうにチビのふくろうで、走る汽車の気流にあおられ、あっちへふらふら、こっちへふらふら、でんぐり返ってばかりいる。

ハリーは急いで窓を開け、腕を伸ばしてそれをつかまえた。ふわふわのスニッチのような感触だった。そっと中に入れてやった。

ふくろうはハリーの席に手紙を落とすと、コンパートメントの中をブンブン飛び回りはじめた。任務をはたして、誇らしく、うれしくてたまらない様子だ。ヘドウィグは気に入らない様子で、くちばしをカチカチ鳴らし、威厳を示した。クルックシャンクスは椅子に座りなおし、大きな黄色い目でふくろうを追っていた。それに気づいたロンが、ふくろうをサッとつかんで、危険な目線から遠ざけた。

ハリーは手紙を取り上げた。ハリー宛だった。乱暴に封を破り、手紙を読んだハリーが、叫んだ。

「シリウスからだ！」

「えーっ！」

ロンもハーマイオニーも興奮した。

「読んで！」

ハリー、元気かね？

君がおじさんやおばさんの所に着く前にこの手紙が届きますよう。おじさんたちがふくろう便に慣れているかどうかわからないしね。

バックビークも私も無事隠れている。この手紙が別の人の手に渡ることも考え、どこにいるかは教えないでおこう。このふくろうが信頼できるかどうか、少し心配な所があるが、しかし、これ以上のが見つからなかったし、このふくろうは熱心にこの仕事をやりたがったのでね。

吸魂鬼がまだ私を探していることと思うが、ここにいれば、私を見つけることはとうてい望めまい。もうすぐ何人かのマグルに私の姿を目撃させるつもりだ。ホグワーツから遠く離れた所でね。

そうすれば城の警備は解かれるだろう。

　短い間しか君と会っていないので、ついぞ話す機会がなかったことがある。ファイアボルトを贈ったのは私だ――。


「ほら！」ハーマイオニーが勝ち誇ったように言った。「ね！　ブラックからだって言ったとおりでしょ！」

「ああ、だけど、呪いなんかかけてなかったじゃないか。え？」ロンが切り返した。

「アイタッ！」

　チビのふくろうは、ロンの手の中でうれしそうにホーホー鳴いていたが、指を一本かじったのだ。自分では愛情を込めたつもりらしい。


　クルックシャンクスが私にかわって、注文をふくろう事務所に届けてくれた。君の名前で注文したが、金貨はグリンゴッツ銀行の七一一番金庫――私のものだが――そこから引き出すよう業者に指示した。君の名付け親から、十三回分の誕生日をまとめてのプレゼントだと思ってほしい。

　去年、君がおじさんの家を出たあの夜に、君を怖がらせてしまったことも許してくれたまえ。北に向かう旅を始める前に、ひと目君を見ておきたいと思っただけなのだ。しかし、私の姿は君を驚かせてしまったことだろう。

　来年の君のホグワーツでの生活がより楽しくなるよう、あるものを同封した。

　私が必要になったら、手紙をくれたまえ。君のふくろうが私を見つけるだろう。また近いうちに手紙を書くよ。

シリウス

ハリーは封筒の中をよく探した。もう一枚羊皮紙が入っている。急いで読み終えたハリーは、まるでバタービールを一本一気飲みしたかのように急に温かく満ち足りた気分になった。

私、シリウス・ブラックは、ハリー・ポッターの名付け親として、ここに週末のホグズミード行きの許可を、与えるものである。

「ダンブルドアだったら、これで充分だ！」

ハリーは幸せそうに言った。そして、もう一度シリウスの手紙を見た。

「ちょっと待って。追伸がある……」

よかったら、君の友人のロンがこのふくろうを飼ってくれたまえ。ネズミがいなくなったのは私のせいだし。

ロンは目を丸くした。チビふくろうはまだ興奮してホーホー鳴いている。

「こいつを飼うって？」

ロンは何か迷っているようだった。ちょっとの間、ふくろうをしげしげと見ていたが、それから、驚くハリーとハーマイオニーの目の前で、ロンはふくろうをクルックシャンクスのほうに突き出し、においをかがせた。

「どう思う？」ロンが猫に聞いた。「まちがいなくふくろうなの？」

クルックシャンクスが満足げにゴロゴロとのどを鳴らした。

「僕にはそれで充分な答えさ」ロンがうれしそうに言った。「こいつは僕のものだ」

キングズ・クロス駅までずっと、ハリーはシリウスからの手紙を何度も何度も読み返した。ハリー、ロン、ハーマイオニーが九と四分の三番線ホームから壁を通って反対側に戻ってきたときも、手紙はハリーの手にしっかりと握られていた。

ハリーはすぐにバーノンおじさんを見つけた。ウィーズリー夫妻から充分に距離を置いて、疑わしげに二人をちらちら見ながら立っていた。ウィーズリー夫人がハリーをお帰りなさいと抱きしめたとき、この夫婦を疑っていたおじさんの最悪の推測が、やっぱりそうだ、と確認されたようだった。

ハリーがロンとハーマイオニーに別れを告げて、カートにトランクとヘドウィグのかごをのせ、バーノンおじさんのほうへ歩きだしたとき、ロンがその後ろ姿に大声で呼びかけた。

「ワールド・カップのことで電話するからな！」

「そりゃなんだ？」

ハリーがしっかり握りしめたままの封筒を見て、おじさんがすごんだ。

「またわしがサインせにゃならん書類なら、おまえはまた――」

「ちがうよ」ハリーは楽しげに言った。「これ、僕の名付け親からの手紙なんだ」

「名付け親だと？」バーノンおじさんがしどろもどろになった。

「おまえに名付け親なんぞいないわい！」

「いるよ」ハリーは生き生きしていた。

「父さん、母さんの親友だった人なんだ。殺人犯だけど、魔法使いの牢《ろう》を脱獄して、逃亡中だよ。ただ、僕といつも連絡を取りたいらしい……僕がどうしてるか、知りたいんだって……幸せかどうか確かめたいんだって……」

バーノンおじさんの顔に恐怖の色が浮かんだのを見てニヤリとしながら、カートにのせたヘドウィグの鳥かごをカタカタさせ、ハリーは駅の出口へ向かった。どうやら、去年よりはずっとましな夏休みになりそうだ。

J.K. ローリング

J.K. ローリングは、不朽の人気を誇る「ハリー・ポッター」シリーズの著者。1990年、旅の途中の遅延した列車の中で「ハリー・ポッター」のアイデアを思いつくと、全7冊のシリーズを構想して執筆を開始。1997年に第1巻『ハリー・ポッターと賢者の石』が出版、その後、完結までにはさらに10年を費やし、2007年に第7巻となる『ハリー・ポッターと死の秘宝』が出版された。シリーズは現在85の言語に翻訳され、発行部数は6億部を突破、オーディオブックの累計再生時間は10億時間以上、制作された8本の映画も大ヒットとなった。また、シリーズに付随して、チャリティのための短編『クィディッチ今昔』と『幻の動物とその生息地』（ともに慈善団体〈コミック・リリーフ〉と〈ルーモス〉を支援）、『吟遊詩人ビードルの物語』（〈ルーモス〉を支援）も執筆。『幻の動物とその生息地』は魔法動物学者ニュート・スキャマンダーを主人公とした映画「ファンタスティック・ビースト」シリーズが生まれるきっかけとなった。大人になったハリーの物語は舞台劇『ハリー・ポッターと呪いの子』へと続き、ジョン・ティファニー、ジャック・ソーンとともに執筆した脚本も書籍化された。その他の児童書に『イッカボッグ』（2020年）『クリスマス・ピッグ』（2021年）があるほか、ロバート・ガルブレイスのペンネームで発表し、ベストセラーとなった大人向け犯罪小説「コーモラン・ストライク」シリーズも含め、その執筆活動に対し多くの賞や勲章を授与されている。J.K. ローリングは、慈善信託〈ボラント〉を通じて多くの人道的活動を支援するほか、性的暴行を受けた女性の支援センター〈ベイラズ・プレイス〉、子供向け慈善団体〈ルーモス〉の創設者でもある。
J.K. ローリングに関するさらに詳しい情報はjkrowlingstories.comで。

松岡佑子 訳

翻訳家。国際基督教大学卒、モントレー国際大学院大学国際政治学修士。日本ペンクラブ会員。スイス在住。訳書に「ハリー・ポッター」シリーズ全7巻のほか、「少年冒険家トム」シリーズ、映画オリジナル脚本版「ファンタスティック・ビースト」シリーズ、『ブーツをはいたキティのはなし』、『とても良い人生のために』『イッカボッグ』『クリスマス・ピッグ』（以上静山社）がある。

ハリー・ポッターとアズカバンの囚人〈25周年記念特装版〉

2024年12月1日　第1刷発行

著者　J.K. ローリング
訳者　松岡佑子
発行者　松岡佑子
発行所　株式会社静山社
〒102-0073 東京都千代田区九段北1-15-15
電話・営業 03-5210-7221　https://www.sayzansha.com

装丁　城所潤+大谷浩介（ジュン・キドコロ・デザイン）
装画　カワグチタクヤ
組版　アジュール
印刷　中央精版印刷株式会社
製本　株式会社ブックアート

Printed in Japan　ISBN978-4-86389-920-9　Not to be Sold Separately